U0115465

吳振漢著

文史哲學集成

國民政府時期的地方派系意識

文史哲出版社印行

國立中央圖書館出版品預行編目資料

國民政府時期的地方派系意識 / 吳振漢著. --
初版. -- 臺北市 : 文史哲, 民８１
面 ; 公分. -- (文史哲學集成 ; 271)
ISBN 957-547-183-0(平裝)

1. 國民政府

628.35 81006172

(271) 文史哲學集成

國民政府時期的地方派系意識

著者：吳振漢
出版者：文史哲出版社
登記證字號：行政院新聞局局版臺業字五三三七號
發行人：彭正雄
發行所：文史哲出版社
印刷者：文史哲出版社
台北市羅斯福路一段七十二巷四號
郵撥〇五一二八八一二彭正雄帳戶
電話：三五一一〇二八

實價新台幣四二〇元

中華民國八十一年十二月初版

ISBN 957-547-183-0

自序

一九八八年上半年，我的有關明清社會史的博士論文已大致完成，靜候老師們的批改。閒暇之餘，便在普大（Princeton University）的葛思德圖書館（The Gest Library）中，搜尋國民政府時期要人回憶錄和《文史資料》裏相關論文閱讀解悶。最初只當這些讀物爲閒書消遣，但不久便至入迷的程度，乃至對這段被國、共兩邊官方傳媒扭曲甚烈的歷史，興起探索其史實眞相的雄心。因此，相當偶然的，我竟在這個以明清史料收藏豐富著稱的圖書館中，開始對國民政府時期史產生濃厚的興趣。

民國七十七年秋，返國任教於中央大學。由於適值解嚴之初，社會動象叢生，學生們對黨國難分、威權領導、媒體管制等戒嚴時期的餘緒，有著問不完的問題，因而更激發我追索國民政府時期政治思想史的興趣。民國七十八年初，便開始著手本書寫作的計劃，在國科會、中大文學院、共同科的經費支助下，我得以收購閱覽大批相關史料，並展開口述歷史訪問活動以與文獻資料相應證。回顧過往的四年中，除教學以外，所有學術精力幾乎盡耗於斯，如今書成出版，總算在國民政府時期史的研究上踏出第一步。

本書的完成，首先得感謝國科會、國史館、中大等單位在經費和設備上的協助。其次同事先進陳飛龍、張勝彥、段昌國三位先生的提攜和鼓勵，也令我銘感在心。另外還要謝謝程克雅、林建勳、丁亞傑、李玉珍、張源泉諸位研究所同學，在過去四年中，先後擔任我的研究計劃助理，奔波任事，毫無怨言。

吳振漢誌於中央大學文學院三二一研究室

國民政府時期的地方派系意識　目次

導論

所謂「國民政府時期」，有數種不同的涵意，（註一），本書中所指的時段，是從民國十四年國民政府在廣州成立，至民國三十七年中華民國行憲政府成立爲止。然歷史研究無法不追溯前因、探究後果，所以本書探討範圍雖以國民政府時期爲主，但爲研究需要，有時向前後延伸至辛亥革命和國共交替兩時期。國民政府是一個由中國國民黨建立、指導，並代其推行黨綱的機構，所以國民黨軍、訓政時期的國家統一、安內攘外等主張，也就成了國民政府施政的要務。國民政府很成功的清除了北洋勢力，但對部分有顯著省籍情結的地方派系，卻始終難以徹底統合。

本書所論之地方派系，即指這些有省籍情結的地方團體。惟此類團體爲數不少，且彼此頗有差異，因此必須嚴定取捨標準，以便深入探討。是以本研究所定標準是：超省界的組合，如馮玉祥所領導的「西北軍」系統；一省之內有若干小團體，如四川的劉湘、劉文輝、楊森等；以及雖是省籍團體，但與國府中央互動關係不甚密切者，如雲、貴等省份，皆不在討論範圍之內。所餘大致便只有山西、廣東、廣西、東北四個地方團體而已（東北地區在行政區劃上雖爲三省，但人文、地理上直可視同一個省區）。而這四個地方派系團體形成的因素非止於一，爲研究效率，本書將集中對造成該四區地方情結的主導意識加以深究，以期借此對瞭解國民政府時期複雜的中央與地方互動關係，提供一條有力的線索。

本研究的史料基礎，大致可爲文獻和口述訪問兩部分。文獻資料方面，除參考有關中國現代史的一些重要期刊、回憶錄、報紙外，尤其從大陸出版的《文史資料選輯》和各省、市《文史資料》裡，徵引了大量史料。因解嚴前的思想管制措施，以往台灣史學界對這套史料引用較少；而大陸學界雖早已大量使用，但受意識型態限制甚大頗影響到取材和立論。這套史料實是治國民政府時期地方派系史的一大寶藏，即以本研究最關注的山西、廣東、廣西、東北四地區而言，除《文史資料選輯》中部分相關資料外，四個區域當地的《文史資料》也共累積約五百輯，數量不可謂之不龐大。而質的方面也甚佳，大多記載都是當事者的回憶（甚至可說是一種坦白供狀），且因受中共官方修史的壓力，這些作者多無一般回憶錄當事人那般自矜己功、歸罪於人的通病。經我們將這批史料徵信於口述歷史受訪者，證實《文史資料》中，除受迫對中共歌功頌德和惡意詆毀國民黨執政人士部分外，大致均是記實。甚至有一位廣西籍資深國大代表以親身爲例告訴我們，《廣西文史資料》內某篇記述他當年縣長任內施政的文章，可信度高達百分之八十以上，可見這套史料的價值甚高。至於那些蓄意溢美和惡意毀謗的不實部分，相信凡瞭解歷史背景，同時受過嚴格史學訓練的學者，都可輕易分辨出來。

至於口述歷史部分，本研究進行過程中，訪問了近五十位上述四地區的人士，其中絕大多數均爲民國三十七年行憲之初，選出的中央級民意代表。我們很慶幸能在他們退休前後的二、三年中留下這批寶貴的歷史證辭。惟其中部分立委、國代不願我們直接徵引他們的說辭，甚至爲政治顧慮，不願讓他們名字見諸文字。因此儘管我們大多做有錄音存證和書面記錄，但爲尊重受訪者的意願，本書並未明確徵引這批口述資料。不過，在協助驗證文獻記載眞實性、提供珍貴史料、以及思路啓發等方面，受訪者們對本書的寫成有不可磨滅的貢獻。

國、共兩黨都十分强調民族主義、中央集權等主張，所以無論是台灣或大陸，在兩個意識型態强烈的政權主導下，以往現代史的研究，在處理中央與地方互動關係時，大都重中央而輕地方。本研究則試圖從地方的角度，重新檢視這個問題。至於西方對中國現代史中地方派系的研究，近年雖有Diana Lary, *Region and Nation: The Kwangsi Clique in Chinese Politics, 1925-1937*, Donald G. Gillin, *Warlord: Yen Hsi-Shan in Shansi Province, 1911-1949* 等具代表性的研究成果，但這些著作的重點在於建立一套理論，來詮釋地方派系活動，及其與中央關係，與本書從具體的史料和史實著手，經由對地方意識的探討，來說明地方與中央的互動關係，在研究取向上有相當大的差異。不過，本書爲集中個人有限的精力和識見，故只能各挑選一種主導地方意識，做爲探討地方派系的主軸，在分析上自難周全，這是以後尙待繼續努力、加强的地方。

本書基本上是由四個國科會補助的研究計劃成果構成，其進行次序是「九一八事變以來東北人士的流亡意識」（七十八年度）、「北伐以來廣西人士的疏離意識」（七十九年度）、「辛亥革命以來山西人士的保守意識」（八十年度）、「國民革命以來廣東人士的正統意識」（八十一年度）。但在整理成書時，則以每一主題的開始年代前後次序重新排列如現狀，在此特加說明，以利讀者瞭解本書作者在中國現代史研究方面的學習和摸索過程。

【附註】

註　一：荊知仁，《中國立憲史》（聯經出版社，台北，一九八四），頁三五二。

第一章　辛亥革命以來山西人士的保守意識

前　言

山西地形封閉，素有「表裡山河」之稱，再以境內農產不豐，人民生活貧困，實已爲保守意識的產生提供了充分條件。惟在明、清帝國全盛時期，科舉配額、任官避諱本籍等制度維繫下，出入山西的士人、官吏，流通了新的思想，也更加强了該省人士與其他地區的溝通。尤其是那些在明、清時代叱咤風雲、縱橫全國的山西商人，（註一）他們帶回家鄉的不僅是財富，更有許多新的資訊、觀念，以及勇於冒險和勤於創新的精神。上述的帝國制度和商人精神，在清末以前足以突破大自然對山西的封鎖，但在辛亥革命前後，這些反制保守意識的人文因素逐漸衰微，近代山西人士的保守意識由是發端。

本文所論之保守意識大致可分三個層次：其一，因無知、恐懼、或受宣傳洗腦，而非理性的排斥一切變革；其二，因恐失去既得利益，而反對所有改變現狀之舉；其三，因出於對傳統文化、制度、價值的認同和珍惜，而不能接受任何全然不顧歷史傳統的革命。以上三種保守意識，除第一和第三種可能互斥外，其他如第一、第二種及第二、第三種，基本上均可能並存於一人身上。事實上在本研究進行過程中，我們確也發現部分山西人士的保守行爲，是基於一種以上的保守意識。

第一節　辛亥革命爆發前的山西

二十世紀是山西商人衰微的時代。自義和團拳亂、八國聯軍入侵之後，兵連禍結，民不聊生，素以中、長程貿易爲主的山西商人，頓失治安保護和市場，生意遂一落千丈。一向以出大商人著名的太谷縣，其民國刊本的地方志中即云：

商務自清季已形彫敝。改革以來，凡外埠設有分莊者，因直接、間接之損失，或則縮小範圍，或竟停止營業，較之昔日，一落千丈矣。……近數年來，各省兵禍相尋無已，在外經商因失業而賦閒者，所在皆是。來源頓竭，生計固難，此閭閻之所以日見貧乏也。（註二）

「來源頓竭」的，可能尙不止是財富，同時應也是新的思想、資訊和山西商人的活力。毗鄰陝西，一向以陝西省爲發展空間的臨晉商人，也遭遇類似的困境：

民國紀元前，臨民經商陝西省者，常萬餘人。凡子弟成年，除家無餘丁及質地魯鈍者外，悉遣赴陝西習商。陝省金融業歸臨人掌握者居其泰半，其他各貿易所，亦多臨人據其要津。……民國肇建，陝省亂機四伏，盜匪充斥，行路者皆有戒心，商賈因之裹足。臨民之操奇計贏者

，生理日形頹敗，率多歸里。資財之輸入既歲減萬金，物品之銷耗又日增數千人，臨民生計之艱苦，勢所必至。（註三）

這批「歸里」的山西菁英，非但增加家鄉的經濟、社會問題，也無從再發揮其冒險、進取的潛力。一些個別的山西富商家族的遭遇，更深刻的說明了這種衰落的趨勢。例如在清代以從事中、俄貿易而發達的榆次常氏家族，除在其發跡的張家口、恰克圖擁有衆多鋪面外，分店廣設於「遼、瀋、京、津，暨吳之蘇淞、荆之漢沔」等處，乃至俄都莫斯科，亦設有分店。但「常家商業衰落，起於庚子之役。辛亥革命後的民國二年，即一蹶不起，基本倒閉」。其衰落原因除俄商拖欠巨款，及辛亥革命後收不回貸予前清官吏之款項外，常家在清末所經營的「帳局、票莊呈現出一定的局限性，逐步為新起的銀行所代替」，（註四）亦是要因。可見縱橫明、清帝國的山西商人，清季以降，因地理位置所限，其傳統經營技術，與外商或廣東、江浙商人相較，已顯落後。（註五）

另如在乾隆、嘉慶年間已在包頭創業的祁縣喬家，民國三年其主要負責人喬映霞，便在袁世凱所派之巡按使金永的逼迫下，離開家鄉逃往天津。民國十五年，馮玉祥所部國民軍敗退至綏遠，餉糧攤派極重，喬家復字號受創甚重，從而中衰。（註六）由以上例證可知，山西商人因受清末民初戰亂頻仍、政治黑暗，以及傳統商業經營技術局限性的影響，自二十世紀之初，便已步入衰運。這山西開放進取精神表徵的衰微過程，正是保守意識興起的重要背景。

二十世紀的開始，對山西學術界而言，也是一轉捩點。十九世紀末葉，山西最高學府為晉陽書院和令德堂，也是全省學術的核心。戊戌變法前，該二書院所授課程大致不出經史、考據、詞章等傳統國學，受變法影響後，才添設「政治時務、農功物產、地理兵事、天算博藝」（註七）等新學。義和團運動後，英傳教士李提摩太（Timothy Richard）與山西巡撫岑春烜達成協議，以教案賠款一百萬兩的一半，做為辦學之資，設立山西大學堂。該大學堂創立於一九〇二年，在全國各省興辦新式大學時間排行中，名列前茅。然入學學生「都是通過學台向各府、州、縣要來的青年，多半是當時的秀才，間有舉人貢生，都是所謂中學（指中國的學問）有根底的青年」，（註八）因此儘管入學後受到西方新式教育的薰陶，他們對傳統文化始終有一份難以完全割捨的情懷。辛亥革命前後，山西大學堂畢業生遍佈全省各行政、民意、教育機構，所以革命期間的山西一直夾雜著一股溫和保守的情緒。

一九〇二年，山西武備學堂也再度復學，（註九）所收學生「多是各縣應試裡童生幷有不少在庠生員」，（註十）亦具相當舊學根底。後清政府陸續選派武備學堂資優生數十人，赴日學習軍事，因這些留學生大多係用省款，故學成返國後均回本省服務。當時「山西軍中的山西籍人不過十分之二，經留日士官生閻錫山等人倡議行征兵制後，「新軍步兵兩標中十分之六以上的兵員即成爲山西籍的勞動農工」。（註十一）至此山西軍權已逐漸掌握在一批具備相當舊學新知的山西省籍軍官手中。

綜合以上所論可知，清末的山西人士在大環境的限制下，大都留在本省發展，對省外環境難免漸生隔閡；在追求現代化方面，他們也傾向於不與舊傳統完全斷絕的保守心態。再以山西地理上與舊勢力的政治、軍事、文化中心毗鄰，也很難完全不受來自北京的壓力和影響。就是這樣的歷史背景，決定了辛亥革命後山西的走向，以及閻錫山的蹶起。

閻錫山不是個鋒芒畢露的人物，事實上在同盟會的同志中，他的聲望不及谷思慎；在軍事學素養上，他不如溫壽泉。惟在對傳統制度、人事的妥協，及山西本土性格的體現方面，他的表現無人能及。閻氏於一九〇九年從日本學成返國，旋被派為山西陸軍小學教官。後為掌握新軍，閻透過諮議局長梁善濟之關係，取得巡撫丁寶銓之信任，（註十二）獲任山西唯一混成協的標統（團長），為山西新軍中最高職位的本省籍人士。閻取得此一職位後，更得以大肆安插革命人士進入新軍，厚植實力，儼然已成各方交相推重的人物。

閻錫山之所以能在辛亥革命前夕，成功的周旋於清政府山西當局、諮議局的立憲派、和同盟會的革命同志之間，並深獲各方好感，除其精於應對權術外，其中和、妥協的個性亦為要因。閻氏生長於晉省東北五台縣的河邊村，該村民風相當保守，對傳統禮教極為尊重，「少有失禮，村人就會指責非議」，（註十三）因此養成閻氏對傳統文化的敬重之心。及其東渡日本學習軍事，發現中國的確已不如人，但仍堅信「中國物質科學不發達，不是受中國文化的影響，而是被君位傳子專制政體的政治力量所枷鎖」，（註十四）故日後閻氏所有的改革主張中，幾乎都仍有傳統的影子。閻氏這方面保守的態度，固然常為激進的革命份子所不滿，但卻使舊體制下的統治階層感到安全，也較能為一般山西人士所接受。

辛亥革命中對閻錫山輔佐最力，並成為閻終身摯友、政治伙伴的趙戴文，亦是一典型的山西保守人士。趙戴文字次隴（因仰慕清儒陸隴其而字之），長閻十餘歲，亦五台縣人。先後肄業於晉陽書院和令德堂，「受宋代理學家程、朱影響極深」。（註十五）後於留日期間與閻錫山結交，同加入同盟會，但均認爲革命對象應爲君主專制體制，並非傳統文化和全體當權人物，是以二人皆屬革命陣營中保守持重份子。辛亥革命後，趙氏歷任山西軍政要職，處事沈穩，持身謹嚴，演說、施政每好引儒家傳統論點爲依據。（註十六）辛亥革命前後，趙爲閻悉心籌劃，不辭勞苦，最爲閻所信任倚重。而閻錫山也就在晉北鄉前輩梁善濟、杜上化，志同道合摯友趙戴文等人的支持下，取得政權，成爲都督，開始其個人領導山西近四十年的事業。

第二節　閉關自守時期（民國元年至十五年）

一九一一年十月十日，武昌革命爆發，消息傳至太原，革命黨人躍躍欲試。巡撫陸鍾琦見新軍不穩，乃決意調新軍協一、二標分赴臨汾與代州，另調舊軍巡防營把守太原。黨人鑑於事機緊迫，乃於十月二十八日夜，由一標二營的頭目（班長）楊彭齡、張連升等率先起事，公推管帶（營長）姚以价爲司令，進攻撫署。（註十七）因爲事起於下層新軍，而且事先無周詳計劃，故太原革命一開始便失去控制，上層軍官無法有效指揮下屬。新軍敢死隊衝入撫署後，楊彭齡等人問陸鍾琦道：「你隨不隨我們？」陸不答，一年輕士兵遂立即開槍將其打死。陸鍾琦次子亮臣，係日本士官生，同情革命，與閻錫山等新軍上層軍官有舊，此際亦被射殺。敢死隊出撫署後，適遇聞變趕來的協統（旅長）譚振德，譚喝道：「你們造反了」，隊眾只問其「你隨不隨？」譚不答，遂被槍殺。（註十八）

革命新軍的一些過激、失控行為，非但震驚了一般保守人士，即連持重的革命黨人和上層軍官亦覺不妥。趙戴文此時把守滿城門，便刻意讓頑抗失敗的滿人逃走。（註十九）當時一標標統黃國樑事後追憶道：「當時參與革命的人，大多數只憑著民族感情的衝動，而革命目標，十分模糊」。（註二十）而二標標統閻錫山更是覺得「陸巡撫、譚協統、陸公子，與我們立場雖異，而他們忠勇孝的精神與人格則值得我們敬佩。因為立場是個別的，人格是共同的，故我對他們的屍體均禮葬之」。（註二一）

太原既已革命成功，遂於十月二十九日在諮議局召開大會，以選出都督，組成臨時軍政府。閻錫山既為當時省籍人士中軍職最高者，又能糾合革命新軍、安撫舊派勢力，故被公推為都督，溫壽泉被推為副都督。是夜，部分新軍譁變，搶掠藩庫、銀行，及各大商號，亂軍、暴民沿街焚搶，至此一般溫和民眾亦對革命所引發的脫序狀態感到恐懼。翌日，閻錫山令張培梅率軍沿街鎮壓，亂事始平。時年二十九的閻錫山，一時之間成了革命亂象中眾望所歸的穩定力量核心。

清廷得知太原革命成功後，以山西境鄰畿輔，事關重大，於是派遣精銳的第三鎮，由統制曹錕指揮，沿正太線向太原進發，日後北洋要角盧永祥、吳佩孚、王成斌、張福來皆在陣中。第三鎮盧永祥部很快便擊破把守娘子關的晉軍，長驅直入，直撲太原。清廷並委張錫鑾為山西巡撫，打算隨軍事行動之後，收復山西政權。娘子關兵潰後，太原已無險可守，危在旦夕，舊派人士大肆活動，欲出迎張錫鑾的到來。爲避免徒增傷亡，梁善濟、李盛鐸等乃建議取消軍政府，並勸閻錫山出亡，乃至語閻曰：「吾念舊誼，今日尚承認軍政府，明日則否」。革命人士欲殺彼等，因閻勸阻乃止。（註二二）而閻亦不得不與趙戴文、孔庚等人經晉北，出亡綏遠。

盧永祥部驅走閻錫山後，又南下擊潰晉南河東地區革命勢力的抵抗，一時之間山西似乎又回復到革命前的情形。但全國情勢卻於此時發生鉅變，清帝下詔退位，民主共和政體建立。太原的舊派人士梁善濟、李盛鐸、姚鴻法等人，遂又遣人赴綏遠迎閻錫山歸省主政。（註二三）是時山西境內革命團體，北有續桐溪集團，南有溫壽泉的軍政分府，何以太原當局要遠赴省外迎回閻錫山主政，除閻曾任軍政府都督名正言順外，主因實係閻溫和保守的立場，更能取信於保守與中間派人士。

民元南北議和時，對山西定位問題頗有爭議。因山西先有革命政府產生，但隨後又重回清廷掌握。閻錫山爲此曾派南桂馨至南京向孫中山乞援，請其堅持要北政府承認山西爲革命省份；另一方面又遣谷如墉赴北京，欲與袁世凱取得妥協。結果所達成的協議是，袁世凱承認山西革命軍政府，但該政府必須實施軍民分治。（註二四）閻錫山有鑑於第三鎮入侵的前例，在軍民分治的原則下，組成一妥協意味極濃厚的省政府。軍政方面，以黃國樑（陝西人）任都督府參謀長，孔繁霨（山東人）任參謀處長，又任孔庚（湖北人）爲山西僅有的一個師——第九師師長。（註二五）民政方面，以谷如墉爲民政長、賈景德爲觀察使、張瑞璣爲財政司長，皆爲前清進士出身、行政經驗豐富的晉籍鄉紳。閻錫山軍人用外省人，文官用舊派人士的安排，固然減低了山西革命氣息，然實亦遷就現實不得不如此耳。

民國二年「二次革命」後，袁世凱大權在握，乃逐步改各省都督為將軍、民政長為巡按使，以貫徹中央集權。山西毗鄰北京，主政者又為同盟會出身的閻錫山，故格外遭袁世凱疑忌。袁遂委清季在東北以「能吏」、「酷吏」著稱的浙江籍旗人金永為巡按使，以監督山西政府，並迫害民黨人士。金在任內「編練警備隊步隊十營、馬隊四營，成立警備隊司令部，加給各縣知事警備隊總司令部提調頭銜，注意綏靖，隱然與陸軍對立」。（註二六）金永所編警備部隊，多係東北人，山東、河北兩省人次之，作風強悍，大肆搜捕晉籍反袁民黨人士，並藉故敲榨晉省富商，深為山西人士所忌恨。但因金有袁世凱的幕後支持，故晉人皆隱忍未發，即連閻錫山對之亦不得不退讓三分。

民國五年袁世凱身亡，金永趁隙逃離晉省，不久閻錫山得兼省長。至此山西領導階層，乃得以推行彼等清季以來欲融合傳統於改革之中的理想。惟因金永在晉時期給晉人留下惡劣印象，此際山西人士的保守意識中，又摻入不少省籍情結。黃國樑、孔庚等人均以意圖勾結外力為由先後被逼離晉。從此直至民國三十八年太原陷共，「晉人治晉」不但是一句口號，也是一個難以改變的事實。

政治方面，開始掌握相當大自主權的山西領導階層，非常小心的在繼袁而起的直、皖兩系之間，扮演著無害的第三者之角色，以保境安民為第一優先。民國九年，直皖戰爭爆發，儘管閻錫山與段祺瑞淵源極深，但山西領導階層始終堅持不介入原則。直、皖兩軍交戰期間，閻錫山頻電各方領袖，「

屢申晉軍不出省一步，客軍不許通過，保境安民之宗旨」。（註二七）直皖戰後，山西當局周旋於直、奉兩系之間，維持均衡，力求獨立自保。但民國十一年第一次直奉戰後，華北均勢狀態被破壞，直系一派獨大，除再三要求山西方面協助軍餉外，曹瑛、曹銳兄弟更是時常向閻錫山說情、荐人，山西閉關自守的局面頗受威脅。閻於是改訂策略，派田應璜（前清舉人、民初參議員、山西名士）赴京，聯絡馮玉祥和奉系相關人物，謀共同抵制曹、吳力量的擴張。及至民國十三年，第二次直奉戰爭後，山西當局又感到陳兵其四境的國民軍系的壓力，於是再度改弦更張，聯絡奉、直倒馮。（註二八）總之，自民國五年袁世凱勢力瓦解後，山西領導階層在省民求安定的願望下，很成功的在華北歷次變局中，達到保境安民的目的。這種閉關自守的局面，直至民國十六年南方國民政府的力量發展到華北時方有所轉變。

軍事方面，前文已述及辛亥革命前後，晉軍中本省籍軍官、士兵已逐漸佔多數。袁世凱死後，閻錫山逼走晉北鎮守使孔庚，並排除其在晉勢力。另又將晉軍擴充爲四個混成旅，除廣招晉籍日本士官生和保定軍校生回省任軍職外，並成立軍士教導團、學兵團、斌業學校等軍事教育機構，（註二九）以充實晉軍基層幹部。是後歷次華北軍閥混戰之後，山西當局均基於缺乏足夠自衛能力的危機感，而迭加擴軍。至民國十四年時，晉軍已有「二師，十二旅。步兵將近四十團，騎砲兵各二團，又各十餘營，兵額人數達八萬人以上。而在鄉軍人之保衛團與後備軍官不與焉」。（註三十）這支軍隊，幾乎是一支純粹的省籍部隊，其中少數外省軍官，也必與山西和閻本人淵源深厚。此一時期中，唯一加入晉軍的外來團體，乃是原屬直系陸建章部的商震團。可是商部入晉後，閻雖仍任命商爲團長，卻將其舊部整編爲兩營，另再加入其親信楊愛源一營，混合編組，以事牽制。（註三一）商震日後率部離晉，多少與省籍親疏隔閡有關。（註三二）

山西獨立的兵工製造工業亦奠基於此一時期。自民國六年起，山西當局逐漸擺脫北京的強力干預，是年閻錫山出席北京督軍團會議時，乘便參觀陸軍部國產武器試射比賽，遂興自造軍火之念。閻並邀回當時赴京參賽的漢陽兵工廠總辦劉慶恩，順道至晉指導山西修械所。後經劉應允，閻派山西大專工科畢業生劉篤恭等十人，前往漢陽兵工廠習藝，又設立山西修械所實習工業學校，培養兵工基幹技術人員。民國九年，劉篤恭等人學成歸來，山西修械所乃改組擴充成軍人工藝實習廠，名稱雖尚曖昧，但實質上已由原先的修理兵器提升至製造軍備的層次，並在督軍署成立兵器委員會，督導軍火的製造。至民國十六年初，北京政權已岌岌不保之際，軍人工藝實習廠乃正式改組成太原兵工廠。此時山西已可自製各種槍砲、彈藥，而晉製手擲彈尤著聲名。（註三三）山西軍火自製能力，是其閉關自守政略的堅實後盾。

經濟方面，自民國六年閻錫山以督軍兼省長，兼綰軍政大權，省政和軍隊的開支日益龐大，爲應付越來越獨立且複雜的省財政運作，山西當局乃於民國八年設立山西省銀行。省銀行初成立時係公私合股，迄民國十二年，銀行以現金收購所有私股，遂成公營。（註三四）省行同時開始發行省鈔，並令省內各私營錢莊、票號爾後不得再私自發行貨幣，已發行者必須兌換成省鈔，再交出其發行準備金。至於外地發行在晉流通的貨幣，如中國、交通兩行的鈔票，自袁世凱帝制失敗後，已不能完全兌現，經常須打四、五折，至此面對十足兌現的晉鈔之競爭，乃逐漸被逐出省外。（註三五）山西省貨幣於是漸成一完整封閉的體系。

此一時期山西商人的省外企業，由於受到戰亂頻仍的影響，更加一蹶不振。例如民國十五年，馮玉祥所部國民軍向西北敗退，所有餉糈由包頭商號籌墊，攤派極重，長期壟斷包頭市場的晉商，元氣傷耗殆盡。（註三六）而山西境內工商業，因領導階層的大力提倡、興辦，一時似有蓬勃發展的跡象。然因官股介入、任用私人、作風保守等因素，許多新興事業均發展中挫。如普晉銀礦公司，一九一五年設立，後「提煉銀礦不成功，改營石墨廠，因滯銷亦停採」；蠶業工廠，一九一六年設立，「一九二五年停辦」；育才煉油廠，一九二四年設立，「因技術未過關而未出產品，一九二六年以後停辦」；山西軍人煤礦，一九二五年設立，「未出煤，一九二七年停辦」（註三七）等等，均爲顯著例子。其中固然亦不乏經營較成功的事業，但大多係錢莊、當鋪等山西人士慣常經營的企業，且頗受惠於傳統的人力、資金、技術。

對於省內新興工商業，山西當局採行種種保護措施，甚至在省境設關抽稅，以提高不受歡迎的競爭者之銷售成本。譬如爲保護該省新生產的「五台山牌」和「雲崗石佛牌」香煙，所有外省入境之紙煙均被課以重稅。其他如火柴、棉布等，亦被徵收高額關稅。（註三八）綜觀這段時期，山西因政局較穩定，經濟發展較華北其他戰亂頻仍地區爲佳，但卻日趨獨立封閉。

社會文化方面，如前所論，辛亥革命後新形成的山西領導階層，基本上是以留日同盟會員中的保守溫和派與前清仕紳結合而成的，故當他們在民國六年完全掌握山西政權後，便進行一系列新舊雜揉的社會改革。不過主要仍是以傳統為本，新知只是有選擇性的接受，而且必須不抵觸固有價值體系。

山西當局推動社會改革的組織便是村政體系，閻錫山在《山西村政彙編》序中明言：「民國六年，錫山兼綰民政，……捨村而言政治，終非澈底之論也，於是創行村制」。(註三九)而「每一村有村長制，每二十五家有閭長，嗣又每五家添設鄰長」，顯然寓有明清時代里甲制度的遺意。村政體系思想上的指導原則則是「村本主義」，閻在給大總統呈文中說：「錫山兼攝民政之初，即以村本主義，編行村政」。嚴格的說，「村本主義」並不算是一種主義，因為它並無完備、創新的理論體系，而只是秉承一些傳統習俗而已。閻在〈呈文〉「開村民大會」條中云：「晉省鄉社遺風，遇事即多公開商辦，尤應承此習慣，擴充辦理」；又在「定村禁約」條中云：「晉省民風敦厚，鄉約社規，沿傳已久」，(註四十)皆說明了這是一種沿習晉省舊慣的體制。

而推動村政的人物，也與傳統儒家社會價值宣導者類似。閻錫山在《修正人民須知》中云：「我盼望百姓，都成為個好國民，因不能對你們親身教化，所以用筆代口，做成這書，散給各村」；又云：「凡我人民，看這書時，或聽別人講解這書時，就如同我當面和你們說話一樣，要用心聽明白，還要記住」。閻氏已儼然扮起諄諄教誨百姓的儒家聖君之角色。而有宣講《人民須知》義務者，包括「一、縣署宣講員，二、區署助理員等，三、國民學校校長及教員等，四、街村長副及閭長等，五、在籍之高等小學以上畢業生及前清舉貢生童之品性端正者，六、退伍軍官」。（註四一）這些新知識份子在當時社會中的地位和角色，正相當於傳統社會中講《大誥》、說《上諭》的鄉紳、長老階層。他們所宣講的《人民須知》之內容，除傳統道德規範外，也包括如〈國民教育〉、〈明黨義〉、〈女學〉、〈尊重勞工〉、〈信仰自由〉、〈待外人的道理〉、〈世界圖說〉等新知，不過很顯然的這些新知只是「用」，傳統制度、文化才是「體」，大致不出「中學爲體、西學爲用」的格局。

針對知識份子，閻錫山於民國六年十一月成立「洗心社」，閻自任社長，總社設於太原文廟，並令各縣設立分會。「每星期日召集各界數千人，講述儒家學說，並刊印《來復》週刊」。（註四二）「洗心社」的總社設於太原文廟並非偶然，閻正是期望借著「洗心社」的成立，以恢復傳統知識份子定時聚會於文廟，講求心性，砥礪操守的社會功能。閻在是年十一月十一日「太原洗心總會」歡迎會上，以「洗心意義與講求方法」爲題發表演說，要求社員「非但來社聽講，即應處處實實作『內自訟』功夫，使良知處於監察審判之地位，以求寡過，進而多益」；又云：「吾人於靜坐時，平心定穩，以審察平生能否適合於好人之定格，苟一事之不過對人，則一部分之不純粹，尚有待於洗伐也」。（註四三）由是可見閻的確是期盼山西新知識份子們，仍能講求宋明理學修養心性的功夫。而由閻本人的《感想日記》內容觀之，其本身也常以理學修練功夫自課，並不時試圖以儒家傳統的性命觀，來解釋或推測其本人、政敵、乃至國家的過去和未來之命運。

民國八年的「五四運動」，對民初的社會、思想、文化等，是一大衝擊。民國十年左右，閉關自守中的山西社會也受到新思潮的影響。適時有一批山西旅俄僑民，被蘇共驅逐回國，經閻錫山派員攜款接回。該年四月九日，僑民代表五人見閻致謝，並言及蘇聯推行共產主義狀況，閻「聽後甚為驚駭，思以因資本主義之剝削，演出共產主義來，是兩極之錯誤，就世界人類言，應產生一個適中的制度」。（註四四）於是閻便於是年六月二十一日，召開「進山會議」，研究「人群組織怎樣對」的問題。最初與會者為趙戴文、崔廷獻、賈景德等山西領導階層裡的中堅人物，後亦有學者與各界知名人士參加討論，「每星期開會二次，每次二小時，共討論二年零四月，會議紀錄達二百餘萬字」。（註四五）會後所得結論，大致仍肯定儒家傳統社會組織和價值，因而被大陸學者視為「大都是封建地主階級的反動謬論」。（註四六）

綜觀此一時期，在特殊的華北政治情勢下，山西軍政得以獨立自主發展，財政、經濟也漸自成體系，當時的領導階層乃得以推行一連串的社會改革。近代山西人士特有的保守意識遂在這種背景下逐漸成型。此時山西人士的保守意識所涉及的層次，大致包括保有並發揚中華文化和山西鄉土特有的傳統，以及維持山西內部自給自足體系，排斥外來的軍政紛擾和激進思潮。這種心態除反映出山西領導階層的出身背景和政治傾向外，基本上也大致符合當時一般省民的利益，所以辛亥革命後，山西能維持十數年難得的安定。當民國十六年華北大局丕變，山西的命運再度與全中國時勢結合時，長期蓄積而成的保守意識便主導了山西人士其後的行為模式，及其與國民政府中央的互動關係。

第三節 出擊與受挫（民國十六年至十九年）

民初山西領導階層中，本有不少同盟會的革命同志，但由於長期隔離於華北，山西老同盟會員與南方的革命黨已日漸疏離，尤其是在民國十三年中國國民黨改組並實行聯俄容共政策後，山西當局對國民黨和後來的國民政府疑慮更深。當民國十五年，國民三軍在徐永昌率領下，欲就食於山西，閻錫山亦欲引這支久經戰陣的軍旅以對抗張作霖的奉軍，但顧忌三軍素與馮玉祥的一軍接近，恐亦受共產思想、組織洗禮，故令孫楚語徐永昌曰：「閻先生說，第一、不談國民黨；第二、不談革命」。徐答道：「我都同意，我就不懂得革命」。（註四七）兩人意識型態接近，一拍即合，從此結下終身合作關係。而當時山西當局對國民革命的看法，由是可見一斑。

然自民國十五年國民政府誓師北伐後，進展甚速，是年十月即克復武漢，擊潰吳佩孚的主力。山西在民初的政治環境中，一向以善於維持均勢而求自保著名，是以對此新興起之南方勢力，自不能不有所瞭解、連繫。閻錫山乃於是年十一月，一面命時在北京寓居的溫壽泉，與國民黨直省元老李煜瀛聯絡（註四八）；一面又遣晉省老同盟會員趙丕廉，以出席全國教育會議的山西代表身份，親赴武漢觀察、連絡。趙發現國民革命軍的確是一股不可輕忽的力量，而且國民政府也急欲與山西聯合對付張作霖，可是經趙傳回山西的一些武漢政權過激形象，卻使山西當局感到不安。閻錫山事後便曾對人說

：「我召回駐漢口代表趙丕廉，問他漢口情形。他說：漢口方面將孔子塑像抬上遊街，橫加污辱，顯然是毀滅中國文化。我即不與漢口往來，只與南京合作」。（註四九）顯然武漢方面左派人士打破傳統的激進行爲，無法取得保守的山西當局之信任和認同。於是趙又於是年十一月間，轉赴南京面見蔣中正總司令，雙方意識型態接近，很快便建立起密切關係，是後寧漢分裂之際，山西也始終傾向於支持寧方。

民國十五年間，山西與國民政府的連絡，大致仍處於「知己知彼者是也」（註五十）的階段，尚無積極合作對抗奉系的意圖。及至民國十六年初，北伐軍已澈底擊潰孫傳芳，兵威直抵江北，南北兵力消長已十分明顯。山西當局一向實力有限，在民初政局中端賴善於擇機加入勝利一方，才免遭失敗被瓜分的命運。此際閻錫山已看出「中國之腐敗軍閥，必不足爲國民黨之敵手也」，（註五一）於是開始積極與國民政府合作，另一方面又引進徐永昌所率領的國民三軍入晉，以彌補山西軍力薄弱且又缺乏境外作戰經驗的缺陷。待一切安排妥當，閻錫山乃於是年六月六日，正式接受南京方面任命爲北方革命軍總司令，與奉系公開決裂。此後奉、晉雙方乃互在邊境增兵，兩方談和使者雖絡繹於途，然戰事已迫在眉睫。適時長江流域寧、漢雙方的對立，也發展到劍拔弩張的態勢。七月間，寧方因移精銳之師至長江中游，預防武漢政權的東征行動，故北伐之師敗於徐州。緊接著又有蔣中正下野和寧、漢交兵等事件發生，國民政府已自顧不暇。奉方乃得以移師對付山西，雙方戰事已不可免。

當時山西兵力不足，且戰略上處於外線作戰地位；而奉方非但在兵力和戰力上均遠優於晉軍，另

「更據有京津之豐富策源地，京綏、京漢、京奉三路之交通又極便利」。故晉軍如欲「以寡擊眾、克敵致果，勢非採取奇襲要旨不可」。（註五二）是以晉方乃於是年九月下旬，率先採取攻擊行動，左路軍由商震率領出京綏路，右路實際由徐永昌指揮，出京漢路。晉軍此番出擊，與其說是主動挑起戰爭，倒不如視為因避免勢將失敗的防禦，而採取以攻代守的奇襲戰術。而兩路兵團分由商、徐二人指揮，亦可看出晉軍因長期閉關自守，缺乏指揮大規模攻擊作戰的將才，不得不借重外來人才。晉、奉雙方交兵後，晉軍果難敵身經百戰的奉軍，不久左、右兩路軍即分別退至雁門和井陘一帶，因山勢佈防。晉軍雖不擅野戰，但因勢固守則尚能勉強支持一時。尤其是傅作義率領之第四師，死守涿州，長期牽制奉軍精銳，表現極為突出，後雖有條件的投降，但已為晉軍及傅本人贏得全國性的聲譽。

直至民國十七年初，國民革命軍再度興師北伐，山西孤立奮戰的苦境才得以紓解。是年二月二十八日，閻錫山由國民政府特任為國民革命軍第三集團軍總司令。隨後在四個集團軍協力攻伐下，奉軍敗象日顯，退出關外已是時間早晚的問題。此際一項非常有利於山西當局的政治情勢出現，那就是列强外交使節團恐革命政府收復京、津後，不承認他們在該地區享有之利益，因而傾向於歡迎政治立場較保守的第三集團接收京、津。張繼（直省籍國民黨元老）便曾於是年五月二十日，透過晉省當局駐滬代表張天樞，傳達此一訊息回省道：「外交團稱，兩湖、兩廣尚少共產，南京方面共國雜半，山西方面，完全無共，豫馮受第三國際指導，大有共產風味，如三集團軍到京、津當無問題。一集團軍、四集團軍與二集團軍到京，外交團不甚贊成。日本閣議席上，竟提馮如打津，決武力對之」。（註五三）而孔繁霨等也從南京傳回消息云：何成濬言蔣中正總司令的意思是「謂山西先到北京，尚有辦法。若馮先到無辦法，且有危險」。（註五四）

自民國六年討伐張勳復辟一役以降，山西當局曾數度出兵介入華北重大政爭和戰役。但每當戰事結束，該當局皆未有强烈擴充地盤的野心，（註五五）這也是山西每能避免與其他派系恩怨、利益糾葛過多，始終保持獨立自主的主因之一。惟此次實因時機甚佳、晉軍介入過深、且京、津、直省地盤誘惑太大，故山西當局終禁不住引誘，而放棄了秉持長達十七年的「保境安民」原則，暫時突破保守心防，孤注一擲，積極爭取京、津、直省的控制權。

在列强外交使節團的默契及國民政府中央的支持下，山西當局接收京、津的過程堪稱順利。閻被任命爲京津衛戍總司令，張蔭梧、傅作義分任京、津警備司令，商震出任河北省主席，南桂馨任天津市長，僅北平市長一職由馮系人物何其鞏出任，但亦在閻節制之下。晉系勢力一時擴及晉、冀、察、綏四省，但前所未有的政治糾葛隨之而至。

二、三集團軍同在華北，彼此之間恩怨最深，利益衝突也最烈。當民國十六年底，晉、奉交兵，馮軍便勒兵坐觀成敗，頗受晉方埋怨。至民國十七年接收河北地區過程中，第二集團軍一來受制於列强；一來又因國府中央恐馮系勢力擴展過大，故刻意扶植第三集團軍，使馮系只得山東省主席和北平市長兩職，意甚怏怏。南桂馨就任天津市長不及數月，便發生兩次市民暴動，當時晉系人士便懷疑是「二集團軍少數分子見有機可乘，遂亦加入，故有第二次之舉動」。（註五六）而在民國十八年初國府中央與第四集團軍衝突時，由中央派任北京警察總監的何成濬也電閻錫山云：「據各方報告，四集此次所為，純係馮氏嗾使，馮之如此，第一、在造成機會，竊取平津，利用共黨，以達其領袖之目的」。（註五七）直至是年五、六月間，馮部韓復渠、石友三背馮投蔣，馮主力西撤，國府撤換北平市長何其鞏，以張蔭梧繼任，二、三集團軍在平、津、河北的明爭暗鬥才暫告一段落。

第三集團軍與一、四集團軍在河北的勾心鬥角、利益攘奪，也是層出不窮。首先在民國十七年底，北平方面傳出陳調元、白崇禧合謀，欲逼使國民革命軍總司令北平行營辦公處負責人楊杰，更換公安局長，「並聞有陳欲得河北主席，白得平津總司令之說」。接著又傳出「白、陳將施行襲繳平津第三集團軍之械，白擔任北平，陳擔任天津」之說。最後商震甚且在給閻錫山電文中直指：「陳、白瓜分河北之心，路人皆知」。（註五八）惟此際國府中央正全力支持第三集團軍掌握河北、平、津地區，故迅即調陳調元回南京，三個月之後白崇禧亦因一、四集團軍對立，所部為何成濬、唐生智分化、收服，隻身逃離華北，第三集團軍與一、四集團軍的衝突方暫時化解。

第三集團軍與一、二、四集團軍之爭，主要在於新得資源的分配問題，彼此嫌隙尚易協調、安撫。而因第三集團軍方面的得勢而喪失既得利益的團體，則尤其怨憤難平。平、津是前清及北洋政府中樞所在地，總領河北地區的直隸總督也一直有首席疆吏的象徵性，對北方軍人具莫大的誘惑力。奉系此番將此一地盤讓予晉方，飲恨出關，自是時思規復，此實伏下中原大戰後，張學良率軍入關，並逼閻錫山下野離晉之因。此外晉系人馬接掌平、津、河北政權後，對當地所謂「閒散軍官、禍國政黨，以及土豪劣紳」的安排，「大感應付之困難」，「而此等人銜恨愈深矣」。（註五九）河北人士自直系失利後，即感出路困難，而今本省既已光復，除張繼出任「分會等於談話會，主席與不主席，無關重要」（註六十）的北平政治分會的主席外，幾乎一無所得，對分據要津的山西人士，自是心懷怨懟。總之，山西當局爲保有平、津、河北地盤，幾乎與當時各大派系均發生利益衝突，而河北省籍人士亦頗有微詞，故該當局以往的「保境安民」、「維持均勢」、「晉人治晉」等施政原則，全不能適用最新的情勢，山西亦無可避免的被捲入未來全國性的變局。

另外軍費和財政問題，也使得山西當局成了過河卒子，只能向前發展，不再能退縮回先前的閉關自守狀態。北伐期間，山西兩度擴軍，由晉綏軍改爲北方國民革命軍，再改爲國民革命軍第三集團軍，兵力從民國十四、五年的八萬餘名，（註六一）擴充到民國十八年的「官佐一萬四千五百六十六員，士兵夫二十二萬四千零零四名」，（註六二）增加約四倍之多。而每月軍費開支自然也就逐次遞增，大致情形如下表：（註六三）

十六年一月	一百七十五萬元
十六年十二月	二百三十餘萬元
十七年一月	二百三十四萬餘元
十七年七月	三百五十萬元
十七年十二月	四百五十五萬餘元

兩年之間，兵費約增加三倍。如此沈重的兵費負擔，自非山西一省所能支撐，因此山西當局必須依賴河北稅源和中央撥款。河北稅源方面，除奉中央指示，由該省財政廳從歲入項下撥補外，並從長蘆鹽稅和平綏鐵路歲入項下補貼。（註六四）來自中央方面，除由財政部撥款外，蔣總司令亦偶從特支費中發給數以百萬計的經費。（註六五）即使如此，控制晉、冀、察、綏四省的山西當局還是時陷入不敷出的窘境。（註六六）

對山西當局而言，解決當時財政困境的方法不外兩種：一爲裁軍，但此項行動非但將立即導致政治權力的衰減和可能的編餘官兵譁變外，該當局也勢將無法續保既得地盤，而不得不退回山西，如此隨著山西勢力的收縮，北伐期間在他省發行的晉鈔、軍用券、債券等必將回流，再加上返鄉軍人的復員問題，決非山西脆弱的社會、經濟結構所能承受。這種可預見的嚴重後果，逼使山西當局不得不做另一種選擇，即是爭取更多的資源來彌補財政赤字。如此山西當局勢必得更深的介入全國性的政治運作，結交各大派系，提高政治聲望和影響力，以便從中央方面爭取到更多的撥款和稅源。然隨著源源湧到的中央財政上的支援，國府中央也逐步取得調整雙方關係的主控權，中央可在需要山西方面支持時，以經援向其示好，並增加其依賴性；同時也可在最有利的時機，以收縮其財源的方式，迫使山西方面走上武力解決之途。

被捲入全國性政潮中的山西當局，在由編遣會議至中原大戰間的歷次重要事件中，都扮演著舉足輕重的角色。北伐結束，隨即於民國十八年一月召開編遣會議，會中各地方派系對中央壯大嫡系部隊的提議迭有怨言，會議亦終告不了了之。三月，一、四集團軍交兵，此際正是中央刻意交好山西之時，故閻錫山通電響應討伐桂軍，（註六七）並暗中協助何成濬解決在華北的白崇禧部。一、四集團軍交惡期間，馮玉祥暗中慫恿李、白反蔣，戰爭爆發後，卻坐觀成敗，欲收漁人之利。迄四集團軍迅速潰敗瓦解，二集團軍措手不及，馮有鑑於所部戰線過長，恐備多力分，遂下令駐魯、豫各軍立即向潼關以西收縮。韓復榘、石友三曾在綏遠降晉，與馮及西北軍其他各部已有隔閡，此際又受中央籠絡，遂率部反向運動，向中央軍告攏，馮部實力大減。山西當局在此之前一向視馮爲首要威脅，但此際馮部兵力、士氣已非昔比，而中央軍力、威望暴增，故不得不調整策略，力求均勢，閻錫山於是派昔日

日本士官學校同學李書城往說馮玉祥，勸其入晉議事。六月二十一日，馮攜妻女偕李過河入晉。（註六八）

馮入晉後不久，即被閻軟禁於五台縣建安村，馮部亦因此而間接受制於閻，閻與中央談判的籌碼聚增。另一方面，一些反蔣失意的政治人物如「改組派」的陳公博、王法勤，及「西山派」的鄒魯、謝持等，也紛紛至平、津、太原活動。山西領導階層長期閉處一隅，素來缺乏全國性的政治人物，閻為蓄積政治影響力，故對這些立場不盡相同的反蔣人物皆優容並蓄。山西當局是當時惟一實力未受損失的重要地方派系，此時又有各方軍、政要人來歸，隱然已成北方政治重心所在。

民國十八年底至十九年初，唐生智據豫反蔣行動失敗後，中央與山西的勢力範圍之間已無任何緩衝地帶，而國府中央有鑑於各地動亂漸息，於是對山西當局的立場轉為强硬。閻錫山也逐漸意識到其「長江一帶由蔣先生多負責任，華北由我多負責任」（註六九）的一廂情願之打算，並無實現的可能。二月十日，閻電蔣建議彼此應「禮讓為國」、「共息仔肩」，十二日蔣覆電云「革命救國本為義務，非為權利」，（註七十）明示無意退讓之意。此後雙方互相通電攻訐，山西與中央之間已無迴旋餘地，兵戎相見，勢所必然。三月中旬，閻送馮回陝重掌兵符。四月一日，閻在太原就陸海空軍總司令職，馮在潼關就陸海空軍副總司令職。五月，中原大戰爆發。

閻鑑於李、白、馮、唐之失敗，多因只有軍事行動缺乏政治號召、組織相呼應配合。而山西長期閉關自守，素乏全國性的政治主張和人才，因而不得不堅守國民黨的政綱和組織，並聯絡各方反蔣人士，試圖另組政府，與南京中央對抗。此刻國民黨內反蔣人士中，自屬汪兆銘聲望最高，閻雖欲自任新政府主席，但黨的方面，不能不請汪主之。閻、馮遂先後發電並派代表赴港促汪北上，汪見李、白、張發奎等的南方反蔣勢力有限，亦欲北上打開局面，於是便派陳公博、王法勤等爲先遣，北上安排先召開黨代表大會，再籌組政府。然「改組派」要員赴平後，卻與「西山派」人士爲黨統問題而爭執不下，經閻居中協調，方達成協議，以擴大會議形式召開，各派反蔣人物均有代表參加。

在黨的方面山西人士資歷、經驗均不足，故擴大會議大都由「改組」、「西山」人物主導，他們只扮演協調角色。然組織政府方面，山西當局便顯出較强烈的企圖心，除促使閻被推爲國府主席外，他們還打算「在政府人選上，我們（指山西）方面，因爲從前沒有搞過全國的事，實際經驗掌握較少，組織政府應讓別人多占首位，而我們多占次位，實際掌握些事權，同時學人家的長處。假如任命了部長而他們不即來就職，我們可以次長代理部務」。（註七一）但這一切的計劃都因軍事失利而成泡影。七月，李、白、張在湖南受挫，退回廣西，中央得以轉運粵軍陳銘樞部於華北戰爭。八月，閻、馮聯軍也漸呈疲態。九月中，張學良通電調停，並向平、津進軍，閻錫山與擴大會議首要人物撤往太原。

中原大戰的失敗命運對山西人士而言，是一慘痛的敎訓，對其保守意識的演變有深遠影響。首就閻錫山本人而言，閻起初以爲戰敗後，仍可敗保山西。但國府中央和華北的新强人張學良卻不做如是想，不斷透過管道，逼使閻下野出洋。另一方面中央又屢派飛機赴太原投彈，讓山西人民知道閻錫山不出走，山西將永無寧日。閻在內外交煎之下，不得已於十一月底乘汽車赴大同，由京綏路赴天津，做勢欲出洋，然閻卻於次年一月，由天津轉赴大連，住在孫傳芳的別墅，號稱不問政事，惟潛心「研究所謂『物產政券與按勞分配』」（註七二）理論，實則與日人頗有往來。蔣、張因內憂外患日亟，一時之間亦無暇再對閻施壓，逼使其出洋。閻在天津、大連期間，耳聞山西政情的種種變化，卻無力操控，心情異常苦悶，曾在其日記民國二十年七月三十日條中慨嘆道：「柄不在手，轉不由己」。（註七三）在財力方面亦不甚寬裕，據聞其在天津、大連兩地的花費，還是由御任天津市長崔廷獻提供。（註七四）因此當八月初，閻趁時勢動蕩重返山西後，在用人和理財方面變得較前更為保守。

山西領導階層中的其他人物也紛紛失勢，除趙戴文、趙丕廉、楊兆泰等山西派往中央任職的人物，早在中央與山西交惡之時便被革職外，其他任職平、津、冀、察的人士，也隨著中原大戰的失敗而落職。山西軍隊在戰後由中央委派張學良負責編遣事宜，張將晉軍縮編成第三十二、三十三、三十四、三十五四個軍，分由商震、徐永昌、楊愛源、傅作義四人任軍長。商、徐兩部原係外來部隊，非閻嫡系。傅作義雖為閻一手提拔起來，但自涿州媾和後，傅頗受張學良禮遇，而在被軟禁保定時期，又與東北軍將領建立深厚情誼。及至北伐後期，再起於天津時，已有自成一部之勢，僅受閻節制而已。而所有閻嫡系部隊只縮編成楊愛源一個軍，自是僧多粥少，遭致閻親信將領極大的情緒反彈，（註七五）彼等非但怨憤外力的入侵，即對商、徐亦多反感。因此當閻錫山於民國二十年八月五日重返山西時，其嫡系將領趙承綬、王靖國、李服膺、孫楚等均全力擁護，蔣、張雖欲再迫閻出走，但亦不得不有所顧忌。

至於山西人民，則可能是此次晉軍出擊行動中最大的受害者。隨著中原大戰戰局的逆轉，大批客軍撤入山西，中央和山西當局既無力補給收編這些部隊，也無力節制他們行動。所以「這些隊伍的糧秣及一切所需，都是向駐在地區勒索攤派」，甚至「製造嗎啡金丹，或販運鴉片毒品，不僅大量售賣，並脅迫駐地縣長代為派銷」。（註七六）另外隨著山西勢力的衰退，發行流通於平、津、冀、察一帶的晉鈔也大量回流，鈔價一日數落，通貨膨脹嚴重，民生凋蔽。山西人民固然不滿閻錫山北伐以來向外發展的政策，但此際似乎又只有閻一人能穩定山西政局、恢復晉省經濟，因此山西人民又再度默許閻回省掌政。

北伐之初，山西已閉關自守了十餘年，本無意亦無能力加入革命行列，攻取京、津、直隸。但隨著時勢演變，山西當局被一步步的捲入華北戰爭，並得以控制晉、冀、察、綏四省，成為雄據一方的地方派系，然也因而無可避免的涉入爾後歷次全國性的政爭，終至在中原大戰中一敗塗地。山西當局突破秉持十餘年的保守心防，改採向外發展策略的結果，卻是一場空前的災難，山西各層人士皆蒙其害，因此造成是後一種更極端的保守意識。惟此時全國大勢已有改變，中央、中共、日本三股力量正開始準備進入山西，新舊力量攻防較勁之下，山西歷史進入了另一個階段。

第四節　保守圖存時期（民國二十年至三十八年）

閻錫山寄居天津、大連時期，商震以省主席身份處理山西善後事宜，惟商在山西究竟難脫客卿身份，威望、人脈難與閻相比。非但閻嫡系部隊認爲商勾結外力，壓制省軍，紛紛抵制；財政問題，商亦一籌莫展。閻治晉二十年期間，一向非常重視財政的操控，離省時雖未能攜走任何不動產，然整個山西財政運作之奧妙，完全存乎閻之一心，他人無法接手。適民國二十年夏，石友三在華北反張學良，商震奉召率部出兵石家莊，截擊石友三後方。商離晉後不數日，閻系部隊即在「太原海子邊廣場掀起一場反商大會，表示山西將領拒絕商震再回太原。」（註七七）不久，閻便潛返大同，隨即回五台縣河邊村「侍父疾」。

閻返山西後，國府中央和張學良均頗爲疑懼，意欲逼閻再度出走，即於八月十一日發表徐永昌爲代理山西省主席。徐深知其處境與商震無異，乃一再向中央陳述：「戰後的山西，晉鈔五、六千萬至不值二百萬，尚發出有金融公債三千萬，軍政與人民均不堪其苦（山西一千餘萬人口，僅此一項每人負擔了八、九元），所以收拾此局，在我辦是事倍功不到半，閻先生辦是事半功不止倍。以軍隊言，聽他的比聽我的多。以經濟言，在他手中的錢，通可拿出來」。（註七八）中央經多方考慮後，終默許閻的返晉。「九一八事變」後，國民政府宣佈對閻免予處分。民國二十一年「一二八淞滬戰役」爆發後，閻又被國民黨中央政治會議任命爲軍事委員會委員。二月二十日，國府特派閻爲太原綏靖主任，正式重掌晉、綏軍權。

民國二十年以後，中央、中共、日本這三股強大的力量便開始逐步侵入山西。而山西領導階層爲維護既得利益，力圖周旋於三者之間，以求生存空間。首論中央方面。中原大戰後，華北大致由東北軍及西北軍和晉綏軍的殘部駐防，形式上由張學良統領之，中央軍力一時無力也無法進入此區域。不過隨著中央威望的提升，其政治力已逐步向華北拓展，而黨乃是政的先鋒，因此國民黨省黨部率先重返山西。晉藉「cc派」的要人苗培成並得出任山西省教育廳長，力量伸展入政界。面對這項外力的入侵，山西保守勢力在閻錫山領導下，立即展開反制行動。民國二十年十二月十日，太原學生罷課請願，要求即刻抗日，遊行隊伍中途失控，搗毀教育廳，苗培成在親中央將領李生達保護下，離晉赴平。十二月十八日，請願學生在共黨份子介入下，搗毀省黨部，事變中，學生穆光正被不明份子槍殺。太原警備司令榮鴻臚在閻錫山幕後指使下，拘捕省黨部委員、工作人員六十餘人，該黨部所有文件、檔案也全部付之一炬。（註七九）中央迫不得已，於二十一年春，令山西省黨部暫移北平辦公。是後山西親閻國民黨人士組成一「中國國民黨山西黨員通訊處」的機構，（註八十）與黨中央維持著微弱的聯繫。直到抗戰中期，山西省黨部才得以完全恢復。

中央的軍事力量也因華北整體局勢的牽制，以及山西保守勢力的排斥，一直很難進入山西。然而中原大戰後的晉軍已改編成國軍，指揮調動難免會受到中央一些節制，中央影響力也就常借此趁隙而入。而閻錫山自大連流亡歸來後，對屬下將領防制更嚴，除疏遠、架空商震、徐永昌、傅作義等晉軍中主要次級軍系外，所親信的將領也逐漸縮減至一個以五台、定襄、忻、崞等縣的晉北人為主的小團體，如楊愛源、趙承綬、王靖國等皆是，故當時山西流行的一句諺語云：「學會五台話，就把洋刀挎」。民國二十五年李生達被刺事件，便是此時期中央與山西當局，在軍中人事方面暗中較勁的最佳例證。

李生達為山西晉城縣人，保定軍校畢業，民國十五年扼守大同，力拒國民一軍圍攻，一舉成名。晉軍加入北伐時，李已為閻拔擢為師長，是後駐防天津期間又擴編為軍長。李與當時國民黨天津市黨部委員苗培成同為晉東南晉城小同鄉，彼此過從甚密，並透過苗與中央建立起直接關係。晉軍收縮回山西後，李因係晉南人，所部亦多為晉南或外省籍，又曾與中央來往密切，故頗受閻親信人物疑忌。民國二十三年，蔣中正徵召山西部隊赴江西剿共，李遂請纓赴召。李在贛期間，頗受禮遇重用。民國二十四年夏，共軍逃至陝北集結，山西頗受壓迫，李生達部遂又受調返晉佈防。次年二月，共軍二萬餘人渡河入晉，中央軍六師也分三路入晉馳援。俟共軍回陝後，中央任命陳誠為陝甘寧青四省剿匪總指揮，李生達為副總指揮，陳未到任前，由李代行指揮權。是時李所轄兵力約為山西軍的四分之一，又多為精銳部隊，與中央合作無間。適李正欲率部渡河剿共之前夜，卻為衛士所刺斃命。中央為之惋惜不已，閻卻迅令親信王靖國接掌李部。（註八一）李之被刺雖經調查，終無結果，然多方線索顯示，似與閻有所關聯。（註八二）李原為閻之嫡系，但因閻親信集團的收縮，被排於圈外，中央適時介入招撫，終演成被刺悲劇，成了中央、山西較勁下的犧牲者。

山西當局一面排拒中央勢力的入侵，一面也明示無意再向省外發展，以釋中央的疑忌。閻重掌晉省政權後，便提出一「山西省政十年建設計劃案」，以示將埋首省內經濟建設，無意擴充軍備，介入全國政治。另外閻又約集了一些經濟學者專家，開會研討經濟、發展理論，閻並提出「物產證券」、「按勞分配」、「土地村公有」等學說，但這些經濟理論在當時的環境下，根本無法成為切實可行的政策，更遑論付諸實施，因而「成了政治空談」。（註八三）不過這些政治宣傳煙幕，似乎的確降低了中央對山西當局的猜疑。

而實地裡，閻錫山卻更進一步的掌握山西的經濟命脈。閻自民國二十一年正式復出後，首先便整理大幅貶值的晉鈔，另發行新省鈔，以一比二十的兌換率，收回舊鈔。將戰爭帶來的經濟衰退苦果轉嫁到所有省民的身上，而在如此不合理的兌換率的保障下，官方資產大致得以保全。（註八四）閻又在「造產救國」的口號下，興辦了墾業、鐵路、鹽業三銀號，與山西省銀行，合稱「四銀行號」，壟斷山西全省金融。「四銀行號」全係官方資本，負責人王驤、邱仰濬、郝繼舉等，也皆係閻之親信。閻既得操控金融大權，於是又利用借貸款之便，在相同口號下，興創或接辦了晉生織染廠、晉恆造紙廠、益晉電氣織染工廠、蔭營煤礦公司等實業，而委由其親戚徐一清出面主持。這些企業股份所有均公私難分，股東及經理人員大多係閻的親信和親戚，因而後有所謂「閻、徐、曲、梁」四大家族之稱。（註八五）因為創辦這些實業「主要目的不是為了賺錢」，（註八六）且任用私人及官股過多，故盈收業績並不佳，不過閻卻確實掌握到更多山西資源，而山西經濟方面的主導和既得利益集團，也更爲緊縮牢固。

然此一時期的山西經濟建設也並非全爲口號、空談，同蒲鐵路的築成實爲一大成就。同蒲鐵路南起晉西南角的風陵渡，北至晉北的大同，全長八百餘公里，從民國二十一年至二十五年，歷四年完成。不過，此一鐵路既在此時期間修成，自然也反映出當時的特色。同蒲鐵路全係山西一省獨力修築完成，這是繼東北張作霖之後，一省修路的特例。而該路所採寬一公尺軌距的窄軌，南與隴海、北與平綏的標準軌之全國性鐵路皆無法接軌。這一方面固然是因晉省財力有限，但亦顯出山西當局亟欲自保的企圖，因爲如此省外武力很難借由鐵路運輸，源源不斷的侵入山西；而省軍則可利用此路靈活調動，取得內線作戰的優勢。另外同蒲鐵路得以修築成功，山西兵工全力支援，亦爲關鍵。（註八七）山西當局轉用既有兵工基礎於經濟建設，亦隱含無再興兵逐鹿中原之意，以釋中央猜疑。

其次論及中共方面。此段時期之初，中共軍力尚遠在贛南，對山西的滲透僅止於文字宣傳和發展學生組織，故山西當局對之並未採取嚴厲取締措施，有時甚至加以利用。如民國二十一年搗毀國民黨山西省黨部事件，共黨份子即有介入。又如民國二十三年冬，共黨人士杜任之、周北峰等在太原創辦《中外論壇》，「專門宣傳第三國際和各國共產黨、工人黨的理論以及世界革命與民族解放運動」，（註八八）山西當局也不加禁止。事實上，閻錫山有感於「九一八事變」後，國內群眾運動蓬勃發展，爲順應時勢，也令其親信李冠洋、梁敦厚、邱仰濬等人分別組織「中國青年救國團」、「建設救國團」、「晉綏監政會」、「文山讀書會」、「植社」一類的團體。其吸收對象大都爲青年學生，組織結構和運作方式頗類共黨式的外圍組織，一方面培育山西團體的政工人員；另一方面也可推展政治宣傳、主導群眾運動。（註八九）一時之間頗多共黨份子和其同情者趁機加入，伏下日後山西團體與共黨份子的數度分合的遠因。

民國二十四年底中共逃至陝北後，對山西的壓力劇增，山西當局立即改變以往態度，喊出「軍事防共」、「政治防共」、「經濟防共」、「思想防共」、「民眾防共」等口號，並迅速組成「主張公道團」，全力貫徹反共民眾教育。總團部設於太原，閻錫山兼任總團長，縣設縣團部，村設村團部，總共有小組十九萬零二百八十一個，團員一百萬零七千零九十四人。（註九十）翌年初，共軍以「抗日先鋒隊」名義，侵入晉中、南，劫掠物資。山西當局面臨此一立即威脅，毫不猶疑的請中央派軍入晉協助抵禦。五月，共軍於奪得所需物資後退回陝北。而山西當局又開始對入援的中央軍湯恩伯、關麟徵、李仙洲等部之動向和意圖感到不安，於是逐步的將原來「聯蔣防共」的方針，調整為「聯共抗日」，因當時中央是力持「先安內後攘外」的政策，因此「抗日」也隱含了反制中央的涵意。

民國二十五年五月以後，共軍遠引，威脅已減輕，而日軍正步步進逼華北，舉國抗日熱情甚熾。山西當局見這股熱潮勢將難遏，又不願中共主導其流向，遂擬自組一抗日組織。而山西領導階層中素少精熟此類運動組織之人物。故不得不借重部分共黨及其外圍份子，而閻錫山也深信有能力駕馭這批年輕人，於是指示梁敦厚，招集杜任之、劉岱峰、戎子和、牛珮琮、張文昂等人，最初組成「抗日救國同盟會」，後因覺得明示「抗日」二字過於敏感，乃更名為「犧牲救國同盟會」（簡稱「犧盟會」

）。（註九一）民國二十五年九月十八日（「九一八事變」五周年紀念日）該組織正式成立，閻錫山自任會長，梁敦厚爲負實際責任的祕書，下設「組織訓練委員會」、「宣傳訓練委員會」、「太原市委員會」、「抗敵救亡先鋒隊」等單位，另領導「軍政訓練班」、「民訓幹部團」、「國民兵軍事訓練團」、「國民兵軍官教導團」、「村政協助員訓練班」等組訓單位。（註九二）不久，閻又令郭挺一帶了一筆錢及其致宋哲元的親筆信，接回時被囚禁於北平反省院的薄一波，（註九三）亦出任「犧盟會」的祕書，與梁敦厚協同負責會務。薄一波在獲釋後，立即與中共北方局取得聯絡，得到返晉工作指示後，並率楊獻珍、韓鈞、傅雨田等有所謂「白區」（即指國民政府有效控制區）工作經驗的黨員，及一些年輕晉籍共黨齊赴山西，潛伏於「犧盟會」組織中，推動各項工作。

因「犧盟會」組成份子龐雜，意識型態又激進且具外來性，所以一開始運作，便遭到山西保守勢力的全力抵制。即使閻錫山親自出面解說，亦無法完全平服反制的力量，故「犧盟會」初時「由於阻力太大，工作沒有得到應有的開展」。（註九四）不過，共黨已在山西紮下深厚的基礎，俟機而動。

至於對日本方面，閻錫山早年留學該國，對其國情、人事均有深入瞭解。閻在流亡大連期間，也曾與日人多所接觸。返掌晉政後，他鑑於日軍軍力之強大，不主張與日輕啓戰端，其曾在對中央建言中云：「戰爭之眞正意義有二：一爲自衛，一爲主張公道。……國家備戰應以此二者爲範圍，決不可造戰爭之因。……戰因造成，雖欲不戰，不可能矣。造戰因之戰爭，戰爭不勝無論矣，雖勝因果相循，亦終必失敗」。（註九五）並極力附和中央的暫時隱忍政策，對省內公開抗日聲浪，也採低調處理。可是閻亦堅決不願叛國附日，當民國二十四年，日本蘊釀華北五省自治陰謀時，便欲推閻領導。（註九六）但閻深知日人只是以其爲傀儡，以遂其最後呑併全中國之野心，更何況在其他四省閻毫無實力，根本不可能眞正領導華北，所以始終不肯接受日人勸誘。然日人仍不曾放棄對閻工作，並一直進行至抗戰期間，這也是中央始終不敢輕忽閻的要因之一。

在此一時期中，山西當局非但不能再有餘力逐鹿中原，即使欲回歸中原大戰前的閉關自守之局面亦有困難，因爲中央、中共、日本這三股鉅大勢力正欲伸展入山西。重新返晉掌政的閻錫山，懍於一度失勢的經驗，用人、施政更爲保守，而其欲保、欲守的對象，已不再是先前的中國文化傳統和山西固有特質，而逐漸轉爲領導集團的權力和利益。正當抗日情緒席捲全國，一般民衆渴望統一、革新之際，山西領導階層卻走上更封閉、利己的途徑，其目標和利益已開始與山西人民的期待背離。

二、抗戰期間

抗戰爆發後，山西是很快便被戰火波及的省份之一。日軍攻佔平、津地區後，有感於山西威脅其側背，九月開始向山西用兵，十一月八日陷太原，晉軍及入援的中央軍、共軍、西北軍、川軍的大規模防禦作戰告終。此後日軍長驅直入，奪佔晉省各大城市及鐵路沿線地區。殘餘晉軍撤至晉西山區，閻錫山最初渡河將第二戰區長官司令部設於陝西省宜川縣秋林鎭，民國二十九年才遷回晉西南的吉縣南坡村（改名爲克難坡），僅轄十餘縣，人口不及百萬。中央軍於山西主要戰事告一段落後，陸續調往其他戰場。共軍（第十八集團軍）則於退途中，大力扶植晉察冀、晉東南等地的親共游擊力量，在敵後農村中紮下基礎，此對爾後山西歷史發展有極深遠的影響。

日軍的大舉入侵對山西當局是一重大打擊，實行二十餘年保守政策的山西，因長期阻絕外來的刺激和挑戰，一旦遭此空前的衝擊，立刻陷入極度的混亂。在戰爭即將爆發前，閻錫山曾對所屬一百零五位縣長做一調查，結果只有五位願在淪陷時堅守崗位。（註九七）而在抗戰爆發後，忻口一役山西部隊即損失約百分之七十，（註九八）因此山西領導階層在迫不得已的情況下，不得不與游擊經驗豐富的中共聯合。閻的如意算盤是共黨紀律森嚴，黨員一但叛附他黨，忠誠度受到懷疑，則將永無重返其黨的機會，故可大加利用。而中共此時正苦無發展餘地，見此機不可失，乃祕密指使一些黨員與左傾人士投入閻陣營，依附山西當局的支援和庇護，暗中發展勢力。

「犧盟會」便是在上述背景下快速發展。閻錫山在撤離太原之前，爲進行未來的游擊戰，曾將全省劃成七個行政區，各區都委派了政治委員，成立政治主任公署。一區主任宋劭文、二區楊集賢、三區薄一波、四區武靈初、五區戎子和、六區張文昴、七區關民權，其中宋、薄、戎、張皆爲共產黨員，並配給每位主任「電台一部，電台工作人員三人，一個警衛班的槍枝、九箱子彈等」。（註九九）此後閻便無力再對在淪陷區的主任公署提供大量援助，也無法有效約束其行動，宋、薄、戎、張等人乃公開或半公開的接受中共晉察冀和晉冀魯豫軍區的領導。譬如一區主任宋劭文便在其所轄的晉東北十八縣範圍中，任命「犧盟會幹部和當地左傾青年十餘人爲縣長，全力發動民眾，並爲共軍征糧助餉。」（註一〇〇）因此這些淪陷區裡的抗日政府，表面上仍隸屬於第二戰區，實際上已成了中共的附庸。據估計「到一九三九年左右，全省一百零五個縣，就有六十二縣完全被犧盟會所控制」，（註一〇一）另外還有一、二十個縣中，親共勢力亦很強大，此與閻錫山所能切實掌握的晉西十數縣相比，雙方實力之消長不言可喻。

此外，「犧盟會」在抗戰前已著手進行國民軍組訓工作，抗戰開始後，遂在閻錫山的同意下，由薄一波於民國二十六年八月在太原以國民兵軍官教導團和軍政訓練班爲基礎，編成青年抗敵決死隊（簡稱「決死隊」）。最初只有一總隊，後陸續擴充成四個縱隊，一縱隊有六個團、二縱隊有八個團、三縱隊有七個團、四縱隊有五個團，準備從事對日游擊作戰。「決死隊」採取政委制，隊員全爲「犧盟會」會員，政工人員都是共產黨員，軍官雖由山西部隊中選任，但多半亦爲「犧盟會」會員。（註一〇二）閻錫山本以爲引入共產黨政工人員，可增加「決死隊」的戰力，但這支部隊卻逐漸爲中共所掌握。除「決死隊」外，「犧盟會」又先後協助閻組織或改編工衛旅、暫一師、政衛旅、二一二旅、二一三旅等部隊，並皆趁機滲入共黨力量。這些部隊加上「決死隊」，在政工人員的誘導和宣傳下，以「新軍」爲名，以別於忻口戰役後山西當局殘餘部隊（被稱之爲「舊軍」）。至民國二十八年底，這些所謂的「新軍」，「已有四十多個團的正規軍（以一團一千五百人計，四十個團就是六萬人）。此外還有近百縣、區建立起的自衛隊、游擊隊（指脫產的），共達十萬人左右」。（註一〇三）這些軍隊均由山西當局接濟餉彈，此無異爲中共養兵十萬。

另外爲了因應抗戰新情勢，山西當局又擬成立一流亡青年軍政訓練班，一面撫輯失學、失業的知識青年；一面爲第二戰區儲訓基層幹部。最初命名爲「民族革命青年學校」，後以「校名不響亮，缺乏號召力」，（註一〇四）而更名爲「民族革命大學」（簡稱「民大」），但實質上仍是一與訓練班近似的教育機構。由於「民大」是培養抗戰軍政幹部，其性質迥異於以往山西內部人才之培育，因此山西當局又不得不借重一些共黨和左派人士。於是閻錫山除自任校長外，又命中共黨員杜任之爲教務主任、杜心源爲政治主任。其他左傾人士如侯外廬、溫健公、何思敬、陳唯實、蕭軍、蕭紅均一度受邀至該校任教。閻並另派梁敦厚爲校長辦公室主任，企圖由梁來掌握整個校政運作和人心趨向。「民大」課程中，除軍訓部分外，大致不外共黨的種種「革命理論」和閻自創的各項「學說」，因此學生思想也大都不出此兩套規範。是後山西當局與中共對立時，雙方陣營中均有不少「民大」生。

自民國二十七年十月日軍分陷廣州、武漢後，中、日雙方戰事漸呈膠著。國府中央與各地方派系漸有餘力注意到中共在各自勢力範圍內的擴展，一波全國性的反共高潮由是展開。中共外圍組織自抗戰爆發以來，在山西當局的給養、庇護下，日益壯大，此時已引起閻本人及其老幹部極大的疑忌。閻乃於民國二十八年三月二十五日，在陝西宜川秋林鎮召開一次包括「師旅長以上軍官、各區專員、保安司令以上的行政區幹部以及一部分縣長、公道團縣團長、犧盟會特派員，共計一百零七人的擴大會議」，（註一〇五）做最後的一次努力，試圖將「犧盟會」、「新軍」等中共全面滲透的組織納入閻主導的山西團體。這次會議定名爲「軍政民高級幹部會議」，而一般習稱爲「秋林會議」。同時山西當局也意圖在此次會議中，做好組織、思想、軍事方面的準備，以便一旦收服不了這股新興力量，便立刻趁早將其摧毀之，以免後患無窮。因此會議過程十分驚心動魄，閻斥共黨潛伏和外圍份子由寄生而奪權，要他的忠貞追隨者與之劃清界線；而共黨人士則力持堅決抗戰的論調，以抵制閻欲調轉對內動武之意圖。會議進行至是年夏末始結束，雙方各持己見，毫無妥協之可能。會後雙方各自準備，最後的攤牌已無可避免。

同年十月二十九日，閻又在秋林召開一次「同志會臨時代表大會」，「犧盟會」重要份子薄一波、雷任民、宋劭文等，均託故不參加，僅決死二縱隊政委韓鈞赴會。十二月一日，閻下令對日軍進行冬季攻勢，命韓鈞率領的決死二縱隊爲第一線，另派其舊部王靖國、陳長捷分率第十九軍及第六十一軍，左右牽制、監控決死二縱隊。中共黨員韓鈞、張文昂等乃率第二縱隊，結合八路軍晉西支隊，於十二月七日通電叛閻。一時之間，「新軍」與「舊軍」在各地紛紛交火，是爲所謂的「十二月事變」（又稱之爲「晉西事變」）。「新軍」因係新編之游擊部隊，作戰經驗和裝備均難與「舊軍」相比，但其最後叛逃歸附八路軍，對閻而言亦是一大損失。

「十二月事變」對閻錫山及負責結合共黨工作的梁敦厚等人，是一極大的刺激。其苦心培育的新興抗戰力量，居然完全不顧情誼，一夕之間挾所有裝備、人員叛逃。從此山西領導階層乃步入一更加保守的階段，務使內部組織更爲緊密，嚴防任何外來人員、組織、乃至思想的滲透。山西當局在抗戰初期，爲團結內部力量、整合軍政民三方面事務，便曾設立一「民族革命同志會」（簡稱「同志會」

）的組織，成立於民國二十七年二月六日。其功能有類於國民黨之於國民政府，或是共產黨之於人民政府。閻錫山自任會長，「代表組織整體，有總裁一切的最高權力」。下設高級幹部委員會，由高幹十餘人組成，「負一切事的集中決定執行之責」；又設有幹部委員會，由幹部數十人組成，「負一切事的集體發動監察制裁之責」。（註一〇六）高幹、幹部成員幾乎包括了山西軍、政、民三方面所有高級官員，而此後亦唯有「同志會」內部人員才能擔任執掌實權的職務。

「十二月事變」之後，山西當局為在組織、思想上澈底清除「同志會」裡的共黨人員，並與中共展開鬥爭，乃將該組織重新改組，且大力發展地方、軍隊及學校等部門的組織，吸收會員，選拔「同先」（指同志會先鋒隊，謂能在會員中起先鋒帶頭作用的積極份子）、「基幹」（即同志會基本幹部）。至抗戰結束前，已發展了「同志會員八萬餘人，同先五千餘人，基幹五百餘人」。（註一〇七）同時為加強訓練會員，又於民國三十年七月開始舉辦「洪爐訓練」，除加強灌輸閻的各項自創學說理論外，還要求受訓者必須「志會長之志，言會長之言，行會長之行」。其各項訓練要求和方法，與當時盛行的法西斯組訓方式，頗有雷同之處。此外在紀律方面的要求也大為增強，因會員既享有位居要津的權利，自也應受較嚴厲的紀律約束。閻並手訂七項基本任務和十大紀律，其任務包括「為組織發覺爭取革命的同志」、「為組織發覺打擊政治的奸細」等等。而被定位為「政治奸細」者，蓋包括共黨、漢奸、乃至為中央積極活動者。另外凡有「破壞」、「背叛」、「曲解」、「造謠」等嫌疑者，亦有可能被視為政治奸細，而被列入打擊對象。抗戰以來，因時局越發險惡、共黨日益滲透，「同志會」乃越來越緊密、排外。

同時山西當局也在山西部隊中成立「鐵軍」組織，以加强對軍隊的控制。「鐵軍」組織的最高領導人爲會長閻錫山，而負實際責任的則爲第十三集團軍總司令王靖國。爲適應軍中特殊的文化，「鐵軍」的組織方式與中國傳統祕密會社結盟型制類似。會長之下有「鐵委」（鐵軍委員），幾乎包括當時晉軍中所有高級將領，並不負實際發展組織的責任。再下一層爲所謂的「二十八宿」，多是當時的軍、師長一級的人物。此二十八人即是所謂鐵軍體系的第一層，每人介紹所部三人爲第二層，第二層每人介紹三人爲第三層，以此類推，而欲發展出二十八個支系。因是按三三的模式發展下去，故又稱「三三鐵血團」，或將閻錫山與山西的山合稱爲「山山鐵血團」。每一入盟軍人均有一化名，其名按入盟誓詞中的「鐵血主公道，大家如一人，共生死利害，同子女財產」之前十二字爲輩份排行依據，因第十三字爲「死」字，故二十八宿皆只發展到第十二層，以避不祥。（註一〇八）由此可見，整個「鐵軍」組織實充滿了江湖、迷信氣息。

「鐵軍」的組織方式相當落伍，本只對行伍出身的軍官有一些約束作用，但閻錫山居然要所有高級將領一律參加。晉軍名將楚溪春（河北人，保定軍校五期生）時任第二戰區北區軍總司令，便在閻錫山授意下，由楊愛源（時任第二戰區副長官）、王靖國引導加入「鐵軍」組織。楚回憶其加入儀式道：「我雙腿跪在地上，舉起右手背誦了一遍事先已背熟了的誓詞（現在已記不清了）。隨後，閻錫山親口將桌子上那張他親筆寫在紅緞子上的幾句守約念給我聽，我現在還記得是這樣幾句：『鐵血主公道，大家如一人，同子女財產，共生死利害』，另外尚有紀律八條，詳細的我已記不清楚了。宣誓完畢後，王靖國親手交給了我一根鋼針，叫我將左手中指刺破，將中指血印在自己的誓詞上，然後起立又向閻錫山行九十度的三鞠躬禮。閻錫山這時站起來和我握了握手，說：『晴波，你很好，努力吧！』於是我就同楊、王二人退出窯洞」。（註一〇九）這對一受過新式軍事教育、或尚有國家觀念的軍人而言，簡直是一種污辱，但在力求對閻個人忠貞的山西部隊中，幾乎每位將領都得經歷這一江湖式的效忠儀式。

山西特務組織也在此時期萌芽、茁壯。由於抗戰時期山西爲中共活動、發展的重點地區之一，故當「十二月事變」後，山西當局便把「肅清僞裝」（即是肅清共黨潛伏份子，簡稱「肅僞」），視爲一項重要工作。「肅僞」工作最初並無專門主管機構，而是由各軍、政單位之偵防部門負責，後漸由「敵區工作團」（簡稱「敵工團」）及「民族革命同志會流動工作隊」（簡稱「流工隊」）兩單位主之。「敵工團」始於民國二十七年冬成立的「晉綏軍校尉級軍官集訓團」，當該集訓團第一期軍官結訓時，約有一百多位年輕軍官被選入「政治訓練隊」，預備結訓後派赴淪陷區組訓民衆。但隨著山西當局與中共關係的惡化，這批軍官便在楊貞吉領導下，成立「第二戰區敵區工作團」，實際上並未被派赴淪陷區，而被留在第二戰區轄區內，專門對付共黨潛伏份子。民國三十年，閻錫山更下令將此一組織擴編爲「政治保衛團」（簡稱「政衛團」），其任務除繼續「肅僞」外，亦負起保衛閻安全的責任。因「政衛團」組成份子以職業軍官爲主，對社會各層面之複雜性瞭解不夠，對於特勤業務也不甚精熟，再加上還負有保護閻身家安全等其他勤務，故「肅僞」的績效始終不佳。

「流工隊」是由梁敦厚所建立，其前身爲「隰縣區戰工會戰地動員工作團偵察組」。梁自聯絡共黨人士、組織新軍遭重大挫敗後，爲王靖國等人抨擊、排擠，而自動引退，辭去一切職務，到成都、重慶等地居住。梁在四川期間，據云曾對中央訓練團等單位做了一番考察，因此民國二十九年秋重返第二戰區後，首先便舉辦了「洪爐訓練」，訓練期間並實行「循環檢舉」、「突擊密報」等措施。（註一一〇）民國三十一年，梁復出任隰縣中心區戰地動員工作委員會主任，次年十月成立「流工隊」，大舉展開「肅僞」工作。「流工隊」採取「以僞肅僞」的方式，凡逮捕到共黨份子，即設法令其交代組織關係，一旦關係交代清楚，立即重用之，以其對共黨的瞭解，再破獲更多的潛伏共黨組織。另外「流工隊」中亦有不少「民大」畢業生，「民大」學生中本即份子複雜，其中不乏下層社會閱歷豐富者，對特務工作做的得心應手。因此「流工隊」雖成立不久，但工作績效顯著。民國三十四年二月，「流工隊」乃有正式編制，梁敦厚任中將主任，另有中將副主任二人，下設一室三科，每縣成立流工組二至三個，每組五人。不過此一機構並不爲中央所承認，故早期代主任張亦山及後來的徐端，均掛名爲第二戰區長官部中將參事，該機構經費也由長官部自行籌撥。梁敦厚因曾受共黨利用，爲此受到極大的屈辱，故對打擊共黨潛伏組織不遺餘力，偵訊時也毫不留情，因而成了山西共黨的首要敵人。

當抗戰期間山西當局與中共由結合而反目之際，其對中央和日本的關係，則一直力求等距發展，試圖借著二者互相牽制，而求本身的生存。山西部隊自忻口戰役後，一路敗退至晉西，受創甚重，閻錫山亦將長官部撤至陝西宜川的秋林鎮。中央於民國二十七年底，一度欲解除閻之兵權，將之調至南鄭或天水，出任西北行營主任。（註一一一）但因考慮閻留晉西既可牽制部分日軍，又可與中共爭取山西民眾，更顧慮閻會因此附日為傀儡，故此議未付諸實施。中央既決定留閻在山西與日本和中共對抗，乃重劃戰區，仍任閻為第二戰區司令長官，但僅轄山西及陝西之一部。傅作義於太原淪陷後，即率部轉赴綏遠，自是乃歸入第八戰區，脫離閻之直接指揮。而第十八集團軍（八路軍）也自由行動，完全不受閻的節制。後經閻迭次向中央陳情，終獲中央同意，除第六、第七集團軍外，再撥第八及第十三兩集團軍番號給第二戰區，但中央只關五個軍十五個師（一軍三師）的餉，（註一一二）其他三個軍的經費，由閻自行料理。憑著如此有限的軍備，山西當局僅能求自存，實難爭回為日本和中共所奪去的地盤。

至於日本方面，抗戰期間進駐山西的第一軍，於民國二十六年入侵山西前在石家莊編成，直至民國三十年太平洋戰爭爆發前，均為第一線攻擊兵團，下轄「擁有最優秀裝備的第三十六、第三十七、第四十一等三個甲編師團，再加上一個乙編師團和三個獨立混成旅團」，（註一一三）共九萬人，戰力優越。但日第一軍得同時面對我第一、第二、第八三個戰區，及在陝北和山西的共軍，並不能全力對付山西當局。所以自民國二十九年初起，日第一軍即開始所謂「對伯工作」，（註一一四）企圖誘降閻錫山，一來可減少一方敵人；再來又可打擊中國抗戰意志。而此際山西當局僻處晉西山區一隅，外有日軍壓境，內有中共顚覆，而中央的援助又不甚熱心，甚至有在山西部隊損耗殆盡時將其裁併之可能。於是閻錫山喊出「存在即是眞理，需要即是合法」的口號，與日第一軍展開數次的談判。閻在派第七集團軍總司令趙承綬爲代表與日軍談判前，曾語趙云：「抗戰固然是好事，但沒有勝利把握；就是打勝了，咱們存在不住又有什麼用」。（註一一五）可見當時閻最關心的便是山西團體繼續存在的問題。但不久太平洋戰爭發生，日第一軍的部分精銳部隊南調，而國府中央又應允補充山西部隊部分兵員、糧餉，（註一一六）山西當局的「存在」已不如先前的岌岌可危。閻與日軍的談判接觸乃漸減緩，意圖觀望時局演變，再應變調整其與中央、日本的雙邊關係。是後閻雖一度在日軍發動大規模攻擊的要脅下，親自與日第一軍司令官岩松義雄在吉縣安平村會面談判，但亦無具體結果，雙方從此再也無正式高峰會談。

抗戰的爆發，驟然之間把封閉二十餘年的山西導入一個極度混亂的狀態，山西當局在一連串艱澀的調適過程中，走向更極端的保守之途。閻錫山及其身邊人士形成一緊固的團體，透過各種小組織將彼此利害關係更緊密的結合在一起。爲對抗中共意識型態的滲透，山西團體也舉辦多次內部集訓，加强思想、精神的武裝。山西當局又爲求繼續「存在」，竭力在日本、中央兩大之間維持等距外交，尋求生存空間。歷經八年艱苦奮鬥，山西團體雖仍得以「存在」，但內部結構與特質已發生鉅大轉變。閻錫山成了一個大家長型的領袖，昔日同輩政治伙伴趙戴文、賈景德、徐永昌等人，不是已死，便是已至中央做事，閻身邊要人梁敦厚、王靖國、趙承綬等，皆爲親族晚輩或五台部下，奉閻如君如父。

（註一一七）梁、王並分任「文人組織」（註一一八）和「鐵軍」組織的負責人，經由組織紀律、升遷利益、思想訓練等方式，鞏固、純化團體的基層幹部。然正當山西團體越來越緊密的集結於閻錫山個人意志下之際，山西領導階層的理想與利益卻與全省民眾越離越遠了。

三、抗戰之後

抗戰勝利後的山西，表面上仍由閻錫山領導，然實質上已有極大的變化。中共力量在八年中快速成長，據日人估計，至民國三十三年，「八路軍的正規兵力已達四十七萬，民兵增至二百萬，已能進行比較大規模部隊的運動戰」，（註一一九）而山西正是共軍重點集結地區之一。而當日人見到前來太原接收的山西部隊時，則是「感到出乎意料，裝備差，訓練也不夠」。（註一二〇）雖然閻錫山終在日軍和「省防軍」（日人扶植的中國軍隊）的協助下，收復日軍所佔領的淪陷區，但立刻變的與戰時的日軍一般，僅能據守鐵路沿線的城市，而被共軍控制的鄉村層層的包圍住。山西當局有感於形勢危急，接收城市完畢後，立刻展開大規模修築防禦工事計劃。（註一二一）當山西政權暫時安然的被保護於城防工事之內的同時，其與外界民意的溝通管道卻被阻絕隔斷。

整個山西部隊的接收工作，幾乎都是在共軍沿途監視下完成的，當山西部隊逐一接收進城後，共軍攻勢已在蘊釀之中。山西當局既決定入城固守，共軍便採取「圍城打援」和「奪城打援」的戰術。共軍選擇的第一個打擊對象，便是晉東南的上黨地區，此一區域位於中共太岳、太行、中條三大基地之間，共軍在此區域擁有雄厚的基礎。民國三十四年八月下旬，當晉軍在第十九軍軍長史澤波率領下，以三個師、二個挺進縱隊的實力，從汾東穿越太岳山區向東挺進時，便早已在共軍監控之下。晉軍接收以長治為中心的數個縣城後，立即採取山西部隊的一貫保守作法，將近一萬七千人的部隊，分別配置於各城之中，閉城固守。共軍於同年九月十日發起攻勢，第一階段先逐一攻拔長治四周的諸縣城。第二階段再圍長治而緩攻之，吸引太原方面派軍來援。在長治守軍一再告急下，閻錫山果然派遣「由第七集團軍副總司令彭毓斌率領的第二十三軍、第八十三軍、省防軍等八個師，還配屬兩個炮兵團，一共有二萬多人」（註一二二）來援，結果被殲於老爺嶺附近。第三階段共軍再全力攻陷長治，並兜殲突圍部隊於將軍嶺。上黨一役將山西當局由接收過程中培育出的一點進取銳氣打擊殆盡，從此又回復全面保守的態勢。

上黨戰役後，山西只剩沿著同蒲鐵路的晉北、晉中、晉南三塊不連貫的非共區域。而且即使在這些區域內，亦早在日軍佔領時期，便已滲入大批中共地下工作人員。面對此危局，為統一意志，鞏固內部，山西情治組織又有進一步的發展。因為在抗戰期間「流工隊」的肅僞成績一枝獨秀，特別受到閻錫山的賞識，所以山西當局重返太原後，「流工隊」便於民國三十五年三月受命擴編為「第二戰區司令長官司令部特種憲警指揮處」（簡稱「特警處」），民國三十六年四月，又改隸新成立的太原綏靖公署，成為山西首要的特務機關。「特警處」處長梁敦厚、代處長徐端均編階中將，另有少將副處長一、二人。下設祕書室、組訓科、情報科、總務科、視導科、審理科和編譯室等單位，各科室主管多編階上校。並轄有各地區之特警隊、特憲隊、軍政幹部訓練隊、感訓隊、別動隊等單位，特工人員先後共計有三千餘人。（註一二三）此一山西內部特勤單位自然不被中央所承認，故其經費及裝備皆由山西當局自籌，也因此其活動受限制較小，在山西幾乎「可以橫行無忌，爲所欲爲」。（註一二四）

「特警處」的中、上層幹部大多爲「流工隊」的舊人，與共黨積怨極深，對戰時的各種非常手段也不陌生。至於下層幹部，則多出自梁敦厚一手建立的訓練機構，「他們年輕單純，文化程度低，從小在閻統區生活成長，缺少社會閱歷，對外界情況多不了解」，（註一二五）因此經特殊訓練後，意識型態多趨於極端保守。隨著山西當局與中共的鬥爭日益激烈，雙方特工人員所用的手段也越來越殘酷。中共方面所作所爲，目前欠缺充分資料可稽；「特警處方面，據估計自民國三十五年四月至三十八年四月，共扣捕共諜及涉嫌人員達二萬餘人」，（註一二六）其中受凌虐、乃至被處決者，已難以精確估算。雙方鬥爭之激烈，的確已至你死我活的地步。除清除共諜外，「特警處」也負有監督山西團體內部成員的責任，凡被視爲「不穩份子」，均有隨時被扣捕的可能。即使「特警處」本身，也有各種內部檢肅組織，以防成員有任何動搖或背叛的機會。「特警處」的存在，大大的強固了山西團体的抗共能力，同時也將保守意識發展到極致。

在晉中農村地區，山西當局則大力推動「兵農合一」政策。「兵農合一」本是抗戰末期實行的一套應急的措施，當時山西當局困處晉西山區多年，久經戰禍摧殘，兵源、餉源均接濟不上，迫不得已之下，不得不採行這套「不但中國從來沒有，就是世界各國也沒有」（註一二七）的辦法。其內容大致是將晉西各縣所有役男（十八歲至四十七歲）均著籍爲國民兵，每三人編成一個兵農互助組，再從三人中抽一個去當常備兵，其家屬由其他二人種「份地」以供養之。而「份地」之來源，則是將所有耕地按產量劃成份地，給土地原地主一小部分收成爲地租，其他收成供出征家屬、耕作者食用及加派的餉源。此一措施乃非常之辦法，一切以爲政府籌措兵、糧爲第一優先，在生產工具未顯著改善，勞動力又損失三分之一情況下，人民卻得繳更多的糧，其所受之苦痛可想而知。這種冷酷的經濟現實，卻在政治宣傳下，被美化成「將國防問題與土地問題併爲一談而處理，社會革命與民族革命融爲一鑪而解決，以奠定抗戰建國的鞏固基礎」。（註一二八）

「兵農合一」政策在抗戰後期施行，因民眾抗日同仇敵愾，尚能勉強忍受，及至抗戰勝利後再度實施，立刻招致民怨四起。民國三十四年底上黨一役，山西部隊慘敗，局勢很快又變的與抗戰時期類似，山西當局是時所能有效控制的農業區，僅有晉中十數縣而已。而其對兵源、餉源的需求卻與日俱增，於是在民國三十五年「四月間，閻錫山以兼省主席名義，在省參議會做了兵農合一施政報告，省參議會決議通過，此後兵農合一便在晉中各縣開始了」。（註一二九）山西當局在抗戰後之能保有晉中各縣，除自日軍手中接收順利外，還有一因，即是該區域素爲山西商人之大本營，鄉紳階層力量強固。「兵農合一」政策付諸實施，鄉紳地主土地多被劃爲「份地」，所得遠低於昔日地租，自然大爲不滿。民國三十五年十二月，制憲國民大會召開期間，山西代表們（絕大多數均出身鄉紳階層）就因家鄉親友的訴苦，曾蘊釀集體向國府中央請願。（註一三〇）經國府蔣主席電詢，閻錫山力陳，如中止已在進行的「兵農合一」措施，「則數百萬領地之國民兵，與在營受優待之常備兵，不待共黨煽惑，即可發生變亂也」。（註一三一）然實際上領到「份地」的國民兵，卻因稅賦過重，常有棄田逃亡的情形，如此在營的常備兵之家屬自也就無從享受優待了。山西當局因厲行「兵農合一」政策，而同時失去了晉中地區鄉紳和農民的支持，無異為共軍進攻該地區開啓了大門。

共軍劉伯誠部自上黨戰役後，南下襲擾平漢沿線，山西所剩共軍兵力有限，一時之間無法進行大規模攻堅作戰。及至民國三十七年，全國局勢逆轉，共軍乃得以集結大股兵力於山西。三月中旬，共軍以優勢兵力，攻下晉南重鎮臨汾。六月間，晉中各縣夏麥成熟，共軍急進至晉中一帶騷擾，意圖誘使山西部隊出城進行野戰。山西部隊素以防禦作戰著名，但此際為保衛此太原城外唯一腹地，不得不派出精銳，以第七集團軍總司令趙承綬為野戰軍總司令，日本顧問（原日軍旅團長）原泉福為副總司令，率五個軍投入保衛晉中之戰。晉軍因不擅運動戰，一個月之間，趙兵團幾被全殲，損失兵力約達七萬人，晉中十四縣全為共軍所佔。（註一三二）晉中會戰結束後，共軍先鋒部隊直抵太原近郊，太原保衛戰已迫在眉睫。

山西當局自勝利接收以來，便在太原城四周大舉修築堅強防禦工事，再加上山西團體內部強固的凝聚力，尤其是情治組織的嚴密監督，（註一三三）太原保衛戰因而成為國共戰爭中最慘烈的一場城市攻防戰。民國三十七年七月中，太原保衛戰開始，共軍陸續奪得一些外圍據點。至十一月中，中共中央密令太原攻城部隊暫緩攻擊，以待平、津局勢明朗化。（註一三四）此後近五個月之中，戰局暫呈膠著。民國三十八年三月二十九日，閻錫山受代總統李宗仁電召，赴南京商議國共和談事宜，飛離太原危城。四月二十日，國共和談破裂，次日，共軍大舉猛攻太原。此時共軍已轉運到大批在東北、華北戰場擄獲的火箭砲、榴彈炮、山砲等攻堅武器，太原防禦工事多被摧毀。二十四日，城陷。太原陷共時，晉軍高級將領孫楚、王靖國、趙世鈴、韓步洲、高倬之等均被俘。惟情治人員自梁敦厚、徐端以下約四十六人集體自殺、或炸彈引爆時不及走避被炸死。至於所謂「太原五百完人」，其人名、事跡則多係杜撰而成。（註一三五）

太原失陷，山西團體實際已等於瓦解。雖後來閻錫山獲任爲行政院長，協調周旋於蔣中正、李宗仁之間，但已毫無實力憑藉，其在任內所提「扭轉時局方案」、「鞏固大西北反共根據地方案」，及仿照山西在廣州設立「平民經濟執行委員會」等計劃，（註一三六）皆無異畫餅，根本無法實行。到台灣後，閻旋即解職下台，連名義上的影響力也沒有了。

山西當局自抗戰勝利完成接收後，立刻開始採取全面防禦政策，正如閻錫山所說：「抗戰勝利回到太原的第二天，我即開始築碉，準備和共產黨做殊死戰」。（註一三七）其最初是試圖保衛全省，然後是保衛晉中，最後是保衛太原。山西領導階層所總結的歷史經驗是只要力求存在、靜觀待變，外在環境終會改變。但歷史發展並非一成不變，在民初混亂政局中一直倖存的山西團體，終於還是瓦解了。太原保衛戰所給後世的啓示，至今尚是一個見仁見智的問題，不過可確定的是，此一極慘烈的保衛戰，實是山西人士保守意識長期發展下來的必然結果。

小 結

綜觀近代山西人士保守意識之發展，大致可分爲三個階段。清末以降，中國陷入一空前的變局，各種外力、思潮猛烈的衝擊著獨立雄峙東亞數千年的中華文化，內部一些過激的變革或主張應運而生。此際的山西卻因地勢的隔絕，在一批溫和保守的人士主導下，推行一套新、舊合璧的改革政策，並得以屹立於紛擾多變的華北，長達十餘年。直到民國十六年前後，當北伐力量達到北方，山西當局才放棄持守多年的閉關自守的策略，加入北伐行列。北伐完成後革命陣營的內鬨，導致中原大戰的發生。戰後山西領導階層一度失勢流亡，當其再度返晉掌權，其保守意識已進入另一階段。儘管事後山西當局在省政建設方面仍有一些傑出成就，但其已逐漸將領導集團利益的保持，當做施政優先考慮的關鍵。抗戰的爆發，幾使山西當局陷入絕境，爲圖生存，其不得不採行集權組織方式，將整個團體以壟斷利益和嚴厲紀律凝聚起來，此時的山西領導集團已成一極端保守、排外的團體，並開始與一般山西民衆脫節。勝利接收的巨大利益，導致山西團體日漸腐化，而保守待援的心理，終使其被中共一步步的蠶食盡淨。

民初的山西在分裂的中國裡，儼然似一遠離戰禍的世外桃源。但隨著國府中央、日本、中共三股以全中國爲視野的力量逐步逼近，山西當局不得不與之周旋，力圖自存。三者之中，山西當局除中原大戰時期外，一直與中央最爲相得，因爲無論在抗戰前、後，中央力量均未眞正能伸展至華北。且在意識型態方面，雙方也最爲接近，皆主調合中、西，緩進改良，是以即在太原失陷後，蔣、閻仍能合作。日人依恃武力，處理山西問題最爲霸道，但山西當局爲牽就弱勢現實，亦不得不與之保持若即若離的關係。日方既無誠意授閻錫山以統治山西、乃至華北的實權，閻自然也不會輕易入其彀中，而寧願觀望時局發展，再做決斷，更何況與日方關係曖昧還有牽制中央的好處。所以稱閻爲精明政客或爲不虛，若認爲其「堅持抗戰到底的決心，應給予肯定評價」，（註一三八）則似嫌溢美。山西當局與中共的關係最爲糾結，閻錫山數度欲利用這股新興力量，但卻屢次反被其利用，雙方積怨極深，此係主因。而兩方面在意識型態上，一爲極端保守；一爲激進革命，更是毫無妥協餘地，兩相激烈抗爭過程中，無辜的山西人民付出最慘痛的代價。

【附註】

註　一：參閱寺田隆信，《山西商人の研究》（東洋史研究會，京都，一九七二）。

註　二：《太谷縣志》（一九三一刊本），卷四〈生業〉，頁三至四。

註　三：《臨晉縣志》（一九二三刊本），卷四〈生業略〉，頁二。

註　四：常士暐，〈榆次車輞常氏家族〉，《山西文史資料》第五八輯（政協山西文史資料研究會，太原，一九八八），頁一六五。

註　五：有關清末民初山西票號經營管理技術的日益落後，可參閱冀孔瑞，〈介休侯家和「蔚字號」〉，《山西文史資料》第十一輯（政協山西文史資料研究會，太原，一九八四），頁一一六至一一七；及聶昌麟，〈太谷曹家商業資本興衰記〉，《山西文史資料》第十二輯（政協山西文史資料研究會，太原，一九八三），頁一七二至一七三。

註　六：劉靜山，〈祁縣喬家在包頭的復字號〉，《山西文史資料》第六輯（政協山西文史資料研究會，太原，一九八五），頁八九及七八。

註　七：郝樹侯，〈山西大學史話〉，《山西大學學報》（哲學社會科學版），一九八〇年第二期，頁九六。

註　八：冀貢泉，〈山西大學堂和爭礦運動〉，《山西文史資料》第二輯（政協山西文史資料研究會，太原，一九八八），頁三七。

註　九：山西武備學堂原創於一八九八年，一九〇〇年義和團事變，巡撫毓賢奏請撤消，學生星散，至是重新開辦。參見榮鴻臚、李志輿，〈太原解放前山西歷屆軍事學校概況〉，《山西文史資料》第五輯（政協山西文史資料研究會，太原，一九八八），頁一〇〇。

註　十：樊象離，〈同盟會在山西的活動〉，《山西文史資料》第一輯（政協山西文史資料研究會，太原，一九八八），頁一。

註十一：閻錫山，《閻錫山早年回憶錄》（傳記文學出版社，台北，一九六八），頁十四至十五。

註十二：南桂馨，〈辛亥革命前後的回憶〉，《山西文史資料》第二輯，頁八二至八三。

註十三：閻雲溪，〈閻錫山鄉居紀實及其他〉，《山西文史資料》第六十輯（政協山西文史資料研究會，太原，一九八八），頁十九。

註十四：閻錫山，《閻錫山早年回憶錄》，頁四。

註十五：楊懷豐，〈趙戴文家世及生平事跡〉，《山西文史資料》第三十八輯（政協山西文史資料研究會，太原，一九八五），頁一四四。

註十六：直至抗戰中期，趙氏在克難坡對第二戰區主要幹部講演時，內容還是「圍繞《論語》、《孟子》、《中庸》、《大學》等四書五經，講『齊家、治國、平天下』」；又「嘗語人：『我與會長（指閻錫山），君臣名分定矣！』」。〔李蓼源，〈閻幕瑣記〉，《山西文史資料》第四十七輯（政協山西文史資料研究會，太原，一九八六），頁五四。〕

註十七：侯少白，〈辛亥革命山西起義紀事〉，《山西文史資料》第一輯（政協山西文史資料研究會，太原，一九八八），頁十九。

註十八：田樽，〈訪問參加太原起義的三位老人〉，《山西文史資料》第二輯，頁一〇五至一〇六。

註十九：葉復元，〈辛亥太原起義追記〉，《山西文史資料》第一輯，頁十。

註二十：黃國樑，〈黃國樑自述〉，《山西文史資料》第三輯（政協山西文史資料研究會，太原，一九八八），頁二六。

註二一：閻錫山，《閻錫山早年回憶錄》，頁二二。

註二二：趙擎寰，〈河東革命記〉，《山西文史資料》第二輯，頁五十至五一。

註二三：南桂馨，〈辛亥革命前後的回憶〉，《山西文史資料》第二輯，頁九十至九一。

註二四：同前文，頁九二。

註二五：郭榮生，〈晉綏軍史稿〉，《山西文獻》第十期（一九七七），頁十六至十七。

註二六：俞家驥，〈金永控制山西時的政治情況〉，《山西文史資料》第二輯，頁一一七。

註二七：閻伯川先生紀念會，《民國閻伯川先生錫山年譜》（台灣商務印書館，台北，一九八八），冊一，頁三六五。

註二八：梁航標，〈閻錫山聯合張馮倒曹吳和聯吳倒馮〉，《山西文史資料》第十二輯，頁一至十六。

註二九：郭榮生，〈晉綏軍史稿〉，頁三八至三九。

註三十：同前文，頁十七至十八。

註三一：唐永良，〈商震歷史概述〉，《文史資料選輯》第八輯（政協文史資料委員會，北京，一九八一），頁一一〇。

註三二：商震祖籍浙江紹興，但在河北保定出生，所部核心份子幾全為河北人。唐永良，〈商震歷史概述〉，頁一一三至一一四。

註三三：周維翰，〈山西兵工史科〉，《山西文史資料》第九輯（政協山西文史資料委員會，太原，一九八三），頁二二至三一。

註三四：王尊光、張青樾，〈閻錫山對山西金融的控制與壟斷〉，《山西文史資料》第十六輯（政協山西文史資料委員會，太原，一九八三），頁五。

註三五：南桂馨，〈一九二〇年以前閻錫山的經濟措施〉，《山西文史資料》第五輯，頁五九。

註三六：劉靜山，〈祁縣喬家在包頭的復字號〉，《山西文史資料》第六輯，頁七八至七九。

註三七：曲憲南，〈閻錫山官僚資本企業簡介〉，《山西文史資料》第十六輯，頁一〇七至一一一。

註三八：趙繼昌，〈我所知道的閻錫山〉，《山西文史資料》第三十五輯（政協山西文史資料委員會，太原，一九八四），頁一五六。

註三九：村政處校印，《山西村政彙編》（山西省政府村政處，太原，一九二八），〈序〉，頁一。

註四十：同前書，〈呈大總統文〉，頁一至二。

註四一：同前書，《修正人民須知》，〈敘言〉，頁一。

註四二：山西省地方志編纂委員會編，《山西大事記（一八四〇—一九八五）》（山西人民出版社，太原，一九八七），頁一〇五。

註四三：《民國閻伯川先生錫山年譜長編》，冊一，頁二四七至二四八。

註四四：同前書，冊一，頁三九五。

註四五：同前書，冊二，頁五五三。
註四六：山西省政協文史資料研究會，《閻錫山統治山西史實》（山西人民出版社，太原，一九八一），頁七九。
註四七：趙正楷，《徐永昌傳》（山西文獻社，台北，一九八九），頁一四一。
註四八：閻伯川先生紀念會，《民國閻伯川先生錫山年譜》，冊二，頁七一一至七一二。
註四九：同前書，頁七六一。
註五十：趙正楷，《徐永昌傳》，頁一四七。
註五一：閻伯川先生紀念會，《民國閻伯川先生錫山年譜》，冊二，頁七四六。
註五二：同前書，冊二，頁八八四。
註五三：《閻伯川先生要電錄存》，〈北伐接收京津案〉，〈上海張天樞尙密寒甲申電〉，國史館藏。
註五四：閻伯川先生紀念會，《民國閻伯川先生錫山年譜》，冊三，頁九五六。
註五五：民國十五年討馮戰事中，晉軍雖攻下歸綏，取得綏遠省的治理權，但當時綏省久經兵燹，國民軍的殘部又眾，民生凋蔽，賦稅困難。山西當局接手綏遠治權，與其說是爭得一塊地盤，倒不如視為收拾殘局為當。
註五六：閻伯川先生紀念會，《民國閻伯川先生錫山年譜》，冊三，頁一〇三二。
註五七：同前書，冊三，頁一二一八。

註五八：同前書，冊三，頁一〇七一、一〇七二、一〇七四。

註五九：同註五六。

註六十：同前書，冊三，頁一二一五。

註六一：郭榮生，《晉綏軍史稿》，頁十八。

註六二：閻伯川先生紀念會，《民國閻伯川先生錫山年譜》，頁一二〇九。

註六三：同前書，冊三，頁一二〇九至一二一〇。

註六四：同前書，冊三，頁一〇二二，一〇三五、一一三〇。

註六五：同前書，冊三，頁一〇一九、一〇二〇。

註六六：同前書，冊三，頁一〇二二、一〇三五、一二一〇。

註六七：同前書，冊三，頁一二二六。

註六八：鄧哲熙，〈韓、石叛馮和閻、馮聯合反蔣的經過〉，《文史資料選輯》第一輯（政協文史資料研究會，北京，一九八〇），頁四九至五三。

註六九：苗培成，《往事紀實》（正中書局，台北，一九七九），頁四七九。

註七〇：閻伯川先生紀念會，《閻伯川先生錫山年譜》，冊三，頁一三四。

註七一：冀貢泉，〈閻錫山與擴大會議〉，《文史資料選輯》第十六輯（政協文史資料研究會，北京，一九八一），頁一一四。

註七二：曲子祥，〈我所聽到的閻逃大連的情況〉，《山西文史資料》第七輯（山西政協文史資料研究會，太原，一九八四），頁三一。

註七三：閻錫山，《感想日記》，民國二十年七月三十日條，國史館藏。

註七四：曲子祥，〈我所聽到的閻逃大連的情況〉，頁三二。

註七五：南桂馨、趙承綬、趙丕廉，〈閻錫山在大連時期山西各派的鬥爭〉，《文史資料選輯》第三輯（政協文史資料研究會，北京，一九八〇），頁七六至七八。

註七六：陶伯行，〈閻馮倒蔣之戰給山西人民帶來的災難〉，《山西文史資料》第七輯，頁三九。

註七七：唐永良，〈商震歷史概述〉，頁一一三。

註七八：徐永昌，《求己齋回憶錄》（傳記文學出版社，台北，一九八九），頁二三八。

註七九：苗培成，《往事紀實》，頁四五至四六及四七九至四八〇。

註八十：李冠洋，〈中國國民黨山西省黨部簡述〉，《山西文史資料》第十三輯（政協山西文史資料委員會，太原，一九八三），頁一六四。

註八一：李維嶽、樓福生、楊雨霖，〈李生達與閻錫山的矛盾及李生達被暗殺眞相〉，《山西文史資料》第九輯，頁八九至九九。

註八二：同前文，頁九八至九九；及王尊光，〈李生達之死〉，《文史資料選輯》第九輯（政協文史資料委員會，北京，一九八一），頁一二七至一二八。

註八三：杜任之，〈閻錫山「物產証券與按勞分配」研討經過〉，《山西文史資料》第四十九輯（政協山西文史資料委員會，太原，一九八七），頁四六；及陳淑銖，〈閻錫山「土地村公有制」政策始末〉，《國史館館刊》復刊第八期（一九九〇），頁一八六。

註八四：王尊光、張青樾，〈閻錫山對山西金融的控制與壟斷〉，《山西文史資料》第十六輯，頁十六至十八。

註八五：左埏，〈閻錫山物資資敵情況紀實〉，《山西文史資料》第五十八輯，頁八七。

註八六：李興杰，〈實業家徐一清與閻錫山〉，《山西文史資料》第五十八輯，頁一四六。

註八七：宋澎，〈回憶同蒲〉，《山西文獻》第二十五期（一九八四），頁十五。

註八八：杜任之，〈關於山西抗日戰爭開始前後的幾段回憶〉，《山西文史資料》第十五輯（政協山西文史資料委員會，太原一九八三），頁一三二。

註八九：趙瑞、張榮汎，〈閻錫山的反動組織概況〉，《山西文史資料》第十輯（政協山西文史資料委員會，太原，一九八四），頁四一至四五。

註九十：同前文，頁四六。

註九一：牛蔭冠，〈山西犧牲救國同盟會紀略〉，《山西文史資料》第十五輯，頁四。

註九二：同前文，頁六至十。

註九三：張文昂，〈犧盟會和決死二縱隊成立前後的片斷回憶〉，《山西文史資料》第十五輯，頁七十至七一。

註九四：同前文，頁七十。

註九五：閻伯川先生紀念會編，《民國閻伯川先生錫山年譜長編初稿》冊四，頁一七〇一至一七〇二。

註九六：同前書，冊五，頁一八五六。

註九七：鄧勵豪，〈我對中原大戰與犧盟會的看法與補充〉，《傳記文學》第三一卷第五期（一九七七）

，頁二八。

註九八：趙承綬，〈我參預閻錫山勾結日軍的活動情況〉，《山西文史資料》第十一輯，頁七。

註九九：宋劭文，〈犧盟會的成立與晉察冀邊區的創建〉，《山西文史資料》第十五輯，頁五七。

註一〇〇：同前文，頁五八。

註一〇一：牛蔭冠，〈山西犧牲救國同盟會紀略〉，頁四七。

註一〇二：同前文，頁十七。

註一〇三：宋劭文，〈犧盟會的成立與晉察冀邊區的創建〉，頁四七。

註一〇四：杜任之，〈民族革命大學建校概述〉，《山西文史資料》第五十九輯（政協山西文史資料委員會

，太原，一九八八），頁一。

註一〇五：牛蔭冠，〈山西犧牲救國同盟會紀略〉，頁三十。

註一〇六：楊懷豐，〈閻錫山的民族革命同志會紀述〉，《山西文史資料》第十一輯，頁四九。

註一〇七：同前文，頁五三。

註一〇八：趙瑞、張榮汎，〈閻錫山的反動組織概況〉，《山西文史資料》第十輯，頁五八至五九。

註一〇九：楚溪春，〈晉綏軍概況和「鐵軍」、「同志會」的內幕〉，《文史資料選輯》第一輯（政協文史資料委員會，北京，一九八〇），頁七四。

註一一〇：智力展，〈閻錫山的特務頭子—梁化之〉，《山西文史資料》第十輯，頁十一至十二。

註一一一：閻伯川先生紀念會，《民國閻伯川先生錫山年譜》，冊五，頁二一一二。

註一一二：左埏，〈閻錫山物資資敵情況紀實〉，頁八五；及朱崇廉，〈閻錫山整編軍隊的騙局〉，《山西文史資料》第九輯，頁三六。

註一一三：城野宏著、葉昌綱、金桂昌等譯，〈日俘「殘留」山西始末〉，《山西文史資料》第四十五輯（政協山西文史資料委員會，太原，一九八六），頁十二。

註一一四：防衛廳防衛研修所戰史室，《北支の治安戰(2)》（朝雲新聞社，東京，一九七一），頁五八五。

註一一五：趙承綬，〈我參預閻錫山勾結日軍的活動情況〉，《山西文史資料》第十一輯，頁十。

註一一六：同前文，頁二五。

註一一七：如閻一次在「同志會」高幹會議中嚴斥王靖國，王便說：「我們都是會長的子弟，我做錯了事，該打該罰，我是死而無怨的」。後梁、王、趙等人意見不合，閻爲此大怒，梁、王、趙等前去閻家請罪，也是與閻相對大哭，跪地請罪。（李冠洋，〈閻錫山反動集團高幹之間的鬥爭內幕〉，

《山西文史資料》第十三輯，頁一四六及頁一五一至一五二。而閻對親信屬下也是如父親般的恩威並濟，如第四十九師師長趙世鈴曾因涉嫌虛報，私吞部隊被服和給養，以及私藏武器，而被免職，但經反省懺悔後，不久又被提升為綏署參謀長。故「趙為了報答這一知遇之恩，在太原保衛戰中，使出了全部力量」。（城野宏著、葉昌綱、金桂昌等譯，〈日俘「殘留」山西始末〉，頁一五四至一五五。

註一一八：「鐵軍」組織成立後，山西領導階層中的文官們大受壓迫，乃公推梁敦厚出面組成一「文人組織」，亦以閻錫山為效忠對象，以與「鐵軍」組織相抗衡。（李冠洋，〈閻錫山反動集團高幹之間的鬥爭內幕〉，頁一四五至一四七。

註一一九：城野宏著、葉昌綱、金桂昌譯，〈日俘「殘留」山西始末〉，頁十四至十五。

註一二〇：同前文，頁三七。

註一二一：劉奉濱，〈解放戰爭時期閻軍在太原修築碉堡的回憶〉，《山西文史資料》第四輯（政協山西文史資料委員會，太原，一九八八），頁七二至七五。

註一二二：喬希章，〈上黨戰役綜述〉，《山西文史資料》第三十七輯（政協山西文史資料委員會，太原，一九八五），頁十二。

註一二三：史法根，〈閻錫山特務機關─太原綏靖公署特種憲警指揮處〉，《山西文史資料》第五十一輯（政協山西文史資料委員會，太原，一九八七），頁十一至二三。

註一二四：王定一，〈特警處人事內幕〉，《山西文史資料》第五十一輯，頁一三〇。

註一二五：同前文，頁一一五。

註一二六：史法根，〈閻錫山特務機關—太原綏靖公署特種警憲指揮處〉，頁三六及頁六十至七五。

註一二七：楊懷豐，〈關於閻錫山兵農合一暴政的回憶〉，《山西文史資料》第十四輯（政協山西文史資料委員會，太原，一九八三），頁一七四。

註一二八：閻伯川先生紀念會，《民國閻伯川先生錫山年譜》，冊六，頁二二〇一。

註一二九：同前文，頁一七九。

註一三〇：姚大海，〈讀閻錫山傳略後之一點說明〉，《山西文獻》第六期（一九七五），頁六九至七十。

註一三一：閻伯川先生紀念會，《民國閻伯川先生錫山年譜》，冊六，頁二二五九。

註一三二：劉海青，〈晉中戰役概述〉，《山西文史資料》第五十八輯，頁九。

註一三三：當時即連趙戴文之子趙宗復，亦被視爲「動搖份子」，而由梁敦厚下令扣押、審訊，其他人自更不敢擅發異議。（任樺、李蓼源，〈趙宗復事略〉，《山西文史資料》第四十六輯（政協山西文史資料委員會，太原，一九八八），頁七三；及李冠洋，〈對閻錫山的剖析〉，《山西文史資料》第四十七輯（政協山西文史資料委員會，太原，一九八六），頁一一四。）

註一三四：鄭東，〈從晉中戰役到解放太原〉，《山西文史資料》第十四輯，頁七七。

註一三五：劉存善，〈「太原五百完人」調查報告〉，《山西文史資料》第六十輯，頁一二〇至一五九。

註一三六：夏鳳，〈閻錫山在廣州〉，《山西文史資料》第六十輯，頁九六。

註一三七：閻伯川先生紀念會，《民國閻伯川先生錫山年譜》，冊六，頁二二九二至二二九三。

註一三八：陳曉慧，〈抗戰時期閻錫山與日本「合作」的眞相〉，《國史館館刊》復刊第九期（一九九〇），頁一〇六。

第二章 國民革命以來廣東人士的正統意識

前言

出現於中國現代史中的「革命」一詞，含義相當廣泛含混。它可以是指否定一切現有體制、價值的具體行動；也可以是指一種求新求變的心態，甚至有時「革命」二字只是美化己方的宣傳詞，而不辨是非的將所有意見不同者均斥爲「反革命」。既然一般人對「革命」概念的認知有極大的差距，有關「誰才是革命正統」，「什麼才是革命正統」的認定，便更是眾說紛紜，莫衷一是。而自民國十四年國民政府在廣州成立，隨著國民革命軍事行動成功的推展至全國，「革命正統」也就成了一項極重要的政治號召和實力資源，關於「革命正統」的爭論便成爲歷次政爭武鬥的核心問題之一。

廣東省自清末以來，因地理位置關係，新式人才輩出，同時又是國民革命的發源地，因此該省知名人士中，頗不乏具强烈革命正統意識者。又因廣東偏處南疆，省賦充裕，該省人士在爭全國正統失敗之時，尙常得以返省劃地自治，自立正統，繼續與中央相抗衡。在歷次革命正統爭奪中，亦難免有權力、意氣之爭的介入，彼此相互糾結、影響，是以本文不會將此問題簡化成一純意識型態之爭，而是試圖從一些具體歷史人物和事件出發，來歸納、分析廣東人士革命正統意識的發展，及其對中國現代史進程的影響。

第一節　廣東人士正統意識的形成（民國十四年以前）

自乾隆年間清政府只開廣州一口通商後，廣州即成帝國對外開放的惟一窗口；再加上廣東人民長期向海外移民、打工的影響，在近代之初，廣東便成帝國體系內新思潮最澎湃的地區。而且因海外各地均有廣東移民社區存在，所以廣東籍的政治異議人士也有廣闊的流亡空間，以及專制體系外的財力支援。從最早太平天國事變起，部分廣東人士即成了近代革命的先鋒，其領導人物之餘黨戚屬也紛紛在舉事失敗後逃往海外，延續革命的火種，後來他們的子孫頗多大力支持孫中山革命者。（註一）至十九世紀末葉，繼起的保皇、革命兩股力量之領袖人物也均爲廣東人士，胡漢民即指稱：「革命、保皇兩黨之領袖，皆出於廣東，此爲地理之關係」，（註二）明確點出廣東在近代革命中的特殊地位。

孫中山的革命思想自與其早年在海外求學、成長的歷程有關，而海外華僑在人力、財力上源源不斷的支援，尤其是孫能屢挫屢起的重要動力。在晚清革命陣營各派系中，孫中山的募款能力無疑是首屈一指的，這與他粵籍出身不無關係。孫科便曾憶稱，民國二年「二次革命」失敗，黃興夫婦率隨員十餘人赴美，沿途受到僑胞團體熱烈歡迎，紛紛請黃演講，但「黃先生一行，沒有一個人會說廣東話」，遂由孫科「陪他遍訪僑區各地，代爲傳譯」。（註三）孫中山、黃興二人，一人在國內實際領導革命行動，一人在海外從事外交和募款，實亦按現實需求而分工。在清政府瓦解前，海外僑區是革命力量的主要基地，與僑界溝通良好的粵籍革命領袖人物，自然也就主導著革命潮流。

武昌革命發生時，廣東剛經歷「三二九」革命失敗重創不久，廣州的革命力量一時不易再起，而鄉間則因長期受黨人運動、滲透，故民軍四起。廣州因是重要通商口岸，多年來已形成強固的中產階層，此際便由紳商、九大善堂、七十二行總商會組成商團，向兩廣總督張鳴岐施壓，企圖接管政權。（註四）張初有意讓步，但適聞清軍在武漢獲勝消息，又改變心意。及清政府大勢已去，張鳴岐倉惶遁走，而民軍已逼進廣州四野，商會既失掌政時機，乃邀請坐鎮香港指揮革命行動的胡漢民回省任都督，又推舉民軍中有力之一支——「循軍」之領袖陳炯明爲副都督，廣東成爲革命省份之一。孫中山返國就任臨時大總統後，胡漢民受調入南京任總統府祕書長，陳炯明遂代理都督之職。陳鑑於民軍良莠不齊，大加整頓裁汰，以前清陸軍爲骨幹，編成二師一旅，但高級軍官大多無堅定的革命意識。

民國二年國會召開，當時國民黨中堅省份，係湘、皖、贛、粵四省，故國民黨在北京的黨部一切費用，都得靠此四省負擔，其中「湘皖兩省，因本身收入較少，故負擔很少，大約一切費用之中贛省負一部分，其大部分則由粵省負擔」，（註五）廣東因而又再度成爲革命勢力的主要支柱。「二次革命」發動後，袁世凱對廣東最爲嫉視，重金買通時駐梧州的龍濟光，以其「濟軍」溯西江而下。陳炯明整編的正規陸軍亦爲袁收買，望風嘩變，廣州獨立政府迅即崩解，陳攜巨款亡命海外。（註六）在龍濟光入主廣東數年中，革命黨重要幹部均流亡海外，中國境內革命傳統似乎中絕，但在粵省部分下級軍官和民眾裡，仍有不少人傾心於革命。

民國四年底，「護國軍」起兵，中華革命黨在廣東各地發動民軍參加討袁之役，陳炯明此時雖與中華革命軍不相統屬，但也潛赴東江地區運動舊屬反對龍濟光。結果廣西督軍陸榮廷所部桂軍進入廣州，驅走龍濟光，掌握廣東實權。陳炯明於是役結束後，交出所部編爲二十營，納入省長朱慶瀾親軍中，（註七）是爲陳在粵基本實力。民國六年，孫中山率部分國會議員南下「護法」，成立「非常國會」，選舉孫爲中華民國軍政府大元帥，革命政府首度在廣州成立。陸榮廷率領的桂軍，以外省軍隊入據廣東，亦需政治號召以鞏固其地位，故初時願接受孫中山的領導。然不久陸氏與北方政府取得妥協，又與「非常國會」中粵籍議員揚永泰所主控的「政學系」結交，乃蘊釀軍政府改組，逼走孫中山。孫痛感革命政權不能無革命武力支撐，遂力爭得省長親軍中以粵籍部隊爲主的二十營，因該軍與陳炯明有歷史淵源關係，因此交陳統率，以「援閩」爲由，移防閩南。

民國九年直皖戰爭結束，直軍獲勝。與直軍相結的陸榮廷桂系，也欲趁此時機澈底解決在閩粵軍。陳炯明爲勢所迫，乃接受孫中山之命，率「援閩」粵軍回師廣東。粵軍以「粵人治粵」爲政治訴求，深得民心，節節勝利，驅走桂軍。翌年，孫中山再在廣州組織新政府，並經「非常國會」推舉爲非常大總統。然此時廣東的革命陣營卻發生分裂，孫中山力主北伐，以武力推動全國革命；陳炯明則堅持據守兩廣，以妥協方式謀求全國統一。孫、陳兩派壁壘分明，支持孫者，多係長年追隨孫革命的文人如胡漢民、廖仲愷等，以及駐粵之滇、贛、黔諸客軍；而支持陳者，則爲葉舉、熊略等粵軍實力派軍人。民國十一年三月，孫、陳之間主要溝通中介人物粵軍參謀長兼第一師師長鄧鏗被刺身死，（註八）孫、陳關係更爲隔閡、對立，終而有是年六月陳軍砲轟總統府之舉。孫、陳決裂後，廣東爲陳系人馬所據，親孫之北伐聯軍轉赴福建整補。

民國十二年，孫中山協調楊希閔滇軍、劉震寰桂軍配合駐閩各軍，分由東西兩面向廣州進軍，陳炯明部不敵，退保東江惠州、潮、汕一帶，孫中山遂三度在廣州建立政府。綜觀孫中山自民國六年至十二年，三度在粵成立革命政府，活動範圍大致以廣東一省爲主，財源也幾乎全出自廣東省賦稅收入和海外募款，所以儘管孫一直是以全國爲視野的政治人物，但因現實需要，此一時期所重用的人物如胡漢民、陳炯明、汪兆銘、廖仲愷、朱執信等均係粵人。職業軍人方面，基於現實考量，也不得不倚重粵籍人士。譬如當民國十二年孫令駐閩各軍回師討伐陳炯明時，湖北籍的黃大偉與廣東籍的許崇智，資歷、功勳均在伯仲之間，但孫卻任命生活較浪漫的許崇智爲總司令，導致黃大偉認爲廣東人排外，一怒去滬不返。當人以此事質問孫中山時，孫答道：「現在要打陳炯明不得不用汝爲（許崇智），他是廣州高弟街人啊！廣東人沒有話說，若是用外省人，陳炯明會煽動說外江人來搶廣東了」。（註九）當民國六年孫中山返鄉重續革命傳統後的一段時期，他左右任事的得力幹部大多係粵籍人士，他們追隨孫幾起幾落，革命信念始終不變，其在革命黨人中聲望日隆，其自期革命正統的意識也更爲增強。

民國十二年孫中山再度返粵組府時，廣東的革命情勢較以往已有改善。在民國十、十一年孫、陳分裂之際，大部分溫和保守或廣東本位主義者，多歸於陳炯明陣營之下，並隨著陳之挫敗而失勢。因此這時追隨孫中山返粵開府之士，幾乎皆是孫之忠實信徒，革命意識也較堅定。在這種氣氛下，中國國民黨第一次全國代表大會遂於民國十三年在廣州召開，決定參考俄國共產黨組織型態進行改組，一時之間，全民、全國革命的氣息彌漫廣州。是時國民黨有效控制地區僅止於廣東一省，所以廣東省民為全國革命的目的，勢必做出較大的犧牲奉獻，而粵省黨員代表也往往以此自期，胡漢民便曾在大會中提議：「國民黨未得政權之處，黨與國家有異，既無方法強逼黨員服從其自己可決議之法律，又無警察軍隊之强制權力執行紀律之法，唯有與黨員以道德上、名譽上之制裁，或施行章程上所規定之訓練辦法。至於國民黨已得政權之處，黨員行動比之其他地方尤當負責，黨之紀律亦當更加嚴格，此等地方若黨員有違紀律，則其影響殊非可以等閒視之者」，是項提議立即被大會通過成為決議。（註十）這項決議最先被貫澈的對象便是粵省地區黨員，其中自又以粵籍人士最多。無怪乎在後來的國民革命歷程中，他們常有犧牲最早、最多之自我評價。

改組後的國民黨革命情緒激昂，一改先前龍濟光、陸榮廷、陳炯明當權時的濃厚地域色彩，共產國際的外國人，以及來自各地的中國共產黨代表，也都被接納。蔣中正也是在這股熱潮下，獲任黃埔軍校校長，得以掌握部分軍權，校內教官、學生包含來自各省的國、共兩黨青年。不過無論如何，當時的國民黨仍以廣東為基地，胡漢民、汪兆銘、廖仲愷、許崇智、孫科等粵籍人士仍是孫中山之下最有實力的領導集團。

民國十四年三月孫中山病逝於北京，這對當時的國民黨和廣東政權是一大振撼。因爲前一年國民黨改組時，黨內保守、激進兩派便意見不合，暗潮洶湧，孫中山在國民黨第一次代表大會中曾說：「本總理前聞北京一班新青年非常崇拜新思想，及聞俄國共產主義之主義，便以此爲世界極新鮮之主義，特派代表往俄，擬與之聯合，並代俄宣傳主義，認定共產主義與民生主義爲不同之二種主義，我們老同志亦認定民生與共產爲絕對不同之二種主義，於是群起排斥，暗潮便因之而生然」。（註十一）這種衝突矛盾端靠孫中山從中調和、勸服，方得暫時無事。而今孫已逝，黨內再無有如此威望之人物，駕馭左、右兩派，意識型態的歧異、對抗遂無可避免。此外，改組後的國民黨，加强紀律管理，又集權於總理一人之手。如今總理突然故去，並無預先培植明確繼承人，其下領導集團中諸人各不相下，權力之爭亦難避免。而權力之爭又往往與意識型態之爭相糾結，使得孫死後的廣州政局更爲動盪、複雜。

孫中山去世後，次級領袖中以胡漢民與汪兆銘聲望最高，二人均長期追隨孫，又同爲孫所親信、倚重，其革命正統地位均不容置疑。然二人亦有差異之處，胡漢民自晚清以來，即受孫中山之託負，在廣東推展革命運動，其在該地區的威望、人脈極高深，但亦得罪不少當地人士。而汪兆銘則自清末以降，即發揮其演說天賦，至海外各地募款，後又至北方各省活動，其在廣東實力不如胡漢民，但在全國的活動力則强於胡。孫死後，胡在廣州代理大元師職務，原應繼孫爲領袖，但因胡之政治立場偏右，與另一偏左實力派領袖廖仲愷差距過大，而汪之立場介於胡、廖之間，故廖遂擁汪。(註十二)同時，掌握軍權的許崇智對胡之家屬亦頗有微詞，也傾向支持汪。(註十三)再加上俄國顧問和共黨人士的從中運作，當民國十四年七月國民政府成立時，汪遂被推爲主席，胡只得任國府委員兼外交部長。

國府成立前後，由於改組後的國民黨重視宣傳、發動群眾，再加上東征和平服楊希閔、劉震寰之滇、桂軍的連串軍事勝利，廣東各地瀰漫著激昂的革命情緒。左、右兩派的矛盾日益激化，不久，遂有廖仲愷被刺一案發生。廖在孫中山在世時，多次被委派與蘇共代表聯絡，一向被視爲力主「聯俄容共」的代表人物。孫死後，廖「兼任國民黨中常委、工人部長、農民部長、國府委員、財政部長、軍委會委員、廣東財政廳長、黃埔軍校黨代表等十四要職」，且其「所領導的機構中，皆選任中共黨員爲主要骨幹」，(註十三)所以成爲右派失勢份子眾憤所集之標的。民國十四年八月二十日，廖仲愷在國民黨中央黨部門前被刺身亡，因胡漢民從弟胡毅生亦涉嫌，於是乃由汪兆銘、許崇智、蔣中正三人組成調查小組，胡漢民被排斥在外。汪之出任國府主席，多賴左派支持，而且汪在粵素乏基礎，所以就任後儘量向左修正其政治立場，以爭取更大的政治空間和新興群眾資源。蔣在軍中的情形亦與汪類似，故也特別强調革命紀律及精神，以自別於一些腐化的高級將領，爭取少壯軍官的擁護。許崇智素與廣州右派人士接近，立場爲難，不便多參與議論。於是三人調查小組的偵察範圍便逐步擴大，再加上左派革命激情推波助瀾下，「廖案」漸被政治化，成爲打擊右派的口實。胡漢民初被軟禁，旋即被迫赴蘇聯考察。另外一些曾反對聯俄容共的中執、監委如鄒魯、謝持、居正、張繼等，也無法在廣州立足，分赴港、滬，國民黨右派保守勢力頓挫。

「廖案」發生後，汪兆銘與蔣中正進一步合作，在偏左的政治主張下，取得更大的權力。九月間，汪、蔣又採取另一波軍事整肅行動，蔣强迫許崇智離穗赴滬，並逮捕粵軍將領梁鴻楷、張國楨、楊錦龍、梁士鋒等人，著手整頓粵軍，以親汪、蔣的李濟深爲第四軍軍長，李福林爲第五軍軍長，而擴充黨軍爲國民革命軍第一軍。（註十四）綜觀「廖案」過程中，粵籍重要人物廖仲愷、胡漢民、許崇智三人均因此而永久或暫時消失於政壇，此外一些負實際行政要責的粵人如伍朝樞（國府委員兼廣州市市政委員長）、鄧澤如（兩廣鹽運使）、鄒魯（廣東大學校長）等，均紛紛離職他赴。一時之間，國府中廣東人士所佔比重驟然減低，這也未嘗不可視爲國民黨改組以來，全國革命熱潮激盪所致，以及各地投入的革命之士漸發揮影響力的結果。儘管汪兆銘仍是黨、政領袖，但其所依靠的是偏左的政治主張，而非在廣東深厚的實力基礎。

汪兆銘脆弱的領導基礎，很快的便使他成爲下一波政爭的失勢者。第二次東征結束後，蔣中正個人聲望和軍事實力大爲提升，擔任黃埔軍校校長，兼衛戍總司令諸要職，權力直逼身兼國府主席、國民黨中央政治委員會主席、軍委會主席的汪兆銘。兩人的合作關係和政治立場也漸生裂痕，汪仍持偏左立場，試圖以黨、政領軍；而蔣則漸向右修正主張，以脫離汪的籠罩。民國十五年三月二十日，「中山艦事件」爆發，蔣在未預先知會汪的情形下，下令廣州戒嚴，並逮捕海軍局長李之龍、扣押第一軍各級黨代表中的共產黨員，及包圍蘇聯顧問團的住宅和共產黨的機關。對蔣的戒嚴行動，第一軍以外的其他各軍並無任何激烈反應，而俄國顧問和中共黨團也很快便決定妥協讓步，（註十五）軍事實力很顯然已凌越黨、政的領導。數日後，汪兆銘便表示消極，托病不理政務，不久更離開廣州。

「中山艦事件」事後的審理情形，是以查無實據開釋最初被視為罪魁禍首的李之龍，反而處分發動戒嚴的第一軍第二師師長王柏齡、虎門要塞司令陳肇英、廣州公安局長吳鐵城等人。（註十六）審判結果顯示，當局似有意以軍事單位反應過度來定位這一事件。然無論如何，此一事件充分說明軍事實力已非黨政領袖所能駕馭。據云，當汪兆銘初悉「中山艦事件」發生時，曾語左右道：「我在黨有我的地位和歷史，並不是蔣介石能反對掉的」。（註十七）但事實證明，當面對頑强的軍事實力時，黨的地位和歷史有時是難與匹敵的。

汪兆銘出走後，譚延闓代理國府主席，張人傑出任國民黨中央委員會主席，蔣中正繼任軍事委員會主席，構成新的領導集團。其中譚又兼第二軍軍長，須受軍事委員會主席節制，而浙籍的張人傑則無異是蔣的代言人，因此蔣毫無疑問的才是眞正的領袖。國府成立一年內，由於全國革命的熱情激盪，以及軍力結構的轉變，領導集團由汪兆銘、胡漢民、許崇智，轉爲譚延闓、張人傑、蔣中正，其間不難看出粵籍與外省人士的實力消長。不過，仍有一些廣東人士無時無地不自許爲革命正統，每當蔣中正所代表的中央遭到軍事挫敗，或面臨政治危機時，他們便會重返政治舞台，以革命歷史和地位爲政治號召，繼續左右中國歷史的走向。

第二節　國民革命的發展與正統危機的產生

（民國十五年至二十一年）

北伐的發動，除了是國民黨的一貫政策外，借著向外發展以減輕內部矛盾和壓力，亦是原因之一。但當北伐軍事順利推展至長江中、下游後，卻產生出更多、更複雜的政治問題，當各種主張、利益無法協調整合成功時，黨、政的分裂遂無可避免，軍事上的抗爭也因而一再發生。部分廣東人士因在國民黨的歷史發展中地位特殊，故常在政爭紛亂中自視且被視為正統所在，也就因此時常成為分裂團體的領袖人物。本章將以胡漢民、汪兆銘、孫科、鄧演達四人為中心，探討此時期中，他們所代表的政治立場，及四人在各次黨統爭議裡所扮演的角色。胡、汪二人的黨內地位甚高，被部分人士於爭黨統時推為領袖，事屬當然；孫科為孫中山唯一子嗣，自然也多少帶有些正統意味；鄧演達之政治地位固不如上述三文人遠甚，但其在軍人實力派中關係甚佳，尤其與黃埔軍系和粵軍淵源甚深，故他身為政治軍人獨樹一格的作風，及其尋求另建正統的企圖，亦值注意。基於上述理由，本章以胡、汪、孫、鄧四人為研究焦點人物。

當國民革命軍從廣東出發時，蔣中正無疑是黨、政、軍的眞正領導者，但隨著北伐各軍的順利進展，蔣對紛亂的情勢逐漸無法完全掌握，同時蔣為安撫北伐軍新佔有的長江下游地區，不得不修正一些過激的革命主張，如此又造成黨內意識型態的分歧，寧、漢兩方漸生裂痕。武漢中央因係從廣州遷來，而且粵籍人士主控的第四軍時也在漢，故廣東人士大多前往武漢，而其中又以「孫哲生（科）和鄧擇生（演達）是兩顆亮晶晶的明星」，（註十八）有舉足輕重的地位。孫科因受西方教育的關係，政治思想較傾向民主、自由等理念，（註十九）對共產黨的過激主張並不十分贊同，（註二十）然此時共黨勢力不大，尚不敢公然不顧民主、自由的原則，因此孫對當時蔣中正專斷行爲之惡感，猶勝於對共黨的不滿，所以不只一次的提出開除蔣中正黨籍的建議，（註二一）揭起反蔣的大旗。一般而言，孫的政治立場大致介於胡、汪之間。至於鄧演達則原係由蔣中正派任國民革命軍總司令部武漢行營主任，代蔣監督武漢軍、政的發展，但鄧政治野心甚大，長期受到共黨人士包圍、恭維，政治立場急速左傾，變的比汪兆銘所代表的國民黨左派更左，甚至以「革命（指共黨革命）的掩護者」自居，即連他人直稱其爲「共產黨的工具」，亦不以爲忤。（註二二）

民國十六年四月，汪兆銘抵漢口，負起領導武漢政府的責任。因汪在「中山艦事件」前是偏左的，事件後又是被蔣中正所迫出亡，故汪在武漢復出，反蔣、偏左的國民黨人士，以及共黨人士都能在汪之政治旗幟下得到生存空間。而同月，胡漢民也在南京復出，擔任南京國府主席。因胡是因政治立場偏右，而被排擠出廣州國府政局，而今寧方既已清黨，向右修正政治立場，則以胡的政治號召與武漢政府相抗衡，自是最佳選擇，即連國民黨人士中立場最偏右的「西山會議派」，亦感到「不久就會出頭」。（註二三）當時無論寧、漢，實際上均是政治領袖與實力軍人的結合。在軍政時期，政治人物若無軍事實力支持，只要經過一場示威運動或一項司法偵察，便會被逼的不得不出亡；而當時各軍系多少均帶有地方派系意味，若無全國性的政治號召，則很難長期在異鄉立足。汪、胡二人便是在這種情況下，分別與寧、漢兩方實力軍系結合，而相互抗衡。兩人同時也代表著孫中山晚年竭力試圖揉合在一起的左、右兩種意識型態，及兩派意見不一的革命黨員。

不久，寧、漢雙方內部均發生變化。同年八月初，蔣中正在徐州附近指揮作戰受挫，退回南京，聲望驟降，而漢方此際業已分共，蔣在軍事、政治上均已缺乏號召力，乃黯然下野。胡漢民認爲蔣之下野，係由其手下將領何應欽、李宗仁、白崇禧等所逼，不直這些軍人所爲，亦離京赴滬，不理黨、政事務。南京黨、政乏人料理之際，在滬的「西山會議派」遂大肆活動，與何、李、白相結。武漢方面，因中共政策上的過激措施，引起軍方不滿，而於七月中開始分共。武漢政府的分共決議，使得政治主張居於國民黨政見最左側的鄧演達失去政治活動空間，鄧在力爭無效後，離漢赴俄。（註二四）鄧因堅持容共政策，深得力主凡總理決策均不容變動的宋慶齡之稱許，而宋的支持也是後來鄧返國能號召一部分國民黨員，另創一正統的重要原因。

寧方蔣、胡既已下野，寧、漢雙方的權力競逐暫息；漢方實施分共，雙方政治立場差異表面上解決，因此雙方似已無對抗之必要，於是黨的合一運動便在蘊釀之中。九月中，寧、漢、滬三方代表會於上海，決議另成立中央特別委員會，取代中央執行委員會之職權。寧、滬雙方本在清黨之後，立場便十分接近。漢方的孫科，其政治立場本即居胡、汪之間，此時也全意與寧滬聯合；同是漢方要角的譚延闓不耐同鄉後進唐生智的跋扈，此際亦與寧、滬有默契，孫、譚二人的轉變，使汪兆銘勢孤，在權力分配中一無所得，乃採納陳公博之議，力斥中央特別委員會不經黨員大會認可，擅自取代中央執行委員會之職權，是非法舉動。（註二五）中央特別委員會成立，滬方的「西山會議派」人士分據要津，（註二六）而該派在政治立場和人脈關係上，素與胡漢民接近，因此中央特別委員會的幕後支柱實係隱居上海的胡漢民。汪、蔣在失勢之餘，經宋子文居中聯繫，乃重建合作關係。

汪、蔣合作之初，原欲借重第四軍，驅走時掌粵政的廣西籍將領李濟深，重新在廣東建立革命基地。（註二七）第四軍自民國十六年八月初，正在東征南京途中，突然發生中共的南昌暴動，士氣、戰力均受損失，第二方面軍總指揮張發奎引咎離部赴港，所餘繆培南、許志銳、李漢魂三師由黃琪翔以代理總指揮名義率領回粵休整。十一月，張、黃發動軍事政變，奪取廣州領導權，改組廣州政治分會，反對中央特別委員會。（註二八）但不久潛伏在第四軍中的共黨份子又發動廣州暴動，雖為張、黃撲滅，但廣州市街受損極重，張、黃難辭其咎，聲望驟降。又因第四軍政治立場左傾，一向被視為汪兆銘的嫡系部隊，故汪亦連帶受各方譴責。張、黃經暴動後，在廣州已無法立足，乃將第四軍交由繆培南率領，以參加北伐為名，向北江方面移動。然途中卻遭陳銘樞所部的第十一軍，及陳濟棠的第十一師的邀擊，戰況極為慘烈，第四軍師長許志銳甚且因而陣亡。許原係第十一軍前身第十師副師長，升任第二十六師師長時，曾率原師幹部三十餘人赴任，如今卻自相殘殺。第十一軍官兵在是役結束後，見到俘獲和陣亡的昔日同志時，「無不痛心落淚」。（註二九）張發奎、陳銘樞、陳濟棠三部均源出粵軍第一師，一向以革命軍正統自居，但此後卻在正統認同危機中，一再兵戎相見，為之付出慘痛的代價。

汪、蔣在廣東再度合作的計劃雖未能實現，但蔣趁廣西部隊西征唐生智部的時機，重新掌握黃埔軍系，獲得顧祝同、劉峙等將領支持，剝奪何應欽的實權。而南京戒嚴司令賀耀祖亦係親蔣將領，與蔣暗中來往。（註三十）民國十六年十一月二十二日，南京發生群眾遊行請願，要求召開四中全會，請蔣復職，被軍警强力制止，群眾死傷多人，是爲所謂「一一二二慘案」。慘案發生後，蔣以京、滬地區軍事實力，要求追究查辦政府失職人員。時在中央特別委員會負責的「西山會議派」人士在京無法立足，紛紛他往，胡漢民與孫科亦出洋考察。十二月，汪兆銘與蔣中正遂在上海召開四中全會預備會議，但廣西軍人欲追究汪在廣州暴動中所應負之責任，汪不自安，乃離滬出洋。民國十七年，蔣中正正式復職，再度成爲黨、政、軍最高領導人，同時連同第二集團軍的馮玉祥、第三集團軍的閻錫山、及第四集團軍的李宗仁，進行第二階段的北伐。

儘管胡、汪二人先後失勢出洋，但他們的政治路線和追隨者卻繼續在國內發展。胡漢民自民國十四年因「廖案」離粵赴蘇，至民國十六年南京國府成立，其間幾乎近兩年與國內政治實務脫節，而這段時期正是國民黨擴充最速的階段。是以當其重主南京國府黨、政事務時，深感得力的中、下層幹部嚴重不足。而早在民國十四年國府成立之初，因共黨、左派人士積極活動，各地即有「孫文主義學會」之國民黨右派少壯組織出現，與共黨、左派相對抗。上海的「孫文主義學會」主要由孫科出資贊助，（註三一）孫早年多次參與海外募款工作，後又三任廣州市長，籌措經費能力甚佳，（註三二）且又係孫中山獨子，故他的贊助，「實為上海孫文學會組成之重要因素」。（註三三）北京「孫文主義學會」的前身「中社」、「民治主義同志會」乃是由鄒魯指揮組成。（註三四）鄒亦有向海外華僑募款之能力，（註三五）是「西山會議派」中活動力最强的人物。後因政治主張和人脈的關係，上海、北京等地的「孫文主義學會」均認同由「西山會議派」主導的上海中央黨部，只有廣州「孫文主義學會」仍服從汪、蔣領導。及至寧、漢分裂，寧方清黨，胡漢民主持黨、政，鑑於共黨、左派少壯幹部已不可用，乃開始與原北京、上海的「孫文主義學會」成員合作，引用王汝璵（崑崙）、鍾汝中（天心）等人，（註三六）胡系黨務人馬由是形成。

民國十七年初，胡漢民偕孫科等人出洋，胡、孫在臨出國前，囑咐時主持兩廣軍政的李濟深在經濟上支助王汝璵、鍾汝中、周一志、梁寒操等人，在上海辦刊物、報紙，一方面闡揚胡、孫的政治路線；一方面保存這股人力。王汝璵等遂在滬辦了《再造旬刊》和《民衆日報》，直至民國十八年，胡、孫歸國，胡、蔣再度合作，才以已無存在必要，而停了此兩份刊、報。王汝璵這批人後來便被稱為「再造派」，他們也以此自居。（註三七）「再造派」的目標是「一方面排斥汪精衛那一批所謂『左派』，一方面使蔣介石限制在只主持軍事的地位，把國民黨再造一番」。政治路線則是「主張所謂全民革命的，反對《革命評論》的理論，認為他們不是三民主義，並且批評所謂工農及小資產階級聯盟是馬克斯主義的翻板」。（註三八）《革命評論》是當時「改組派」在滬的宣傳刊物，亦是以闡明眞正三民主義自況。

汪兆銘出洋後，其追隨者也集中於上海，先後辦了《革命評論》和《前進》兩種刊物，前者是陳公博主辦；後者的主持人是顧孟餘。兩者最初的差異只在於文章署名不署名的問題，後乃漸漸發展出不同的政見。（註三九）陳公博「主張國民革命應該以農、工、和小資產級爲基礎」，而「國民革命已中墜了，國民黨快腐化了，我們要拯救國民革命，必得要改組國民黨」。（註四十）顧孟餘則「幻想有一個不要共產黨參加，也不要腐化勢力混進來的『國民黨左派』」。（註四一）一般而言，「《革命評論》著重於民生革命，而在《前進》的主張則著重於民主政治」。（註四二）而兩者主張相同之處在於都冀望能有一個革命民主，且又不會腐化的黨，並相信只有在汪兆銘領導下，才有這種可能。是以汪歸國後，喊出「在夾攻中奮鬥」的口號，一面反共；一面反腐化。

民國十七年五月「濟南慘案」發生，陳公博等素來不滿蔣中正在第二階段北伐中，不用汪系政工人物，而引用曾與北洋政府妥協的部分人士，因而在《革命評論》上，對與日人談判的黃郛大加撻伐。蔣在由長江向北方進軍時，有不得不用熟悉北方事務人士的苦衷，因而對《革命評論》的苛責政府言論大爲不滿，於是該刊物便在政府壓迫下「早日夭折了」。（註四三）汪兆銘的追隨者在言論鬥爭受阻後，改採實際行動，組成「中國國民黨改組同志會」，號召「依據中國國民黨第一第二兩次全國代表大會的精神來恢復中國國民黨」。（註四四）在廣州舉行的第一次代表大會的領導者是孫中山，第二次則是汪兆銘，言下之意，汪才是孫改組精神的眞正繼承人。

「中國國民黨改組同志會」成立後，設總部於上海，因未能召開會員大會，故最高領導機構便由汪兆銘主導的廣州二全大會所選之中央委員組成，下設總務、組織、宣傳三部。中央確立後，便循著國民黨既有之地方黨部組織發展；結果進展十分順利，造成「改組派地方組織的負責人，也幾乎都是南京國民黨地方組織的負責人，並且還不少是主要負責人，不是南京國民黨地方組織負責人的也幾乎是很少數」。（註四五）「改組派」這種寄生於國民黨內，不斷壯大自已組織的作風，自然遭致蔣中正及親蔣黨工的極度嫉視，而公開、私下的譴責、打擊「改組派」。然如此作法卻更提升了「改組派」的知名度，而使其他「不滿意於南京的人們通集中於改組派的旗下了」。（註四六）其他人士加入，一方面固然擴大了擁汪的群眾基礎；另一方面卻沖淡了「改組派」的理想與共識，這是後來汪兆銘返國領導「擴大會議」時的群眾背景。

民國十七年北伐完成，胡漢民、孫科等從法國通電國府，倡議開始訓政，設立五院，實行地方自治。蔣中正鑑於全國政治雖已統一，但各軍系勢力龐大，難以駕馭。乃贊同胡、孫建議，邀彼等回國，共同參政，以期增加中央政治號召力量。胡、孫於是年先後返國，分任立法院長和考試院副院長兼鐵道部長。全國統一，訓政既行，則黨務實有重新整理、規劃之必要，遂有民國十八年三月的中國國民黨第三次全國代表大會的召開，惟是次大會全由蔣、胡兩系人馬把持，「改組派」、「西山會議派」均受到排擠，黨內反蔣之聲四起。不滿三全大會的黨工，與受到中央威脅的地方軍系，在反蔣的一致目標下，乃形成了「護黨救國軍」。蔣領導的中央軍，在胡的政治支援下，雖先後討平李宗仁、白崇禧的廣西軍系、馮玉祥、唐生智等的叛變，但一場更全面、激烈的戰爭尚正在蘊釀之中。

民國十九年初，坐鎮冀、晉、察、綏及平、津兩市，實力尙無損失的晉軍領袖閻錫山，終於決定加入並領導反蔣集團。閻雖係老同盟會員，但一直身處北方，求存於北洋勢力範圍之中，直到民國十八年三全大會時，才正式進入改組後之國民黨的權力核心，黨的歷史並不完整，黨務也不十分精熟，於是大結合的反蔣陣營便不得不迎出汪兆銘，來助閻統合黨、政事務。汪於是年七月底到達平、津時，中原大戰已經爆發，汪不得不加速籌組黨、政中央，但在黨統問題上，卻面臨極大的因難。因爲「改組派」認定爲正統的廣州二屆中委，與「西山會議派」堅持的上海二屆中委，互不承認；而二者共同抵制的南京三屆中委中，又包含閻、馮本人及其親信。最後在汪大力協調下，終以擴大會議的方式兼容並蓄三派人士，並「決定以汪精衛、趙戴文、許崇智、王法勤、謝持、柏文蔚等七人爲『擴大會議』常務委員，負責領導擴大會議一切工作。」（註四七）「擴大會議」得以召開，意味著參與的各派人馬，暫時在反蔣、維護私利的實務考慮下合作，而置彼此政治主張和理想而不顧。

「擴大會議」進行的同時，閻、馮前線軍事卻漸轉不利，爲號召人心，在「擴大會議」的黨意基礎上，匆匆另組國民政府，閻錫山於是年九月九日宣誓就任國府主席。同月十八日，張學良通電支持中央，令東北軍向平、津進發。「擴大會議」主要成員撤往太原，在汪兆銘主持下，繼續草擬訓政約法，以使訓政時期國民政府施政法治化，進而順利過渡至憲政時代。十月二十七日，「擴大會議」在逐條宣讀並通過約法草案後草草結束，汪、閻等人先後逃離山西，反蔣行動澈底失敗，所擬約法無從實施。

中原大戰結束後，蔣、胡關係卻日漸緊張。其主因在於蔣的軍事實力已無匹敵；而胡在與蔣合作期間，漸在黨務系統中深植實力，民國二十年初，「國民黨各省地區的黨部改選結果，胡漢民系占優勢」。（註四八）另外國府行政院長譚延闓適於此時去世，兩大勢力間失去有足夠份量之中間協調人，彼此衝突乃更加激化。不過，蔣、胡之爭浮現在表面上的近因，卻是彼此對訓政約法制定時機的看法不同。自「擴大會議」中有制定約法之議後，此一問題漸受各界矚目。中原大戰後，蔣中正也提出召開國民會議，並編訂約法的主張。這本是無可厚非之事，但當時不少人視此舉是蔣欲獨攬大權的前奏，因為依據孫中山手著的《國民政府建國大綱》，在「憲政開始時期」至「憲政告成之時」之間，有一條（第二十一條）規定：「憲法未頒佈以前，各院長皆歸總統任免而督率之」，（註四九）所以有人認為蔣是欲經過國民會議運作，當選總統，胡漢民亦認為有此可能。（註五十）原來國民政府主席和五院院長均是由國民黨中央執行委員會常務會議選出，而若另編訂約法，則五院院長將由總統「任免而督率之」，蔣氏勢必大權在握。於是身為立法院長的胡漢民，力持反對意見，認為「現在各項法律案，還沒有完備，已有的又因為軍權高於一切，無從發揮其效用，徒然定出根本大法來，有而不行，或政與法違。不特益發減低了人民對黨的信用，法的本身也連帶喪失了價值，所以我不主張馬上有約法或憲法」。（註五一）

蔣、胡對制定約法問題的見解不同、立法院與行政院的爭執，以及兩派人馬的衝突，終釀成民國二十年二月二十八日的「湯山事件」，蔣軟禁胡於湯山，並迫其辭去立法院長一職。在「湯山事件」

前後，蔣、胡曾有數次面談，據胡事後的回憶，其曾一再教訓並指正蔣的錯誤，語中頗自負其行事才合革命正道。民國二十年二月二十四日，蔣、胡、戴傳賢、吳敬恆、張群等聚談約法之事，張群倡言立法救國之旨時，胡立即道：「現在說一句，當開始反對滿清，提倡民權主義的時侯，我還不知道你們在何處，而且也無處去認識你們。我維護民權的意思，亦不會比你們減少，而且還比你們熱烈。只要看我在廣東時言論自由的程度，和我執政時的行政措施，便可了然了」。（註五二）胡首先強調其在黨內有著他人難以比擬的深遠革命歷史，其次他自認比他人更熱心的維護孫中山遺教之一的民權主義，最後他再暗示其執政時期的政績，優於當時蔣的施政。語中不時流露出其才是眞正革命正統所在之意味。

在二十八日晚，蔣、胡對談中，胡又告訴蔣：「我數十年來，從不肯喪失我的立場。而以什麼手腕對付黨中同志，除眞正忠實同志外，我也不求其諒解」。（註五三）顯然胡自認爲其革命以來，所行一直都是堅守革命正道，而這點除「眞正忠實同志」外，是無從得知的。在對談終結前，胡並告訴蔣：「你不好，只有我教訓你，除我以外，怕沒有人再能教訓你了。」（註五四）言下之意，只有胡在黨內地位和革命見解方面夠資格教訓蔣。十月十四日，蔣前往孔祥熙宅送胡赴滬前，胡尙對蔣說：「過去最大的錯，是大家並沒有爲黨爲國爲革命去奮鬥……先生逝世以後，你都是很清楚的，從今以後……」。（註五五）很顯然歷經「湯山事件」後，胡仍未放棄其爲蔣革命導師的一廂情願的想法。

「湯山事件」發生，舉國輿論大譁，廣東人士反應尤其激烈。司法院長王寵惠、鐵道部長孫科、國府文官長古應芬先後離職他赴，廣東實力派軍人領袖、第八路軍總指揮陳濟棠也決定反蔣。其他各省尚未被完全平服的反蔣勢力，亦紛紛派代表赴粵聯絡。民國二十一年四月底，鄧澤如、林森、蕭佛成、古應芬等四位中央監委，率先通電彈劾蔣中正，接著由軍人陳濟棠、李宗仁、白崇禧、張發奎、唐生智等人通電響應。五月二十七日，反蔣的國民黨中央執行委員會非常會議在廣州召開，並在此基礎上成立國民政府，與南京對抗。既稱「非常」會議，則自有超越現有體制、法理的革命邏輯存在，故「非常會議」對國民黨一、二、三屆委員兼容並蓄，「只要願意來反蔣，一律是非常會議當然委員」，（註五六）完全無視以往彼此黨統理論之爭。若溯其組織概念之淵源，則似與民國初年孫中山南下護法，召開「非常國會」，並組織軍政府的模式有所傳承關係。

「非常會議」組成後，以胡漢民無明顯罪狀而被囚爲訴求，政治攻勢甚猛。另一方面，粵、桂雙方又重修舊好，合組聯軍，以陳濟棠爲第一集團軍總司令，李宗仁爲第四集團軍總司令，虛二、三集團軍番號，以待反蔣有力人士加入。此外還遣人與時隱居上海的鄧演達聯絡，接濟其財源，以運動黃埔系軍隊，破壞南京陣營實力基礎。（註五七）鄧於民國十九年全國各地反蔣運動高潮時期，由德國柏林返滬，號召一批國民黨極左人士，組成「中國國民黨臨時行動委員會」（簡稱「行動委員會」）。其政綱中主張中國革命性質是以「農工爲中心的平民革命」，並將該組織奮鬥目標定位在「恢復孫中山先生的三民主義革命主張」。（註五八）綜觀鄧的政治主張，大致參雜當時歐洲盛行的社會主義、共產主義、工團主義（syndicalism）等各派思想，立場約介於國民黨左派與共產黨之間。「行動委員會」雖名爲國民黨內部的一個組織，但國民黨左派人士已直視其爲「共產黨右派」。（註五九）甚至有人直接稱其爲「第三黨」，該組織人士往往亦不否認。鄧組成「行動委員會」後，便在南京國府陣營中大肆活動，除成立「革命黃埔同學會」與支持蔣的「黃埔同學會」對抗外，又派人至蔣嫡系部隊第十八軍中活動，（註六十）想借著其與陳誠的關係，（註六一）控制該支勁旅。鄧欲滲透蔣實力根本的行動，遭致蔣極大的嫉視。在南京方面情治人員嚴密緝捕下，鄧終於在上海被逮捕，並在蔣下野前夕被處死。不過鄧的追隨者黃琪翔、郭冠杰、丘哲等人仍在國內政壇積極活動。

正當寧、粵兩方劍拔弩張，即將兵戎相見之際，「九一八事變」突然爆發。國難當頭，兩方均無意、也無理再堅持用兵，乃開始尋求政治上妥協之策。當時寧方陣營內部權力結構較單純，蔣中正毫無疑問仍是惟一領袖。粵方則大致可分爲三系：胡派元老古應芬、鄧澤如、蕭佛成等人與實力派軍方領袖陳濟棠相結，構成「非常會議」的主辦團體。汪兆銘雖被請回領導廣州國府，但古、陳等人對民國十六年第四軍回粵，强行接管廣州，間接引發共黨廣州暴動之事，記憶猶新。故只同意汪帶回一批中級幹部，而對汪派高級幹部陳公博、顧孟餘、甘乃光等全力排拒。汪對古、陳等人這種「去皮存骨」的作法頗爲不滿，伏下汪、蔣再度合作之遠因。自胡漢民被軟禁後，孫科漸成在南京廣東人士衆望所歸的領袖，因此在「國民黨政治市場中就在『胡先生』、『汪先生』之外又加了一位『孫先生』了」。（註六二）孫系人物大致來自三個方面，梁寒操、馬超俊、傅秉常、吳尙鷹等爲孫在鐵道部任內，結交引用以與宋子文、孔祥熙等財經文官集團相抗衡的文人骨幹；陳策、張惠長等爲孫在海、空軍中的軍人骨幹；另外孫還接納了原追隨胡漢民的「再造派」少壯黨工人員王汝瑱、周一志、鍾汝中等人。由於粵方內部的步調不甚一致，使得寧、粵雙方的談判過程更爲曲折微妙。

九月二十五日，南京方面便派出張繼、蔡元培、陳銘樞三人爲代表，由滬赴港，試圖與粵方代表談判。蔣並提出解決粵局三原則，表示「一、如粵中能負全責，則中央同志，盡可退讓一切，請粵中同志整個地遷來首都，改組政府，至於中正個人下野，更無問題……二、如粵中不能負責，則應歸中央主持，而廣東政府自當取消，粵方同志，即應齊集首都，共赴國難……三、如要各方合作，則中正更爲歡迎，但必須來京面商，方是開誠相見，同舟共濟之道」。（註六三）蔣之一再强調必須赴京，固然是因南京爲首都，以示舉國團結；而京、滬地區爲蔣的實力根據地亦爲要因。同月二十八日，張、蔡、陳抵港，隨即與「非常會議」代表汪兆銘、孫科、李文範展開會談，氣氛融洽。三十日，張繼等三人進而至廣州與古應芬、陳濟棠、李宗仁等實力派接談，寧、粵和談之事漸有眉目。同日，南京國府任命陳銘樞爲京滬衛戍司令長官兼淞滬警備司令，陳所遙控之第十九路軍（轄第六十、六十一、七十八三個師）入京衛戍，以保護粵方未來赴滬商談代表之安全。陳銘樞即以調人身份，在系出北伐時代第四軍的第十九路軍之支持下，施展其縱橫捭闔的政治手腕。

十月二十二日起，寧、滬雙方代表在上海正式展開會談，然彼此意見仍多分歧，最後決定在寧、滬分別召開四全大會，選出增補中委後再會集共商國事。結果寧方順利選出二十四名中委，但粵方卻因內部派系分立，幾經周折才選出二十四位中委，汪兆銘不滿粵四全大會排擠該系人物，另赴上海補選出中委十人。寧、粵、滬三方選出中委後，緊接著便應召開四屆一中全會，但粵方中委拒不赴京，向蔣施壓。蔣在政潮、學潮交相煎迫下，同意下野，並接受粵方要求以孫科繼任行政院長，負實際政治責任，孫未到任前由副院長陳銘樞代理。十二月十二日，四屆一中全會終於召開，蔣出席開幕式後，即返奉化家鄉隱居。

然蔣此番下野，大不同於第一次下野，在其第一次復出後的三年之間，蔣已蓄積了極深厚的實力基礎。且此次下野前，他已做好充分的佈署，在辭職當天，「他還主持了行政院國務會議，決議重組蘇、浙、贛、甘四省省政府，以他的親信軍人顧祝同任江蘇省政府主席，魯滌平任浙江省政府主席，熊式輝任江西省政府主席，而以邵力子任甘肅省政府主席」。（註六四）而行政院各部部長及重要司長，亦只對蔣有信心，蔣離開後，紛紛請辭。

孫科初就行政院長時，並不十分瞭解政府實際狀況，尚思有所作爲，任命上海銀行業廣東幫要人黃漢樑爲財政部長，北伐初期力持革命外交的陳友仁爲外交部長，又引用北洋時期官員羅文幹爲司法部長、葉恭綽爲鐵道部長，標榜「人才內閣」，（註六五）完全無視蔣執政時期的班底實力猶存。有人甚至將這次內閣更迭，視爲「就是中國的兩個經濟勢力——江浙幫和廣東幫的鬥爭」。（註六六）孫掌政後，首先便面臨財政困境，當時因長期戰亂，財政收支早已不能平衡。孫上任後，中央政府威望益發低落，各省紛紛截留國稅，上海銀行團又對孫內閣缺乏信心，不願施予援手，逼得黃漢樑不得不提出辭呈。其次外交方面也引發危機，陳友仁的强硬政策，導致日軍欲採取激烈手段對付中國，而當時中國在軍事上毫無準備，勢難長期抵抗。民國二十一年一月二十四日，國民黨中政會議特務委員會開會，會中陳之激進外交政策備受責難，陳即憤而辭職。

孫內閣既已無法應付危局，蔣、汪復出主政的呼聲和具體行動便開始蘊釀。民國二十一年一月十二日，蔣從奉化移駐杭州，隨即召見軍事幹部顧祝同、賀耀祖等多人，做好復出第一步的安排。十六日，蔣透過陳銘樞、顧孟餘致函約汪合作。同日，汪赴杭與蔣會晤，並於次日致電孫科，言明蔣、汪將與胡漢民聯袂赴京，共處危局。但胡漢民表示需長期休養，不便入京。十八日，蔣、汪、孫、張人傑、張繼等五人在杭州西湖煙霞洞展開會談，彼此取得蔣、汪復出合作的共識，二十日，汪偕孫入京，次日，蔣亦入京。二十八日，國民黨中常會得以召開，由蔣任會議主席，做成汪兆銘任行政院長，孫科任立法院長的決議。不久蔣亦復出，任軍事委員會委員長。蔣、汪合作結束了廣東人士主導的孫內閣，孫科則遲至民國二十二年一月，與廣東實力派失和後，（註六七）方正式就立法院長之職，孫系要人梁寒操任祕書長、吳尙鷹任經濟委員會委員長、傅秉常任外交委員會委員長、陳肇英任軍事委員會委員長。該院在此後十餘年間，成了孫的主要政治舞台和實力據點。

自北伐軍出廣東後，隨著軍事的節節進展，廣東人士在革命陣營中所佔的比重逐漸減輕。面對這項轉變的事實，一些重要的粵籍革命人物卻感調適困難，仍時常沈醉於歷史的光榮中，儘管政、經、軍實力已非昔比，卻依舊自認爲是革命正統所在。胡漢民、汪兆銘均是孫中山在世時的得力助手，且均曾一度爲革命領袖，是以對革命使命最爲自負，常有捨我其誰之感。而他人對胡、汪的歷史地位和政治主張也相當推崇，在二人一右一左的政治立場下，遂各自集結了一批擁護者，兩人也就常成了反蔣陣營裡，衆望所歸的領袖。胡、汪對蔣的感情甚爲錯綜複雜，一方面兩人都視蔣爲武裝同志中最忠實的革命後進，而常心存愛惜；另一方面他們對蔣的跋扈，和有取革命領袖而代之的野心，感到憂慮和憎惡，所以導致從國民政府肇建到「非常會議」期間，三人數度的恩怨分合。孫科和鄧演達在國民黨內資望無法與胡、汪、蔣相比，但二人亦各有所長，在本章所論的幾個關鍵時機，也偶能因緣際會，獨樹一幟，風雲一時。結果孫終於與蔣合作，在抗戰初期汪兆銘出走後，成爲在中央粵籍人士的領袖；而鄧則始終反蔣，並因而死於非命，兩人遭遇迥然不同。

孫中山所講的革命，含義本即十分廣泛。孫死後，其追隨者各執一端發揮，難以判明眞假高下。然政治人物的實力强弱則客觀分明，若基礎不穩，空談理論、正統，無不落得失敗下場。民國二十年底至二十一年初執政的孫科內閣，一般視爲是以廣東團體實力爲基礎而組成的政府，僅歷一個多月，便草草收場，可見蔣中正在中央的地位，在短時期內已非他人所能取代。從此廣東人士只有走向片面割據的方式，與蔣所主控的中央互爭正統。

第三節　另創正統的嚐試與失敗（民國二十二年至三十四年）

自孫科的「人才內閣」在南京與蔣競逐權力失敗，不服的廣東人士便數度試圖割據地方，另創革命正統，與蔣相抗。茲分廣東的「西南政務委員會」、福建的「人民政府」、及抗戰期間汪兆銘的「還都南京」三部分，依序加以論述。

一、廣東的「西南政務委員會」

自民國二十一年寧、粵合作起，廣州中央黨部和國民政府雖撤消，但又另設「中央執行委員會西南執行部」（簡稱「西南執行部」）、「西南政務委員會」（簡稱「政委會」）兩機構，加上原有的第一集團軍總司令部，廣東在黨、政、軍三方面仍維持著半獨立狀態。「西南執行部」是當時兩廣名義上最高黨務指導機構，然實際上廣西黨、政、軍均自成體系，不容任何外力直接介入。廣東黨務方面，則由陳濟棠推派其親信林翼中爲「國民黨廣東省執行委員會」主委，區芳浦、黃麟書等爲委員，把持一切。（註六八）所以「西南執行部」實際上只處理一些照例請辦之事，以及與廣東以外地區聯繫黨務事宜。胡漢民長居香港，鄧澤如、蕭佛成又年事已高，故眞正駐部處理常務的實爲常務委員之一的鄒魯。（註六九）

胡漢民雖長住香港，僅名義上遙領西南黨政事務，然其自負黨統所在之心未曾稍歇。「他每月得西南撥給的十萬元政治活動費，在香港辦《中興日報》，《三民主義半月刊》，在廣州辦《國民新聞》，作爲他的政治喉舌」。與友人談話時，「都强調要搞好三民主義的理論宣傳工作，並擬著手編修國民黨黨史。他在此期間，除經常發表政論之外，還發表了『三民主義的連環性』和『唯物史觀的倫理的研究』等文章，很明顯的，胡要通過這些出版活動來和蔣、汪爭奪國民黨的正統」。（註七十）比起時在南京合作的蔣、汪，胡顯得力單勢薄，但其堅持爲正統的信心和鬥志依然很强。

除文字宣傳外，胡在强化組織和培訓人才方面也有所安排。「一二八淞滬戰役」後，蔣、汪主導的南京中央，鑑於準備未周，對日一再採取委曲求全的政策。而西南方面，胡漢民及其追隨者則力持極右立場，堅決反對與日方妥協、讓步，並另組黨內小組織，「約集志同道合的同志，重新把黨整理起來；凡加入者均須宣誓，以示隆重」。（註七一）公推胡漢民爲領袖，鄒魯爲書記長，此即爲外界所稱的「新國民黨」團體。由於「新國民黨」的政治主張過於偏激，本身擁有的資源又相當有限，所以除兩廣以外，其與蔣、汪爭奪黨統的行動，並不十分成功。

同時爲了培訓後進人才，並擴大對全國的政治影響力，胡及其追隨者並在廣州仲元中學（爲紀念鄧鏗所辦的學校，校長爲胡之親信劉蘆隱）內，開辦一半公開的「廣州市仲元中學政治經濟講習班」（簡稱「政經講習班」）。該訓練班的董事長爲胡漢民，校長爲劉蘆隱，標榜之宗旨爲「抗日救國」及「反對投降主義」，暗含與南京中央政治路線對抗之意。該班所收之學員「系通過各省市有關人士和部門祕密保送，再經考試錄取的。浙江、江蘇、上海、廣東、廣西、安徽、山東、四川、貴州等省市均有保送，規定大學畢業或有同等學歷，宣稱要有『革命意志』的青壯年爲合格，當時凡北方各省的學員多集中在上海法租界拉斐德路祕密考試再轉送廣州的」。（註七二）完成爲期一年的訓練後，各省學員即派回本省活動，需自謀職業以爲掩護，但可按月領取活動經費。這批政工人員因人數有限，並未達到回省宣揚胡漢民的政治主張及反南京中央的目標，後隨著胡的去世和劉蘆隱的被扣（傳與楊永泰被刺案有關），便煙消雲散了。

「政委會」是當時名義上西南政務最高決策機構，共有委員二、三十人，大致可分爲三大派系，屬胡漢民的元老派有蕭佛成、鄧澤如、鄒魯、唐紹儀、林雲陔、劉紀文、劉蘆隱等；屬陳濟棠的實力派有林翼中、區芳浦等人；屬廣西方面的有李宗仁、白崇禧、黃旭初、李任仁、張任民、馬君武、麥煥章等人。（註七三）本尚有孫科派的伍朝樞、傅秉常、吳尙鷹等人，但後孫與實力派不和，傅等便離粵赴京追隨孫。三派之中，陳濟棠派人數最少，但因陳掌握廣東軍政、財經實權，故每能左右「政委會」決策，以軍事强人的姿態幕後操控該會大權。

「政委會」除每月固定補貼有隸屬關係的廣西當局外，對其他各省實力派軍人和響應西南方面政治號召的民眾團體，也接濟其經費，引爲翼助，互相聲援。「政委會」與南京中央政府的關係，也並非完全決裂，「遇到有關法令解釋和省際問題的事，常用咨或公函行文南京司法院、外交部、交通部、鐵道部、內政部等洽商」。（註七四）然凡軍政、財經等實務問題，又嚴拒中央干預，維持著半獨立的狀態。

陳濟棠所指揮的第一集團軍，是當時廣東軍事最高單位，下轄三個軍，軍長分別由余漢謀、陳濟棠（副軍長張達）、李揚敬擔任。每軍三師，師長爲莫希德、葉肇、鄧龍光等人，連同直屬部隊，共約十五萬人左右，動員時可達二十萬兵力。（註七五）第一集團軍每月約需經費四百餘萬元，約佔「政委會」月收入的二分之一，（註七六）全由廣東一省稅收支付，無需仰給於中央，自主性甚高。

陳濟棠並將原第八路軍的教導隊擴充，改名爲第一集團軍事政治學校（俗稱燕塘軍校），由陳自兼校長，林翼中任政治部主任，以培訓本軍基層幹部，建立具廣東地方色彩的軍事體系。燕塘軍校除學生隊外，另有軍官班，調訓陳部中下級軍官，施行在職進修，强化思想教育。即連由原粵軍其他系統投入陳濟棠麾下的高級將領，如李漢魂、鄧龍光等人，亦需進入該校軍事深造班見習，改造思想，再納入陳氏體系。（註七七）第一集團軍亦並非與中央軍委會完全對立，例如剿共時期，陳濟棠便命余漢謀率第一軍兩個師，由粵北進駐贛南助剿，而中央則每月補助余軍四十萬元軍費，並許以贛南鎢礦開採專利。（註七八）惟一旦中央欲介入第一集團軍內部事務，則必遭陳部的全力抵制。

胡漢民的元老派與陳濟棠的實力派，兩者之間結合的關係相當微妙。儘管在反蔣求存的前提下，彼此的利害是一致的，但兩者追求之理想卻相距甚多。胡從未放棄重返中央執政，領導全國革命事業的願望；而陳只是一味想繼續保有廣東地盤，維持其所謂「南天王」的地位。陳出身於廣東陸軍小學，其全國性的視野和人際關係，遠不及其粵軍中同儕陳銘樞、張發奎等人。不過陳濟棠因此也十分安於廣東一隅的發展空間，當第四軍和後來分出的第十一軍隨著革命浪潮，向外拓展時，陳在廣東逐步擴充實力，終而雄據一方。他並接納了粵軍其他系統失敗將領，在第四軍、第十九路軍相繼瓦解後，成爲粵軍的大家長。

不過由於學、經歷所限，陳濟棠的一些施政顯得十分幼稚可笑。例如他曾要求第一集團軍直屬官兵和省府官員，參加一「歃血盟誓」的儀式，在黃花崗七十二烈士墓前設置神壇，要他們一一宣誓效忠陳總司令。此一運動並推廣至各部隊中，儀式也變的更爲荒唐。或謂此套儀式是由林翼中獻策，但陳容許這些荒誕行爲在軍中擴展，實難辭其咎。（註七九）此外陳濟棠及其兄陳維周二人對民間信仰的篤信不疑，也常被其屬下有識之士引爲笑談。陳的種種荒謬行徑，及其對重要幹部的猜疑、監視，是日後「六一事變」中他遭致衆叛親離惡運的遠因。

民國二十五年五月，胡漢民忽因腦溢血病故，西南當局頓失重心。胡的政治聲望和號召，一向是兩廣軍事割據的屏障，如今仗恃既失，兩廣與中央的軍事力量勢將直接對抗，而以這方面實力而言，中央是遠居優勢的。於是陳濟棠決定先發制人，以北上抗日爲名，先行動員軍隊。然中央早已看透陳氏集團外强中乾的本質，以勸誘方式，取得陳部一些重要將領的輸誠承諾。七月六日，廣東空軍人員四十多人駕機投奔南京。同日陳部副軍長李漢魂亦從香港通電「封金掛印」，表示離陳而去的決心。七月十四日，國民黨二中全會決議撤消「西南執行部」和「政委會」，以及第一、四集團軍番號，並以余漢謀爲廣東綏靖主任。次日，時駐贛南的陳部第一軍軍長余漢謀通電就綏靖主任職，並率師回指廣州。十八日，陳濟棠去職下野。

同年八月，中央令余漢謀整編陳舊部爲第四路軍，雖兵力仍在十五萬人左右，但已正式納入國軍編制，軍費也由原第一集團軍時代的四、五百萬元，減至三百萬元。（註八十）同時中央「又調來羅卓英的第十八軍一個師駐在粵漢路南段和廣州石龍虎門這條大動脈上，並派羅卓英爲粵漢路警備司令（七七抗戰後才把羅部調走）」。（註八一）羅係中央方面重要粵籍將領之一，此番被派駐粵，多少對余漢謀的第四路軍有些牽制、監視作用。在黨、政方面，蔣分別安排「ｃｃ系」的諶小岑和余俊賢爲廣東省和廣州市黨部書記長；又改組省市政府，以黃慕松（與余漢謀有舊）爲廣東省主席、曾養甫（「ｃｃ系」人物）爲廣州市長，並直接介入廣東省九個行政區的人事安排。至此陳濟棠在粵維持四年多的半獨立統治完全結束，胡漢民爭正統的努力也因其去世而終止。

二、福建的「人民政府」

在福建成立「人民政府」的主要籌劃、負責人即爲陳銘樞。陳氏參加革命的歷史開始甚早，清末即加入同盟會，因同爲廣東客家籍關係，頗受鄒魯、姚雨平等人的照顧。陳曾參與民國元年廣東北伐軍，又入保定軍校修習軍事，其全國性的視野和人際關係之廣泛，在粵軍同事中，鮮有出其右者。粵軍第一師成立時，陳爲第四團團長，後因與孫中山關係密切，而不見諒於陳炯明，一度離職。陳炯明下野後，陳銘樞重返粵軍。北伐初期任第十師師長，攻下武漢後，粵軍擴編，陳出任第十一軍軍長，旋以政見與武漢政權不合，而隻身東下投蔣，所部委蔡廷鍇統率。陳赴寧附蔣後，被任命爲總政治部副主任（主任吳敬恆不負實際責任），首次接手與政治有關之要職。而陳眞正從政，則在民國十八年「討桂驅李」後，出任廣東省主席，與陳濟棠分掌粵省政、軍。

中原大戰期間，陳之舊部第六十、六十一師，由蔣光鼐、蔡廷鍇率領赴華北與閻、馮軍作戰，攻下濟南之役，蔣、蔡兩師勞苦功高，但中央卻以山東省主席和濟南警備司令兩要職，酬庸韓復榘。爲慰勉蔣、蔡兩師，乃設立第十九路軍單位，以蔣爲總指揮、蔡爲軍長，（註八二）除有固定經費外，兩師也不致被分割使用，形成一緊固團體。這支部隊即是陳在政壇縱橫的實力後盾。

陳係一有政治野心之軍人，亦深知惟有將軍事實力與政治資本結合，才能常保其個人權勢和團體生存於不墜。於是他又以廣東省主席所獲之財源在上海接辦「神州國光社」，以親信王禮錫主持之。「神州國光社」創辦於清末，素以出版古籍、畫冊，提倡國學，保存國粹爲宗旨。陳接辦該社後，接受王禮錫建議，將之改成以印行社會科學、哲學思想方面刊物爲主的出版社，並開辦《讀書雜誌》期刊，刻意挑起學界論戰，以爲陳個人「另開政治局面」，並成爲「十九路軍集體事業的一部分」。（註八三）而陳借由「神州國光社」聯絡、供養的一批文人，也就成爲日後福建「人民政府」成立時主要的政治班底。

「非常會議」期間，陳銘樞以調人身份，活躍於全國政壇，而「一二八淞滬戰役」更使得第十九路軍名聞全國。但蔣、汪再度合作後，陳旋即失勢，後更因其所主管的交通部內發生貪污醜聞，而於民國二十一年愴然赴歐考察。是年五月，中、日上海和議已成，第十九路軍不便續駐京、滬，而該軍亦以在京滬線一字長蛇列陣，爲中央各軍包夾，心不自安，遂應命移防福建，並助剿閩南共軍。自民國初年孫中山南下護法以來，粵軍曾多次出入福建，對當地風土民情並不陌生，是以第十九路軍移防行動迅速完成。而對共軍作戰方面，則因雙方都避免硬仗耗損實力，故亦未有重大衝突發生。

第十九路軍進入福建後，便著手將該省改造成該軍的根據地。首先在軍事上有所安排，將系屬中央，時駐防閩西永定的第四十九師師長撤換，代之以己系第六十一師的副師長張炎，又與該軍譚啓秀所率之補充旅混編，調動人事，徹底收編了該師。另又將福建地方各派反共武裝勢力，分別編成獨立團或獨立支隊，歸閩西善後委員會指揮，由蔡廷鍇親兼主任委員。此外並極力拉攏時駐永安、沙縣、龍溪一帶的雜系盧興邦師，使其同意全力擁護第十九路軍。「經過上述一系列的處理，異系軍隊的矛盾問題已基本解決，並且還擴充了實力，壯大了聲勢」。（註八四）

政治準備工作方面，第十九路軍在部隊中建立「改造社」祕密組織，嚴密控制並改造思想，由蔡廷鍇任總社長，徐名鴻爲祕書長負實際組訓任務。各師設分社，各師師長任分社長，分社下設支部。社員以吸收部隊裡在本軍有較長歷史者和知識份子出身的中、下級官佐爲主。該社以反共、反蔣、團結抗日爲政治口號，並嚴防共黨、中央的復興社份子滲入該軍發展組織。福建「人民政府」成立之前，「中國人民生產大衆黨」（簡稱「生產黨」）正式成立，「改造社」功能被取代便宣告結束，絕大多數社員都加入了「生產黨」。

「生產黨」最初也是以祕密組織方式活動，當時在閩南、閩西均各設分部，由徐名鴻、傅柏翠分別負責領導。該黨在福建「人民政府」建立之前，並未大量吸收黨員。黨的活動任務，「除逐步擴大組織，積極對黨員實施政治訓練外，對貫徹上級指示和在各次群眾性的運動中也負有核心帶頭的任務」。（註八五）「生產黨」是一短期內拼湊而成的政黨，所以在組織成員及其動機方面極其複雜，內部共識不易凝聚。其中尤以鄧演達生前所領導的所謂「第三黨」人士，與「神州國光社」系統競爭最烈。結果由「神州國光社」派取得優勢，「第三黨」人士除黃琪翔留在福州任參謀團副團長外，其他如陳卓凡、杜冰坡、陽心如、段炳炎等人只能到「漳州軍官團」或地方黨部，擔任黨務領導工作。「漳州軍官團」是第十九路軍爲調訓中、下級官佐，加强其軍事、政治學能而設的機構。「生產黨」特在團中設立獨立支部，吸收黨員。而學員們爲日後升遷順利也紛紛申請入黨，使得該團訓練漸以思想改造爲主，軍事教育反退居其次。「生產黨」在第十九路軍中活動之積極，由是可見一斑。

民國二十二年夏，陳銘樞歐遊歸來，福建「人民政府」活動便逐漸進入具體化階段。陳一面積極與第十九路軍取得聯絡，說服該軍將領們配合其採取一致行動；一面又派人赴京、滬游說宋慶齡、蔡元培、林森等人，準備擁護其中一人爲領袖，號召反蔣運動，但卻未成功。（註八六）陳於是尋求次級政治人物的合作，一時之間，歷年來在革命歷程中失意軍人、政客，如李濟深、李章達、陳友仁、徐謙、黃琪翔、章伯鈞等人先後抵閩，加入反蔣陣營。因爲當時胡漢民在粵堅持偏右立場，蔣、汪在京涵蓋國民黨中、左群眾。陳銘樞、李濟深等人欲另創政治局面，只得在極左方面找出路，但國民黨極左政治資源和群衆基礎本即十分有限，因此陳、李等也不得不效法鄧演達死前開發國民黨與共產之間地帶，找尋政治發展空間的模式。此即是福建「人民政府」終於完全脫離國民黨範籌，另闢革命路線的背景。

民國二十二年底，福建方面的異動已全國皆知，再也無法掩藏。十一月二十日，遂有所謂全國人民代表臨時大會在福州召開，成立中華共和國人民革命政府，李濟深、陳銘樞、蔣光鼐、蔡廷鍇、戴戟、黃琪翔、薩鎮冰、徐謙、李章達、何光敢爲人民政府委員，李濟深任主席。下設政治、軍事、財政、文化、外交五委員會，並設軍委會，蔡廷鍇兼人民革命軍第一方面軍總司令，第十九路軍擴編爲五個軍，分由沈光漢、毛維壽、區壽年、張炎、譚啓秀五人爲軍長。臨時大會同時通過人民權利政綱十八條，其中包括：第十一條，否認南京政府；第十二條，號召全國反蔣反南京政府之革命勢力，立即組織人民革命政府，以打倒南京爲中國中心之國民黨系統；第十五條，消滅反革命之南京政府，建立生產人民之政權。（註八七）明示以南京中央爲首要敵人，並否定了國民黨和國民政府，甚至國旗也改定爲上紅下藍中嵌五角黃星，以取代原青天白日滿地紅之國旗。經濟政策方面，福建「人民政府」大致沿襲「第三黨」的主張，强調生產，重視發達民族資本，獎勵工商建設，凡有關民族生存民生日用之重要企業，均收歸國營。農業方面，推行「計口授田」制度，並在農村組織農民協會，加强農運工作。其內容擷集了法西斯和共黨的一些主張，相當混雜，並無一套完整的理論體系。

福建「人民政府」的改國號、國旗，另成立新黨、新政府的舉動，使得其與南京中央已無政治妥協的可能。是年年底，中央軍兵分數路，進擊福建。是時兩廣以福建「人民政府」反國民黨、國民政府，根本不可能與之聯手對抗中央。而共軍方面，一來因當時贛南蘇維埃政府中左傾勢力當道，斥福建「人民政府」爲「是軍閥、是投機、是資產階級大雜燴」；（註八八）二來也不願虛耗實力，因此坐觀中央與福建交兵，冀收漁人之利。當中央軍推進至浙贛邊境之際，共軍迅即撤退，中央軍乃得長驅直入閩北。而福建第一方面軍尚毫無準備，又無具體的政治號召足以鼓舞人心，因此一敗塗地。部分將領向中央投誠，由毛維壽任總指揮，改編爲第七路軍。少數不降部隊，退入粵東，爲陳濟棠部全數收編。隨著軍事挫敗，福建「人民政府」旋即瓦解，首要人物走避一空，在閩粵籍人士的另創革命正統的企圖，至此完全失敗。

三、抗戰期間汪兆銘的「還都」

民國二十一年，蔣、汪因時勢導引，再度合作。但兩人合作關係中，一直隱含著些許緊張的成份。據汪之親信陳公博的觀察：「他們兩位先生表面雖然客客氣氣，而暗中還是在爭領袖。在汪先生方面，以爲他在黨國，有歷史，有地位，有勛勞，除了孫先生外，他不作第二人想。……蔣先生方面就不然了，他出身是軍人，對於名位很是看重，他不但要做實際的領袖，還要做名義的領袖，一天沒有達到登其大寶的願望，他到底不甘心」。（註八九）而且汪雖爲行政院長，但軍事、財政、外交實際都由蔣作主，所以名爲蔣、汪合作，實則爲汪依附於蔣。抗戰軍興，一切以軍事爲重，蔣的權勢益增。尤其是爲了抗戰，國民黨臨時代表大會決議恢復領袖制，推蔣爲總裁，汪爲副總裁，汪即使在名義上，也淪爲副手地位，其內心之不平可想而知。再加上蔣、汪彼此對時局的看法不同，二人之間的裂痕遂無法彌縫。

汪手下原分「改組派」和以其戚屬側近爲主的所謂「官邸派」兩批擁護者。及至抗戰初期，一些對時局感到極度悲觀的人物如周佛海、梅思平、高宗武、陶希聖等，所謂「低調俱樂部」派人士，（註九十）也漸歸入汪的陣營。民國二十七年底，汪脫離重慶，重返淪陷區中的南京與日人合作時，上述三派首要的人物，除部分不願追隨汪外，大多先後赴南京，參加汪政權，形成該政府之主要班底。而原「維新政府」要人梁鴻志、溫宗堯等人，大多只能出任一些位高輕權的職務。汪嫡系的三派人物，幾乎全出自國民黨，「還都」建立政權後，處處以正統自居，對早先投日份子相當輕視。

汪兆銘背離重慶國府，與日人合作另建政權之舉的原因非一，除個人權力慾望、側近慫恿、私人恩怨等因素外，其政見與蔣不同，欲另建革命正統，亦爲主因之一，這也是他用來說服其跟隨者的利器。例如汪即曾對陳公博說：「弟爲愛國愛人民而赴日，有何不可以面國人？而且在此國家敗亡之時，更不計及個人地位」。（註九一）而周佛海在吸收幹部時，也云：「蔣先生抗戰到底之意，既然一時無法動搖，則如其最後勝利，仍然屬於我，則國家一切，自有蔣先生。如不幸而抗戰被迫作城下之盟，則汪先生與日本媾和在前，日人自難反汗，今後一切，有汪先生來擔當周旋大任。和戰並進，爲國家打算，不能不說是一條萬全計謀。或許外間所傳蔣汪雙簧之說，即淵源在此」。（註九二）這些似是而非的論調使得不少人以爲，汪政權的建立全然只是國民黨內又一次另創正統的嚐試，再誘以名利，動以恩情，便入彀中而不自覺了。

爲昭示其只是另建國革命正統的決心，汪兆銘延用國民黨、三民主義、國民政府、五權體制，以及青天白日滿地紅國旗等傳統。其政權的建立，不曰創建，而曰「還都」。民國二十九年汪政權正式成立前汪又特率陳公博、周佛海等一行，赴紫金山謁陵，以示延續孫中山之正統。三月三十日，該政權成立大會中，汪也一再宣誓其所持對日主張，係孫中山死前北上過日所發表之大亞洲主義之餘緒。（註九三）即連所公佈的政府首長名單中，亦仍以林森列名國府主席，汪僅掛名代理主席，以示國民黨並未分裂，只是汪、蔣政見、立場不同而已。

當時汪之手下都深知汪自期爲革命正統之心意，所以常以投其所好之言語，達到規勸汪氏之目的。如孫良誠投汪政權前，曾要求汪給其三個軍長的委任令，汪怒而拒絕接受此條件。汪政權軍委會第一廳廳長臧卓向汪進言道：「創立非常之局面，必須出以非常之手段，當年國父開府廣州，對北洋暨桂滇軍人，可於一夕之間，發出大批委令，其中如有百一來歸，即足爲盛業之助。主席事國父最久必曾身親目擊。孫良誠之要求，雖屬不當，但能示以寬大，亦庶可使其益發傾心」。（註九四）汪聞臧言即改變初衷，立予照准。汪氏兩度出掌軍委會，豈有不知處理降軍之理，然一聞臧將其恭維爲孫中山傳人，正中下懷，遂立刻應允。

汪兆銘雖是一位全國性的政治人物，且其政權所管轄範圍也以蘇、皖、浙三省爲重心，然廣東人士在汪政府權力結構中，一直佔有異乎尋常的比重。尤其是「官邸派」出身的人物，頗多位居要津，掌握實權。如汪妻陳璧君的姪兒，交通部總務司司長陳國豐，便「是僞外交部『實力派』的主腦，所有歷任部長和次長都受他的控制。這一派人馬包括僞參事馬永發、交際司長程光遠、總務司各科的科長黃安邦、羅伯和、何懷遠等，全都是廣東人。他們形成一個地方主義的集團，是受汪精衛『大廣東主義』的影響」（註九五）此處引文所稱之汪兆銘「大廣東主義」，可能有過度渲染之嫌，因爲一個全國性的政治領袖不太可能自限於地方主義；然汪氏深具革命以來廣東人士特有之正統意識和爭正統之野心，則爲一不爭之事實。

汪政權雖擁有本身的軍隊，但一直是依附於日軍，並且離不開日本顧問的監督和指揮。所以該政權的盛衰，完全視日軍在華的發展而定，在抗戰末期，日軍步入衰運時，汪政權不少高官已開始與重慶中央聯絡。（註九六）及至日本投降，陳公博、周佛海等人更是全力防共以利重慶方面派員接收。因此汪政權末期要人都認爲已可將功折罪，陳璧君甚至對屬下說：「我們的目的是求和平，現在和平的目的已經達到了，我們的任務完成了。這個時候，是漢奸才用得著發慌，我們不是漢奸，慌什麼呢」。（註九七）但他們這種在敵人羽翼下另建政權的叛國行爲，並不能見容於國法和民意，首要份子大多被從嚴量刑。

事實上自民國二十一年起，已沒有任何一股廣東人士主導的力量，可以取蔣中正而代之，主宰全中國。但自民國肇建以來，廣東人士逐漸蓄積的革命聲望和相當可觀的軍事實力，卻導致爾後幾次割據地方，與以蔣爲首的中央爭正統的事件。胡漢民和陳濟棠合力主持的「西南政務委員會」，是與蔣在統一的黨、政、軍前提下，相互對抗。因此即使在「六一事變」之後，西南當局首要份子們並未受到太嚴厲處分，陳濟棠並在抗戰期間出掌農林部，國共戰爭時又得以出任海南行政長官兼警備總司令。陳所遺之舊部，也並未遣散，而由余漢謀改編成國軍正式編制的第四路軍。福建「人民政府」則是另組黨、組府，所以失敗後所受之懲罰較嚴苛，陳銘樞此後便一直未再受重用，而曾名聞一時、戰績彪炳的第十九路軍也完全被整編，從此無法重組成軍。汪兆銘政權雖未改國號、國旗、黨政體制，但卻依庇於敵人武力之下，儘管與重慶中央無大規模軍事衝突，然已構成叛國之實，故其首要份子的下場最爲悲慘。

第四節　廣東團體的終結（民國二十五年至三十九年）

自「六一」事變結束，廣東地區權力結構重組，中央力量即大舉介入，除收回政權外，軍事方面也做了相當的調整。新編成的第四路軍中，原屬陳濟棠系統的將領，大致仍歸余漢謀指揮；而原屬張發奎第四軍舊部的李漢魂、鄧龍光、繆培南等人，雖表面上也由余領導，但往往可透過陳誠、薛岳等管道，直接與蔣中正聯繫。余感勢孤，乃經由其保定六期同學顧祝同、黃鎮球、上官雲相等，與何應欽建立起關係，因而也有與蔣溝通的直接管道。（註九八）蔣對這兩條由下而上形成的體制外領導系統，也樂觀其成，借以收分治易使之效。

民國二十五年，第一集團軍改編成第四路軍時，軍費削減甚多，以致次年四月，余漢謀不得不再做一次實質的裁軍，將第四路軍所屬的十個師，由每師二旅六團制改爲二旅四團制，所以全軍由六十個團裁減成四十個團，兵力減少幾達四分之一。不久，中央以閩南防務空虛爲由，調出該部黃濤的第一五七師駐防漳州、廈門一帶，後乃漸完全脫離廣東團體。抗戰開始，中央令余漢謀抽調四個師參加上海方面作戰，傷亡甚重，後雖得保留番號回粵整補，但所補充的新兵缺乏實戰經驗，素質大不如前。民國二十七年四月，中央提升李漢魂、葉肇爲軍團長，分率粵系部隊第一五五、一五七、一五九、一六〇四個師，赴豫東和南潯線作戰，從此李、葉兩部漸脫余漢謀的統屬。同年十月中旬，日軍在廣東大亞灣附近登陸，第四路軍迎戰失利，廣州迅即失陷，余漢謀頗受各方責難，聲威驟降。是年冬南嶽軍事會議中決定在兩廣地區設第四戰區，由張發奎出任司令長官，余漢謀部改編爲第十二集團軍，下轄張達的第六十二軍、張瑞貴的第六十三軍、葉肇的第六十六軍。至是余部又再一次縮編，且多了戰區司令長官張發奎和新任廣東省主席李漢魂二人分權，余在粵勢力益衰。

民國二十九年，桂南會戰發生，第十二集團軍中的第六十六軍被調赴廣西作戰，但隨後補進了第六十五軍。至抗戰末期，長衡會戰爆發時，第六十三軍又被調赴湖南前線。至是余轄下的第十二集團軍「合計兵力不足五萬人，比第一次整編時期的十五萬人，減少了三分之二。比第二次整編時期的十二萬人，減少了百分之六十。比第三次整編時期的七萬五千人，又減少了三分之一」。（註九九）抗戰勝利後，余漢謀被調任浙江衢州綏靖主任，完全離開廣東，其嫡系部隊第六十三、第六十五兩軍，也先後被調離粵，投入國共戰爭。廣東團體所依靠的軍事實力，於是被分解殆盡。

也許正因廣東軍事實力全消，解除了蔣中正一貫對廣東團體的戒心。民國三十七年行憲選舉總統、副總統，李宗仁以廣西團體實力為後盾，不顧蔣之勸阻，全力投入副總統選戰。蔣在別無選擇情形下，力促文人出身、國際形象較佳的孫科為競選搭檔，參選副總統。自胡漢民、汪兆銘相繼謝世，廣東人士中只有孫科尚能在中央佔一席地位，所以成了廣東團體的唯一領袖人物。此番孫為蔣挑為競選伙伴，失意中的廣東人士莫不引為光榮，並認為孫將來有繼承蔣的可能，於是全集合到孫的麾下，傾全力為孫助選。當時因副總統選戰激烈，有人居然在南京《救國日報》上刊出「非常會議」期間，何應欽詆毀孫科的電文，此舉遭致張發奎、薛岳等粵籍將領，前往報社興師問罪，並搗毀部分設備。（註一〇〇）當時廣東人士的團結激情，及渴望重返中央政治舞台的心態，由是可見一斑。選舉結果，孫以少許票差落敗，軍事上失意的廣東要人們，政治上也失去一個再起的機會。

然隨著國共戰事的逆轉，江北省份大致陷共，而西南各省又多為地方軍系把持，廣東對中央的重要性又逐步提升。當時是宋子文掌粵政，宋的祖籍雖為廣東，但與蔣關係密切，一向被廣東團體視為異己。張發奎即曾抱怨：「廣東現已成為後方基地，苟不及早圖謀，將來共軍一渡江，後方不堪設想，我們亦將死無葬身之地。惟今後粵政必須由粵人自己來搞，斷非老宋（蓋指宋子文）可以為功。實際上二十年來的革命功業，就是靠廣東人打出來的，現在廣東人不但不能打理自己的家事，反而要仰承老宋的鼻息，殊爲粵入之恥」。（註一〇一）言下之意，此際正是廣東人拿回革命正統之最佳時期。蔣爲安撫廣東人心，乃授意宋辭職，而以余漢謀出任廣東綏靖公署主任，薛岳爲廣東省主席。張發奎又要廣東綏署參謀長梁世驥轉告余、薛二人：「廣東人應該大聯合。蔣家天下，原是廣東人打出來的，……現在應該粵桂大團結，維持兩廣局面，就可以對中共討價還價」。（註一〇二）余、薛雖從張議，喊出「廣東大團結」口號，卻因與蔣有深長情義關係，始終不願聯桂棄蔣。

余漢謀返粵後，立刻積極充實在省外被殲回省整補的第六十二、六十三、六十四軍等舊部，薛岳也將原來的十二個保安團，擴充爲十六個保安團，編爲四個保安師，打算結合中央系的劉安琪部，共同保衛大廣州地區。但整補過的粵軍，新兵充斥，戰力有限，又與劉安琪部行動不能協同，於是防線很快的即爲共軍突破，廣州失守。余、薛等人逃赴海南島，然共軍追迫甚緊，蔣中正又無意再保留這一塊廣東最後的根據地，遂又不得不放棄海南，飛赴台灣，廣東團體完全瓦解。

小結

與廣東人士關係密切的廣西團體領導人李宗仁曾說：「國民黨自有史以來，粵籍要員最具畛域之見，其原因或者是由於方言的關係。他們彼此之間，平時雖互相猜忌，然一有事變，則又盡釋前嫌，作堅固的團結」。（註一〇三）李氏所提出的方言因素，其實只是廣東人士團結的外在條件之一，內在的革命正統意識尤其是凝聚廣東團體的要素。「非常會議」事件即爲一具體例子，當蔣中正排斥所有廣東團體要人，欲自建革命正統時，所有廣東人物便無分派系、恩怨的團結一致，共同將孫科推上負最高政治責任的行政首長，欲爭回正統地位。孫內閣垮台後，蔣重返中央，但不得不再度與汪兆銘合作，無法創建一個無廣東要人參加的新革命正統。

清末以來，廣東因得天獨厚的地理條件，成爲現代革命的發源地。廣東人士也因西化最早、最深，故有不少人都對中國政治傳統採取激烈的革命態度，因而成爲革命歷史中的中堅團體。革命本應是一種短期的行爲，而且參與者須做極大的犧牲奉獻。但在中國現代史中，革命卻成了一種經常性的行動，也因此與權力和利益結下密不可分的關係。廣東人士因在早期革命史中地位重要，累積下雄厚的革命實力和聲望，及至革命事業已與既得利益結合時，他們仍以革命正統自居，不斷致力於領導權的爭奪。其他省份人士固已常質疑粵省人物爭奪革命正統的動機和純潔性，即使廣東人士本身有時似乎也無法分辨其所爭的是正統或是利益。同時革命是具破壞性的，在一連串的爭革命正統行動中，廣東人士本身可能是最大的受害者。

蔣中正的革命事業是發軔於廣東，然他早年在粵軍中任職時，大都出任參謀長或參謀處長一類幕僚長職務，甚少任掌握實權的帶兵官，而其粵軍同僚也往往以孫中山監軍使者身份視蔣。所以蔣對廣東團體的觀感，一直十分微妙，一面視其爲自己成功的重要助力；一面又對之心存猜忌。隨著革命浪潮席捲全國，蔣主控中央政府後，這種關係便衍伸成中央與廣東地方的互動。蔣一邊需要粵籍要人協助其樹立中央威望；一邊又恐其正統地位爲他們所取代。至於廣東人士對蔣的愛憎情結，則更明顯的反映在他們與蔣一再分合的歷史中。地方與中央的互動，是中國現代史的主題之一，而廣東團體可能是最接近中央，卻又始終不能成爲中央的地方派系了。

【附註】

註 一 ：麥禮謙，〈美國的一個華人同鄉社群：祖籍廣東省花縣華人的發展史〉，《第五屆中國海洋發展史研討會會議論文》（中研院社科所，台北，一九九二），頁三及二一。

註 二 ：胡漢民，《胡漢民自傳》（傳記文學出版社，台北，一九八二），頁五。

註 三 ：孫科，《八十述略》（孫哲生博士八秩雙慶籌備委員會，台北，一九七〇），頁六。

註 四 ：朱子勉、羅宗堂、韓鋒，〈辛亥革命廣州光復前後雜記〉，《廣州文史資料選輯》第一輯（政協廣州文史資料委員會，廣州，一九六〇），頁二至四。

註 五 ：鄒魯，《回顧錄》（三民書局，台北，一九七四），頁六二至六三。

註 六 ：丁身尊，〈陳炯明年譜〉，《廣東文史資料》第五十七輯（政協廣東文史資料委員會，廣州，一九八八），頁一七九。

註 七 ：同前文，頁一八三。

註 八 ：鄧鏗自辛亥革命以來，多次出任陳炯明軍之參謀長，與陳淵源極爲深厚；而鄧在精神上始終傾心孫中山，亦深得孫信任。鄧此時所掌握的第一師，爲當時粵軍模範部隊，軍械、人員、訓練均爲第一流，是爲國民政府成立後粵軍賴以發展的骨幹部隊。

註　九：陳劭先，〈辛亥革命後孫中山在廣東的幾起幾落〉，《文史資料選輯》第二十四輯（政協文史資料委員會，北京，一九八一），頁十三。

註　十：中國國民黨第一次全國代表大會秘書處，〈中國國民黨第一次全國代表大會會議錄〉，《廣東文史資料》第四十二輯（政協廣東文史資料委員會，廣州，一九八四），頁三十及八五。

註十一：同前文，頁二八。

註十二：周一志，〈關於西山會議派的一鱗半爪〉，《文史資料選輯》第十二輯（政協文史資料委員會，北京，一九八一），頁一一七至一一八。

註十二：周一志，〈我對許崇智了解的片斷〉，《文史資料選輯》第十三輯（政協文史資料委員會，北京，一九八一），頁一三一。

註十三：羅翼群，〈廖案感舊錄〉，《廣州文史資料》第七輯（政協廣東文史研究會，廣州，一九六三），頁一〇九。

註十四：同前文，頁一一三至一一四。

註十五：張國燾，《我的回憶》（明報月刊，香港，一九七三），頁五〇五。

註十六：馬文車，〈中山艦事件的內幕〉，《文史資料選輯》第四十五輯（政協文史資料委員會，北京，一九八〇），頁六至七。

註十七：陳公博，《苦笑錄》（香港大學亞洲研究中心，香港，一九七九），頁六十。

註十八：陳公博《苦笑錄》，頁一一〇。

註十九：Jeh-Hang Lai, *A Study of a Faltering Democrat: The Life of Sun Fo, 1891-1949*, (University of Illinois, Ph. D. dissertation, 1976), p. 278 and 280.

註二十：民國十四年「廖案」發生後，孫科因不滿國府內左派和共黨份子，一度離開廣州，隱居上海，與「西山會議派」人士相當接近。（周一志，〈關於西山會議派的一鱗半爪〉，頁一一三。

註二一：陳公博，《苦笑錄》，頁一一二。

註二二：周佛海，〈我逃出了赤都武漢〉，《陳公博、周佛海回憶錄》（躍昇文化事業有限公司，台北，一九八八），頁一五四。

註二三：周一志，〈關於西山會議派的一鱗半爪〉，頁一一六。

註二四：陳卓凡，〈我所知道的鄧演達〉，《廣東文史資料》第二十二輯（政協廣東文史資料委員會，廣州，一九七八），頁一九九。

註二五：陳公博，《苦笑錄》，頁一四四。

註二六：鄒魯任宣傳委員會主任委員、謝持任組織委員會主任委員，覃振、傅汝霖等也各任要職。（周一志，〈關於西山會議派的一鱗半爪〉，頁一一八。）

註二七：陳公博，《苦笑錄》，頁一六二。

註二八：第四軍紀實編纂委員會，《第四軍紀實》，一九四八年出版，收入《近代中國史料叢刊續編》第四十九輯（文海出版社，台北，一九七七），頁一八四至一八五。

註二九：蔡廷鍇，《蔡廷鍇自傳》（龍文出版社，台北，一九八九），頁二一五。

註三十：賀貴嚴，〈蔣介石背叛革命後下台又上台〉，《文史資料選輯》第九輯（政協文史資料委員會，北京，一九八一），頁一一七。

註三一：周一志，〈關於西山會議派的一鱗半爪〉，頁一一三。

註三二：孫科，《八十述略》，頁九。

註三三：李雲漢，〈孫文主義學會與早期反共運動（一九二五—一九二六）〉，《中華學報》一卷一期（一九七四），轉引自張玉法編，《中國現代史論集》第十冊（聯經出版社，台北，一九八二），頁一三一至一三二。

註三四：同前文，頁一三八。

註三五：同註三一。

註三六：同前文，頁一一七。

註三七：周一志，〈關於再造派〉，《文史資料選輯》第二輯（政協文史資料委員會，北京，一九八〇），頁一三四至一四五。

註三八：同前文，頁一三五至一三六。

註三九：陳公博，《苦笑錄》，頁一八〇。

註四十：同前書，頁一八八。

註四一：范予遂，〈我所知道的改組派〉，《文史資料選輯》第四十五輯，頁二一四。

註四二：同註四十。

註四三：同前書，頁一八二。

註四四：范予遂，〈我所知道的改組派〉，頁二一九。

註四五：同前文，頁二一六。

註四六：陳公博，《苦笑錄》，頁一八九。

註四七：李俊龍，〈汪精衛與擴大會議〉，《文史資料選輯》第十六輯（政協文史資料委員會，北京，一九八一），頁九六。

註四八：許錫清，〈福建人民政府〉，《廣東文史資料》第一輯（政協廣東文史資料委員會，廣州，一九六三），頁一〇四。

註四九：孫中山，《國民政府建國大綱》，收入《國父全集》（中國國民黨黨史會，台北，一九七三），頁七五三。

註五十：根據胡漢民後來的自述，稱其在「湯山事件」時，曾告蔣道：「進一步說，你能操縱一個國民會議，通過約法，再選你做總統，你能做得好，我也許可以相當贊成。但你萬不能懷疑我會和你爭總統，因此而以去我爲快」。〔梁綺神遺稿，〈胡漢民自述湯山被囚始末〉，《廣東文史資料》第三輯（政協廣東文史資料委員會，廣州，一九六三），頁一三四。〕可見胡早已有此猜測。

註五一：同前文，頁一三二。

註五二：同前註。

註五三：同註五十。

註五四：同前文，頁一三七。

註五五：同前文，頁一四二。

註五六：周一志，〈「非常會議」前後〉，《文史資料選輯》第九輯，頁八七。

註五七：同前文，頁八八。

註五八：陳卓凡，〈我所知道的鄧演達〉，頁二〇〇至二〇一。

註五九：范予遂，〈我所知道的改組派〉，頁二三〇。

註六十：李潔文，〈陳誠出賣鄧演達及其他〉，《廣州文史資料》第五輯（政協廣州文史資料委員會，廣州，一九六二），頁一四〇。

註六一：陳誠赴廣東加入革命陣營，即是由鄧演達引介。後陳曾在鄧團任連長，再隨鄧從粵軍第一師，轉入黃埔軍校，二人淵源極爲深長。（杜偉，〈我所知道的陳誠〉，《文史資料選輯》第十二輯，頁一三〇至一三一。）

註六二：孟曦，〈關於「非常會議」和「寧粵合作」〉，《文史資料選輯》第九輯，頁一〇四至一〇五。

註六三：陳銘樞，〈「寧粵合作」親歷記〉，《文史資料選輯》第九輯，頁五七。

註六四：同前文，頁六五至六六。

註六五：許錫清，〈「福建人民政府」運動〉，頁一一〇。

註六六：劉叔模，〈一九三一年寧粵合作時期我的內幕活動〉，《文史資料選輯》第十七輯（政協文史資料委員會，北京，一九八一），頁一二三。

註六七：羅翼群，〈西南反蔣的回憶〉，《廣州文史資料》第二輯（政協廣州文史資料委員會，廣州，一九六一），頁六四至六六。

註六八：李潔之，〈陳濟棠統治廣東真象〉，《廣東文史資料》第一輯，頁五六。

註六九：鄒魯，《回顧錄》，冊二，頁三七七。

註七十：羅翼群，〈西南反蔣的回憶〉，《廣州文史資料》第二輯，頁六三。

第七一：鄒魯，《回顧錄》頁三七八。

註七二：劉永順，〈關於胡漢民在廣州開辦的「政治經濟講習班」〉，《廣州文史資料》第二十九輯（政協廣州文史資料委員會，廣州，一九八八），頁二六九。

註七三：邱平，〈「國民政府西南政務委員會」見聞〉，《廣州文史資料》第十五輯（政協廣州文史資料委員會，廣州，一九六五），頁九七。

註七四：同前文，頁一〇四。

註七五：劉斐，〈兩廣「六一」事變〉，《文史資料選輯》第三輯（政協文史資料委員會，北京，一九六〇），頁十一至十二。

註七六：邱平，〈「國民政府西南政務委員會」見聞〉，頁一〇二。

註七七：龔志鎏，〈舊時代的廣東歷屆軍事學校概況〉，《廣州文史資料》第三輯（政協廣州文史資料委員會，廣州，一九六一），頁一一二。

註七八：羅醒，〈陳濟棠對蔣介石控制的手法〉，《廣州文史資料》第十五輯，頁十六。

註七九：秦鈞、李仲如，〈我參加「歃血盟誓」的回憶〉，《廣州文史資料》第十五輯，頁六三至六五。

註八十：李潔之，〈從蔣、余矛盾說到廣州棄守〉，《廣州文史資料》第二輯，頁六至七。

註八一：同前文，頁二二。

註八二：蔡廷鍇，《蔡廷鍇自傳》，中冊，頁二五九。

註八三：民革中央宣傳部，《陳銘樞紀念文集》（團結出版社，北京，一九八九），頁八四及八五。

註八四：李漢沖，〈福建事變中十九路軍在閩西南活動回憶〉，《廣東文史資料》第一輯，頁一二九。

註八五：同前文，頁一三一。

註八六：許錫清，〈「福建人民政府」運動〉，頁一一一。

註八七：蔡廷鍇，《蔡廷鍇回憶錄》，頁三五三。

註八八：蔡弘慈，〈徐名鴻與「福建事變」〉，《廣東文史資料》第六十三輯（政協廣東文史委員會，廣州，一九九〇），頁一一四。

註八九：陳公博，《苦笑錄》，頁三二七。

註九十：何國濤，〈汪偽巨奸派系之爭〉，《文史資料選輯》第三十九輯（政協文史資料委員，北京，一九八〇），頁一八四。

註九一：陳公博，《苦笑錄》，頁四一四。

註九二：朱子家，《汪政權的開場與收場》（古楓出版社，台北，一九八六），冊一，頁十七至十八。

註九三：同前書，冊一，頁八二。

註九四：同前書，冊二，頁三六。

註九五：楊紹權，〈日本投降前夕蔣介石與重光葵的一次談判〉，《廣州文史資料》第六輯（政協廣州文史資料委員會，廣州，一九六二），頁十六。

註九六：朱子家，《汪政權的開場與收場》，冊二，頁八五至八八。

註九七：陳曙風，〈汪精衛投日前側紀〉，《廣州文史資料》第二輯，頁一四五。

註九八：李潔之、李漢沖，〈蔣介石分化余漢謀粵系部隊史實〉，《廣州文史資料》第一輯，頁八一。

註九九：同前文，頁九六。

註一〇〇：周一志，〈孫科、李宗仁競選副總統的形形色色〉，《文史資料選輯》第三十二輯（政協文史資料委員會，北京，一九八〇），頁一七五至一七六。

註一〇一：李漢沖，〈張發奎策動粵桂聯盟反蔣反共始末〉，《廣東文史資料》第六輯（政協廣東文史資料委員會，廣州，一九六三），頁二三。

註一〇二：梁世驥，〈准海戰役後蔣粵桂的矛盾及其最後在廣東垮台〉，《廣東文史資料》第六輯，頁三。

註一〇三：李宗仁，《李宗仁回憶錄》（台光出版社，台北，年代不詳），頁四一七。

第三章　北伐以來廣西人士的疏離意識

前　言

對中原而言，廣西是一個偏遠貧困的省份，但從北伐時期開始，一批受過新式軍事教育的廣西將領，卻不時的將他們來自邊陲的主張和力量，帶至全國政治舞台的中心。而文化背景、歷史淵源和利益衝突，卻又始終在他們與中央之間，劃下一條時現時隱的鴻溝，彼此時而相需相依，時而又互斥互嫉，如此深深的影響著中國現代史的進程。本章即試圖追索清末以來廣西人士疏離意識的發展，並進而探討其與中央若即若離的關係，以及與之相關的重大歷史事件。

若細究廣西團體內部結構，大致可以語言、區域、文化等細分爲四大類。白話系統：分佈在桂省東南部西江流域，以梧州爲中心，說粵語，與廣東關係密切。因西江水運交通便利，此區人民得風氣之先，思想、行事較活潑權變，代表人物如李濟深、黃紹竑等。官話系統：分布在桂省東北部，以桂林爲中心，操普通官話，受湖南影響大，民性也較堅忍固執，主要人物如李宗仁、白崇禧等。土話系統：分佈於桂省的西半部，以南寧爲中心，多爲漢化僮人或僮化漢人，因地理位置封閉，故傾向於保守質樸，岑春煊、陸榮廷等老派人物大多屬之。客話系統：爲從東北、東南兩方進入桂省的客家人後裔，分佈地區甚廣，但在各處均爲少數，故有時被視爲不利團結的因素，重要人物有俞作柏、呂煥炎等。（註一）在一致對外、實現共同理想和利益之際，這種內部差異幾乎完全不存在；但在深入探討權力分配和意識型態時，經常不得不考慮這些因素。

第一節　北伐前的廣西

自主性的逐漸增强是北伐前廣西的主要趨勢，直至李、黃、白統一全省，自動投入國民政府革命陣營後，才略有改變。這種自主性的形成，對往後廣西人士的疏離意識有莫大的影響。而討論此一自主性的發展，至少得追溯至清末岑春煊署兩廣總督、督辦廣西軍務時期。岑氏係自乾隆時陳宏謀督兩廣以來，第一位廣西本籍的總督，其之任命，主要即因廣西匪患日熾，非深悉當地政風民情者，不足荷此重任。（註二）是亦反映出在清末「桂人治桂」確有其必要性。岑氏並在任內提拔了武將龍濟光與陸榮廷，此二人對清末民初的兩廣政局影響深遠，其中又以桂籍的陸榮廷爲甚。

清末中央政府腐敗無能，地方權力相對提升，省籍畛域觀念隨之增漲，廣西亦不例外，此可由光緒末年桂林發生的「驅蔡事件」看出端倪。蔡鍔，湖南人，日本陸軍士官學校畢業，同盟會會員，在當時爲一典型新派人物。光緒末被廣西巡撫張鳴歧任爲兵備處總辦，統領所有新軍及新軍訓練機構。

後蔡主持廣西「幹部學堂」甄試時，淘汰大批廣西籍學生，而湘籍學生卻大多獲保留。儘管當時湘籍在桂人士的確文化程度較高，但此舉卻使得桂林輿情大嘩，紛紛指責蔡偏袒同鄉。頓時諮議局、陸軍小學，甚至包括許多同盟會分子，均加入幹部學堂學生抗議行列，發起驅蔡運動，蔡終迫於衆議，離開廣西。（註三）在這事件中，新舊思想、政治主張、乃至是非標準的界線都很模糊，唯一被凸顯的，便是强烈的省籍意識。

辛亥革命爆發，廣西亦於十一月七日宣佈獨立，由諮議局推舉巡撫沈秉堃爲廣西都督，藩台王芝祥和提督陸榮廷爲副都督。不久，沈、王二人便在「桂人治桂」的聲浪中，以率軍北伐爲名，先後離桂。陸榮廷旋即繼任都督，開啓其統治廣西的十年。陸氏爲漢化僮族（亦稱壯族），南寧武鳴人，雖與岑春煊同屬「土話系統」，但岑生於官宦世家，長游學京師，壯宦遊四方，故學問識見均不以廣西一地爲限；而陸則爲綠林、行伍出身，聞見志向大致不出兩廣。陸氏用人亦全不離血緣、地緣關係，武人方面：譚浩明、陳炳焜、林俊廷、莫榮新、馬濟等，不是親戚，即爲桂籍舊屬。這些將領均爲舊軍行伍出身，目光短淺。文人方面：陳樹勛、崔肇琳、李靜成、蘇紹章、陳繼祖等，雖均有科舉功名，（註四）但皆爲桂人，且是舊學根底，相當缺乏現代新知。因此陸榮廷政權不免傾向保守封閉。

不過，陸氏的守舊、本土化的作風，實與廣西自清末以來日益滋長的自主、自治主張暗相契合。故曾任當時廣西省議會議長的雷殷即認爲陸氏「對議會尚知尊重」，且「對民國亦貢獻頗大」，「固亦一方之雄」。（註五）即連後來推翻陸氏政權的一批南寧新領袖們，對其批判之外，亦有佳評。例如李宗仁認爲陸「有畏天命、畏人言的舊道德」，「民國成立以來，舉國擾攘，而南寧得以粗安，實賴有他」；（註六）黃紹竑對陸的評價是，「他的生平事蹟，自有其時代的背景價值」；（註七）連對他批評最厲的白崇禧也承認，「陸並非有心作惡的人，沒徵收什麼苛捐雜稅」；（註八）而與舊軍淵源較深的徐啓明（曾任邊防軍副司令）更以陸（榮廷）、譚（浩明）「對安定桂省八九年不無貢獻，令省民感念不已」；（註九）黃旭初且認爲陸、譚舊軍與後來的李、白新軍的關係是，「後者是由前者孕育出來的」。（註十）此外，如李品仙對陸榮廷部將莫榮新的看法是，「雖是舊式軍人出身，但謙虛樸素、實事求是的精神是頗值欽佩的；尤其待人接物極爲誠懇，嗜慾貪婪一無所染，實爲不可多得之長者」。（註一一）由是可見，廣西本省人對陸榮廷及其統治集團是有與外人不同的看法，所以若不兼顧廣西人士本身的觀點和感受，將很難對其思想、作爲做一公平深刻的分析。

民國元年八月二十八日，廣西省會由桂林遷至南寧。此舉使桂省與中央關係更形疏離，實亦當時自主潮流影響所致。清代廣西省會在桂林，但桂林位偏省之東北部，固然與中央往來較近便，但對多數省民而言，殊屬不便。因此宣統元年廣西省諮議局第一屆會議時，便有議員提出「建議遷省南寧案」，結果多數通過，提請巡撫核辦。（註一二）但當時巡撫張鳴岐在諸多壓力下，並未將之付諸實施。民國成立後，此案重新在新成立的省議院中提出，再度獲得大多數民意支持通過。適時都督陸榮廷本人即爲南寧武鳴人，又發跡於廣西和越南邊境，自無異議，於是省會終於得以遷至南寧。直至民國二十五年，「六一抗日運動」結束後，中央與廣西取得妥協，準備聯合抗日，省會方再遷回桂林，「

一則可避敵人自海上登陸威脅，再則可與中央取得更密切的聯繫。」（註一三）廣西省會的來回遷徙，實亦可視爲其與中央親疏變化的指標。

民初的幾年中，廣西在陸榮廷統治下，相對於其他省分而言，算較爲安定，因而也蓄積了相當的實力。民國五年，護國軍之役發生，時任廣西將軍的陸榮廷，因係岑春煊舊屬，再在梁啓超、林虎等人的游說下，乃加入護國軍行列，先與李烈鈞聯合殲滅受袁世凱之命進攻雲南的龍覲光部，接著又進軍湘南。袁世凱病故後，廣東將軍龍濟光未與護國軍其他各部協商，便率先取消廣東獨立，宣佈聽命北京新政府，於是立刻成爲護國軍各部的攻伐對象，其中桂軍出力最多，並圍龍濟光於廣州。七月間，南北達成協議，護國軍軍務院取消，陸榮廷獲任廣東督軍，其部將陳炳焜繼任廣西督軍，陸氏從此得以控制兩廣，「桂系」一辭始出現。（註一四）惟此時的「桂系」尚未具貶意，只是外省人對興起中的廣西勢力之泛稱而已。

但陸榮廷集團究竟學能有限，長期統治富庶的廣東，很快的便變得腐化不堪，重稅搜括和軍紀蕩然，使得廣東人民對廣西軍閥深惡痛絕。而陸榮廷對護法軍政府陽奉陰違，並暗中勾結政學系議員，改組軍政府，逼走孫中山，更使追隨孫中山左右的黨人對「桂系」產生極惡劣之印象。汪兆銘稱：「桂賊以殺人放火起家，……兼盜賊與官僚二者」；徐謙云：「桂系往往出身盜賊，……其禍國殃民尚堪言哉」；孫科云：「桂系據粵，……視吾地幾如被征服之地，視吾民如被征服之民。」（註一五）至此「桂系」二字幾成萬惡犯罪集團的同義辭。

民國九年陳炯明受孫中山之命，率軍自閩返粵，陸榮廷部士氣不振、民心不附，倉惶潰退回桂。次年，陳炯明再度奉命率師三路入桂，先下梧州，然後沿著西江長驅直入，進陷南寧，陸榮廷見大勢已去，率殘部逃往越南。廣東軍政府遂任命馬君武為省長，進駐南寧，兩廣名義上統一於孫中山的領導之下。但入桂粵軍，心存報復心理，軍紀甚壞；而桂人素以强悍著稱，自主性又强，於是各地自治軍蝨起，據地反抗廣東軍政府，馬君武省長幾乎號令難出南寧省城。

在此自治軍四起，省籍意識高張之際，只有三股廣西勢力，公開接受廣東軍政府收編。其一為劉震寰部：劉震寰在民國二年曾追隨劉古香在柳州發動二次革命，後在同鄉陳炳焜手下任幫統。民國十年，粵軍入桂，劉在梧州以北倒戈附粵，陳炳焜被迫放棄梧州北走。同年六月，劉震寰被粵方任命為桂軍第一師師長，尾追陳炳焜部至桂林，旋又被任為桂軍總司令，以招撫收編陳部散卒。（註一六）但劉氏係文人出身，所部又多係收編來的烏合之眾，故不久即在南寧被當地自治軍擊敗，退往桂、粵邊境。民國十二年，劉受孫中山之命，與滇軍楊希閔部東下廣州，驅走陳炯明，此後即常駐廣州附近，直到十四年為蔣中正、李濟深等所剿滅。這股力量基本對民十以後的廣西局勢影響不大。

其二為李宗仁部：李宗仁，廣西陸軍小學、速成學堂畢業，投入陸榮廷屬下林虎部任職。李氏勇敢善戰，因此在林虎部升遷甚速，民十粵桂戰爭期間，積功升至統領。桂軍失敗退回廣西時，李即率所屬兩營廣西士兵，退入粵桂邊境的六萬大山中。在山中李又收編其他入山走避的桂軍，共約兩千人，遂接受陳炯明委任為「粵桂邊防軍第三路司令」下轄兩支隊，共四營十六連，部分軍官受過新式軍事教育，先駐防北流縣，後進佔鬱林。（註一七）李宗仁因只受過基本新式軍事教育，在此之前又僅因軍事任務，到過湘南、粵西，因此軍中的人脈和政治視野均尙十分單純。不過，由於其人包容力大、學習力强，所以日後終能成爲廣西新領袖。

其三爲馬曉軍部：馬曉軍爲廣西第一位日本陸軍士官生，返省後任督軍署參謀，見受新式軍事教育學生返省後，不爲舊軍將領所用，乃建議督軍陳炳焜成立模範營，一則收容新式軍校畢業生；一則爲改良舊軍之基礎。民六五月，模範營成立，馬曉軍自任營長，營附和第一、二、三、四連長朱爲珍、曾老沂、黃旭初、龍振麟均爲陸軍大學第四期生，連附二十四人，其中白崇禧、夏威、黃紹竑、徐啓明、梁朝璣、陳雄等爲保定軍校生，張淦、廖光等爲廣西陸軍速成學校生。（註一八）此營匯集當時廣西新式軍官於一處，成了後來廣西的領導骨幹。黃紹竑、白崇禧等人，因早年即在外省受正統軍事教育，故視野、志向均甚開闊遠大，並不以廣西一省自限，再因「四校同學」（陸小、陸中、入伍生隊、保定軍官）關係，在省內、外軍隊中均有豐厚的人脈，故日後廣西向外發展，實與這股力量有密切關係。

民國十一年，孫中山欲北伐，調走駐桂各軍，陳炯明與孫意見不和，爲求自保，亦調回其駐桂各部，於是廣西各地自治軍乃紛紛據地稱雄，並不時互相攻伐。劉震寰及馬曉軍部在南寧附近，受到各支自治軍圍攻，力不能支，分途向廣東撤退。馬曉軍在撤退途中見糧餉無著，前途茫茫，乃將所部交黃紹竑率領，本人離隊赴香港。黃率部隊經過鬱林時，接受李宗仁之招撫，被任命其「廣西自治軍第二路軍」的第三支隊司令，至此兩支以新式軍官爲骨幹的廣西軍首度結合。

李宗仁此時已放棄粵方所委的頭銜，但與其他自治軍各部亦保持距離，頗有打算長期坐擁鬱林附近七縣自主之勢。黃紹竑等自不以此區區局面爲滿足，認爲李宗仁如此「保境安民，形同中立，終久不是辦法」，而應「有光明的途徑，嶄新的作風，才能開展。」（註一九）適時白崇禧正因傷在廣州療傷，黃乃透過白與廣東軍政府取得連繫，準備在粵方協助下襲取梧州。當黃紹竑與李宗仁取得協議，率部離開容縣時，李部俞作柏、伍廷颺兩統領亦認爲「在鬱林死守中立沒有發展前途」（註二十）未徵得李的同意，而逕與黃一道赴梧州。後李宗仁部第一支隊長李石愚，又再派人勾回俞作柏部下的一個營，因此造成李、黃和李、俞間的裂痕，對後來廣西內部團結頗有影響。

黃紹竑率軍至梧州後，初僞投沈鴻英部，後沈在廣東被擊敗，黃便乘機收繳沈軍輜重、軍械，實力大增，乃正式接受廣東軍政府的委任，組織「廣西討賊軍總指揮部」，黃紹竑任總指揮，白崇禧爲參謀長。孫中山並派桂籍的李濟深爲西江善後督辦，率粵軍第一師之大部駐梧州，協助黃、白統一廣西。此時的廣西爲各地自治軍所割據，排粵心理甚強，但黃、白因服膺孫中山的政治主張，又與粵軍第一師中軍官大多有同學關係，故毅然接受廣東軍政府的政治領導和軍事協助。但此舉無異與當時廣西全省爲敵，尤其「討賊軍」一辭，無異公開指各地自治軍爲盜賊，因此處境相當孤立。

黃紹竑評估時勢後，深覺欲統一廣西，非得先突破孤立處境。黃遂先後派白崇禧、呂競秋等，借著桂林同鄉關係，往說李宗仁，要求再度結合，合力統一廣西。（註二一）此際李宗仁發揮極大的政治調適能力，一改先前保守自主作風，同意與黃、白採取聯合軍事行動，改其所部爲「定桂軍」。「定桂」二字已明白表示出其統一桂省的企圖，雖無「討賊」一辭尙有受中央之命的涵意，但其既與「討賊軍」聯合軍事行動，則與廣東軍政府的聯繫自不可避免。

「定桂討賊聯軍」組成後，首先便是沿西江上溯討伐陸榮廷部。陸雖在民國十一年乘亂重返廣西，但其舊部已四分五裂，對其號令陽奉陰違。因此李、白指揮聯軍二路進發，很快的便攻下南寧，陸氏再度下野赴滬。攻下南寧後，「定桂」、「討賊」兩軍進一步整編，正式組成「定桂討賊軍總司令部」，李宗仁任總指揮，黃紹竑爲副總指揮，白崇禧爲總參謀長兼前敵總指揮，李、黃、白的軍令指揮系統從此確立。李、黃、白取得省會南寧並控制廣西大部分地區後不久，便受孫中山之命，再將「定桂討賊軍總指揮部」改爲「廣西全省綏靖督辦公署」，指揮體系仍襲其舊，僅是對其兼理維持治安的權力，加以法定追認而已。（註二二）此後，李、黃、白又在李濟深的粵軍協助下，擊潰盤據桂北的沈鴻英部，再次第清除陸、沈餘黨，終於底定全桂。

廣西統一後，如何將兩廣密切結合於國民政府領導之下，便成爲急待解決的課題。民國十五年二月，國民政府成立「兩廣統一特別委員會」，準備開會商討兩廣統一諸事項，廣西方面派與廣州中央關係最密切的白崇禧爲代表參加。當時廣西的新領導群均相當年輕，基於對孫中山的尊崇，對汪兆銘、譚延闓等人的好感，以及對粵軍協助統一廣西的感激，幾乎是有點迫不及待的想將廣西力量投入廣州革命陣營中，再以統一廣西的熱情和經驗，完成統一全國的國民革命。因此白崇禧在從廣州致李、黃電文中云：「吾軍……如負擔革命工作，完成革命任務，在理論上與事實上，均非將軍、民、財三政與廣東融成一片，非受中央之支配不可」，又云：「禧知兩公對於革命重要，已有深刻認識，對於革命工作已有堅確決心，歷年奮鬥，其目的在救中國，非救區區之廣西也。」（註二三）李、黃對白的意見亦均表贊同。

但當討論到一些統一的細節問題時，種種預想不到的困難便發生了。廣西是一窮省，清代時一向要靠中央「部撥」和廣東「協餉」，財政方能維持。此時的廣西不僅是戰後殘破，軍隊數量亦甚龐大，軍人待遇極低，因此希望與廣東統一財政。而此時廣東客軍甚眾，本身財政亦有困難，故不願與廣西統合財政。廣西將領認爲中央只顧對其有利之黨、政、軍統一，卻不協助解決其財政困境，使廣西形成半自治狀態，同時也導致日後「鬧出各省割據之局。而始作俑者，厥爲中央政府的負責人。」（註二四）財政問題的爭端，於是在廣西與國民政府中央之間投下第一道陰影。

其次，廣西此時部隊足以編成兩個軍，且桂軍本即有「定桂」和「討賊」兩個系統，但廣州中央始終堅持，所有桂軍只能用第七軍一個番號。黃紹竑等力爭無效後，不禁覺得「他們鑒於舊桂系以往的事實，就必定提防新桂系的發生」，「是想用番號來限制廣西勢力的發展。」（註二五）儘管後來雙方達成妥協，廣西接受只編一個軍的安排，但要求第七軍的編制不限於三個師，軍以下的編制由李、黃等人自行安排，然彼此的猜疑給廣西與中央的關係再蒙上一層陰影。

此外，兩廣領導人物的經歷和作風的不同，對統一的不夠澈底亦有影響。李、黃、白統一廣西，主要依恃的是軍事武力，所以對政治運作的縱橫捭闔，殊少經驗，有時甚至鄙視之。而廣州國民政府的諸領導人物，早在長期革命歷程中，體會到政治運作的重要性，並累積了相當多的經驗，乃至有時過當使用政治權謀。廣西統一後，李宗仁第一次赴廣州，適值「中山艦事件」剛結束，激情的革命空氣中夾雜著一股玄疑、猜忌的氣氛，政治暗潮洶湧。以李氏的性格和經歷，自感極端不能適應，他對國府中央領導人物的好感，也逐漸冷卻。當時胡漢民、汪兆銘已離開廣州，而他對蔣中正的印象是「勁氣內斂」、「恐怕共患難也不易」，對譚延闓的看法是「久歷官場，爲人極端圓滑」，而與張人傑則「只是禮貌上的往還。」（註二六）

由於與國府領導人有隔閡，對中央政治氣氛又存疑懼，因此當第七軍組成後，李、黃堅拒由國府委派黨代表，而由黃紹竑自己擔任，而軍以下各級部隊則根本不設黨代表之職。（註二七）當第七軍出發北伐時，黃紹竑任留守，不能隨隊出發。李宗仁遂推薦麥煥章爲第七軍前方部隊政治部主任，兼代黨代表一職。麥氏雖爲同盟會會員，參加過早期革命，但受陸榮廷資助，留法歸來後，即在廣東及北平擔任大學教授，民國十二年更赴廣西、越南邊界，任龍州邊防副督辦，與改組後的中國國民黨殊少淵源。（註二八）故李宗仁將麥氏「推薦上去後，總政治部卻拒絕加委，鬧出許多誤會。」（註二九）後麥煥章雖得就職，但廣西與中央間的嫌隙，又再增一層。

由上所述，可知清末民初桂林與中央關係日益疏遠，而廣西人士的自主排外意識也與日俱增，無論領導階層或民意反映皆然。直至李、黃、白等人崛起，因其受過新式軍事教育，知識、視野、志向均不再以廣西一省自限，於是認同廣州國民政府為新的中央，欲結合其力量共同完成統一全國的使命。儘管在與廣東統合的過程中，伏下了一些彼此疏離的因子，但在革命的熱忱和向外發展的雄心驅動下，廣西人士還是暫時摒棄了疏離、自主的情結，毅然加入北伐的行列。

第二節　從北伐到抗戰的分合

廣西第七軍進入湖南後，憑著吃苦耐勞的傳統，和多年來累積的戰鬥經驗，勢如破竹，很快的便與第四、第八、及部分第一軍合力攻抵武昌，底定長江中游地區之期，指日可待。正值此際，第七軍又奉令迴兵東向，與第一、二、三、六各軍進攻江西，將圍攻武昌的任務交第四軍接替。為讓第七軍順利移師東進，蔣中正總司令特頒「五省通用券」十萬元給該軍，（註三十）此係第七軍在北伐中第一次收到中央方面的接濟。此舉意義十分重大，一方面該軍從此相當仰賴蔣中正的財政支援，這對該軍在寧、漢分裂時，採取支持寧方的立場不無影響。（註三一）另一方面，從此時起，廣西本省逐漸減少對前方軍隊提供財政支援，至北伐軍攻下京、滬，第七軍開始正式接受中央糧餉補給，廣西後方的接濟行動乃逐漸停止。（註三二）廣西省內的財政收支，因而得以平衡，留守的黃紹竑便開始投資發展省內工、商業，（註三三）使得省府掌握大量企業和財力。這種出外作戰部隊仰賴中央補給，省內經濟、財政力求獨立的模式，爾後一再出現，對廣西與中央的若即若離之關係影響甚鉅。

當北伐軍攻佔京滬之後，清黨反共已有如箭在弦之勢，此際李、黃、白均全力支持蔣中正的清黨主張。黃紹竑並由廣西親赴上海，參加蔣召開的反共會議，會中李、黃、白均陳述其親歷之共黨叛亂行為，力贊清黨。（註三四）決議既定，黃紹竑乃電廣西留守人員執行，在當時國、共人士不易區分的情況下，不少左傾人士亦遭池魚之殃，甚至造成「廣西省黨部空了一半」（註三五）的情形。不過，經此打擊，共黨在廣西的力量從此一蹶不振。

由於李、白在清黨時期堅決反共的表現，因而頗受偏右的南京國民政府和蔣總司令的信任，故當南京國府決定不理會武漢方面東征威脅，而逕自北代時，白崇禧獲任代行第二路總指揮，李宗仁則任第三路總指揮。（註三六）而第三路軍的第三縱隊指揮官胡宗鐸，除下轄自兼師長的第七軍第二師外，還兼率第十五軍第二師及獨立旅。第十五軍是在漢陽投附北伐軍的鄂軍劉佐龍部。而胡宗鐸係湖北黃梅人，保定軍校畢業後，在本省不受重用，前往廣西投依黃、白，北伐期間是第七軍中，職位最高的湖北人士。（註三七）由這種安排，不難看出南京中央已默許廣西軍吞併劉佐龍部。首度攻佔徐州後，胡宗鐸即升任第十五軍副軍長（軍長劉佐龍已離開部隊）。及至龍潭戰役後，胡宗鐸正式升任軍長，並改稱第十九軍（夏威亦於同時出任第七軍軍長），該軍部分幹部由第七軍撥充，部隊則仍以原鄂軍為主。（註三八）於是第七軍也終繼其他各軍之後，得以擴編。其後的廣西軍便應以稱「廣西團體」（廣西人士往往如此自稱）為宜，因為其部分成員已非廣西省籍。

民國十六年八月初的反攻徐州戰役受挫，蔣中正總司令退回南京，其直接指揮的部隊受創頗重，實力大受影響，而武漢方面更以武力威脅，聲言堅決反蔣，無妥協餘地。蔣氏「從前在南京的堅强地位遂一變而爲異常薄弱」（註三九），遂萌暫時隱退之意。甚多歷史記載皆明示或暗示，李、白此時與第一路軍總指揮何應欽聯合逼退，是迫蔣下野的主因，因此蔣、桂首次分裂也往往被定位於是。但李，白均矢口否認有强力逼退之舉，（註四十）並覺得含冤莫白。

若以當時局勢而論，李、白亦實無足夠的能力和動機取蔣而代之。政治方面，李、白是時均尚無豐富的政治經驗，且二人黨齡甚短，實不可能獲得黨中央的推戴。雖說在清黨時期，李、白的反共表現，頗獲黨內右派大老們的青睞，但蔣中正一下野，胡漢民、吳稚暉等人也立刻離京赴滬，可見李、白的政治號召力有限。財政方面，李、白與上海商界、金融界，淵源殊淺，蔣一離開，軍費立刻籌措困難，幾陷絕境。（註四一）軍事方面，徐州新敗，士氣低落，北有孫傳芳大軍壓境，西有唐生智東征軍威脅，李、白縱有野心，亦不致於敢在此時製造分裂，分化團結。故從各方面來看，李、白均無在此際採取强行逼退的道理，無怪乎熟讀機密史料的歷史學者蔣永敬，也認爲李宗仁的辯白是「亦難否認並非事實。」（註四二）所以蔣、桂雙方眞正在情感和行動上的決裂，並不在蔣氏第一次下野之際，而是在民國十八年所謂「武漢事件」發生時。

龍潭戰役後，南京轉危爲安，來自北方的威脅，頓時消除，於是國府乃決定西征，討伐唐生智部。李宗仁被任爲西征軍總指揮，兼第三路總指揮，以白崇禧爲前敵總指揮，沿長江北岸，經安徽，直指武漢；程潛爲第四路總指揮，沿長江南岸，亦經安徽，目標指向長沙。唐生智部因擴充過速，訓練不精，步調不一，很快的便全面崩潰，唐氏通電下野。李宗仁第三路軍遂佔湖北，程潛第四路軍亦得湖南。西征戰役中，胡宗鐸所率之第十九軍，因多係轉戰在外的鄂人，久思歸省，故作戰英勇，戰功卓著，既下武漢，胡氏遂被委任爲「武漢衛戍司令」而廣西團體中的另一湖北將領陶鈞，也經白崇禧推薦，被李宗仁不次拔擢爲新編的第十八軍軍長。因而伏下日後「武漢事件」之遠因。

蔣中正復職後，北伐已至最後階段，李宗仁獲任第四集團軍總司令，白崇禧爲前敵總指揮，直轄第七、第十八、第十九等基本部隊，及唐生智部改編的各軍。十七年四月，白崇禧乃率改編自唐部的李品仙第十二路軍，沿平漢線北伐，直抵北京近郊。

北伐完成後，廣西團體的聲勢似乎十分壯大，北方有白崇禧率領的各軍，駐紮京、津附近；華中有李宗仁主持的武漢政治分會；兩廣的廣州政治分會有李濟深、黃紹竑坐鎮，因此頗遭中央的猜忌。但若細察其實，可發現廣西團體決不如其表面上的强大。白崇禧在北方所領各軍，原係唐生智舊部，其原有組織並未澈底改編，白氏眞正親信部隊，僅有駐紮在南苑的韋雲淞師（第十三軍第二師）。而李濟深雖係廣西籍，但發跡於粵軍系統，非但自認「我與桂系是沒有什麼關係的」，（註四三）即連廣西團體亦從未將其視爲成員之一，（註四四）其屬下廣東部隊更不曾與廣西團體完全結合一致。

不過最大的危機還是在華中。廣西團體出省北伐的菁華，第七、第十八、第十九軍，均集結在此，實爲整個團體的重心所在。但胡宗鐸和陶鈞返湖北後，除身爲第十九、第十八兩軍軍長外，又分兼湖北省清鄉督辦、會辦，及黨部要職，總攬湖北全省軍政大權，日益驕縱跋扈。非但對蔣中正有所不敬，（註四五）即對培育他們的廣西團體也「並不是沒有脫離桂系而獨樹一幟之心。」（註四六）李宗仁一則礙於白崇禧的情面；再則鑑於「鄂人治鄂」的呼聲日高，對之一意姑息。尤其嚴重的是，胡、陶掌握全省稅收，獨厚其所屬部隊，對第七軍的經費卻時有拖欠，該軍師長以下幹部皆感不平，但向李宗仁申述時，卻遭李斥責，（註四七）於是對胡、陶二人更是怨恨，甚至遷怒其本軍軍長夏威。內部的不和，嚴重的腐蝕了武漢廣西團體的戰力。

「武漢事件」的近因則是在於財政問題。武漢分會的餉源原即不足，（註四八）而湖南省主席程潛又扣留上繳武漢分會的稅收，於是李宗仁便一邊拘押程；一邊呈請中央將程免職。（註四九）但中央新派之省主席魯滌平上任後，又傳聞接受中央軍火接濟，武漢方面諸將領對中央疑懼更深，乃決定先下手爲强，出兵襲擊魯滌平部，於是引發了「武漢事件」的前奏「長沙事變」。「長沙事變」的發生，李、白均表事先毫不知情，完全是武漢方面驕兵悍將擅自行動的結果，白崇禧並以其信仰起誓表明其清白，並堅信李亦決未預知此事。（註五十）以李、白分別在南京和北方風聞此事後，倉惶南逃抵粵，無法赴武漢坐鎮指揮的情形來看，彼等確極可能並不知情，否則以李、白的軍事經驗，當不致不知六軍無主難逃必敗。

比較起來，中央方面則準備頗爲周全。政治方面，國府主席蔣中正一面透過中央控制的報紙，將「長沙事變」一事宣揚於世（這項宣傳工作十分順利，因夏威、葉琪等人的擅自用兵行爲，確爲全國所共棄）；一面又派蔡元培等人對整個事件予以調查，（註五二）以示似尚有轉圜餘地。蔣並於十八年三月九日致書李宗仁云：「日前吳先生（稚暉）來，已與其詳談湘事辦法，一俟兄與任潮兄（李濟深）等抵京，即可開誠相商，內部糾紛，何難解決」；又云：「謂外傳政府有不利於兄者，則中正當以個人之人格保其無他。蓋吾人革命，不惟堅其同志之信義，且亦不能欺飾國人之耳目。」（註五三）但李濟深入京後，卻被幽禁於湯山。李宗仁逃回廣西。

三月二十七日，蔣主席遂在國民黨三全會中，報告國府查辦李宗仁等經過云：「此次李（宗仁）、李（濟深）、白（崇禧）三人，不僅逆跡昭著，且不明主義，不知革命目的，祇知兵權與地盤，以桂系過去歷史，即可證明。……無論如何，桂系與本黨決不兩立，有本黨無桂系，有桂系無本黨。」據報導，蔣主度報告至此，「全場高呼打倒桂系軍閥。」（註五四）於是李、黃、白所領導的廣西團體，乃被視為與陸榮廷時代的桂系，有一脈相承的關係，並成為全黨的公敵。同月三十日，中宣部又制定「討伐桂系軍閥宣傳要點，頒發各級黨部。」（註五五）從此「桂系軍閥」的標籤便時時困擾著廣西團體，也形成廣西與中央之間揮之不去的一層陰影。

軍事方面，蔣中正分別派遣唐生智及何成濬赴北方，招撫唐之舊部，及其他一些所謂「雜牌部隊」。白崇禧立即失勢，在廖磊掩護下，倉惶由海道逃回廣東，再轉往廣西。華中方面，蔣透過俞作柏和鄭介民，分別與李明瑞和楊騰輝取得聯絡。（註五六）李明瑞時任第十五師（第七軍整編而成，師長夏威）第四旅旅長，李為俞作柏表弟，所屬多為俞之舊部，而俞與李宗仁長期不和，在廣西團體中十分不得志。楊騰輝時為第五十二師（師長葉琪）旅長，早期屬陸榮廷愛將林俊廷部，行伍出身，素爲白崇禧所輕，在廣西團體中亦時不自安。而李、楊對陶鈞的越級高升尤感不滿，乃暗中對中央輸誠。

及至中央發兵討伐武漢諸軍時，李、楊乃利用原第七軍中已有之不滿胡、陶心理，結合周祖晃（第十師第二十旅旅長）、梁重熙（第十五師第五旅團長）、黃權（第十五師第六旅旅長）等實力派，中途倒戈。外强中乾的武漢廣西團體，隨即土崩瓦解，胡、陶、夏三人通電下野。中央遂委李明瑞爲第十五師師長，楊騰輝爲第五十七師師長，不久，又派李明瑞爲廣西編遣特派員，率第十五、五十七兩師，從漢口乘海輪取海道回廣西。（註五七）

兩廣方面，陳濟棠和陳銘樞分別接受中央委派爲第八路總指揮和廣東省主席，公開支持中央決策，準備進攻廣西。李、白逃回廣西後，原欲透過黃紹竑向中央求和，但以中央所訂之條件過於苛刻，李、黃、白覺得無法接受，遂集中留省的第十五軍之十三、四個團兵力，準備拼死一戰。（註五八）黃、白以兵力有限，乃孤注一擲，向廣東進軍，冀望奪下廣州，結果卻大敗而回。適時，李明瑞所率原第七軍部隊已攻返廣西，李、黃、白見大勢已難挽回，乃先後逃往香港。逃難過程中，諸人備歷困苦屈辱，情感上對中央的反感達到極點。

李、黃、白離桂後，中央表面上終於統一了廣西，任命俞作柏爲廣西省主席。但俞氏野心甚大，意圖割據。惟俞自知軍、政實力皆不足，乃實行聯共政策，以壯聲勢。一時之間，共產黨幹部鄧小平、張雲逸、陳毫人、許進、許卓、袁任遠等人均入桂工作。（註五九）此舉引起中央重視，乃電令俞作柏至京述職。俞正猶豫之際，汪兆銘派薛岳至南寧，說服俞與由湘江南下的張發奎所率第四軍，合攻廣東，公開反蔣。（註六十）俞遂於民國十八年九月底，就任南路討蔣軍副總司令職，歡迎張發奎軍入桂。中央於十月初，下令免俞作柏、李明瑞本兼各職，以第十六師師長呂煥炎爲廣西省主席兼討逆軍第八路副總指揮（總指揮爲陳濟棠）。俞、李見李、黃、白舊部不服其領導，而親信旅長黃權又叛變，乃逃往龍州。於是李、黃、白在舊部擁戴下，重返廣西，掌握政權。

李、黃、白重掌桂政後，仍延續俞、李聯汪反蔣的政策。民國十九年，擴大會議在北平召開，廣西乃加入閻、馮集團，出兵入湘北伐，參加倒蔣戰役。桂軍入湘初期進展神速，六月三日，已佔領長沙。但因黃紹竑所率後續部隊進軍過慢，被蔣光鼐第十九路軍，從中截成兩段。李、白與張發奎軍，首尾無法兼顧，乃潰回廣西。而北方的中原大戰也隨即結束，中央討伐廣西諸軍雲集四境，李、黃、白組成聯軍以來，以此時士氣最爲低落。黃紹竑亦於此時，脫離團體，投靠中央。

正值此危急存亡之際，中央忽起政潮，立法院長胡漢民因「約法之爭」，（註六一）被蔣中正扣留於湯山。粵籍要員孫科、古應芬、鄧澤如等人，紛紛南下，依附陳濟棠，策劃反蔣。粵方爲團結反蔣，乃自廣西撤兵，與桂方釋嫌修好。李、白收回被粵軍佔領的梧州、鬱林、桂平等富庶之區，財政困難得以紓解，軍事上又有粵軍相依存，局勢方轉危爲安。

大局粗安後，李、白乃開始全力整頓廣西，與中央的關係也由直接武力相向的熱戰，調整成間接政經抗衡的冷戰。政治方面，李、白反省到，廣西團體以往的失敗，實因政治不能配合軍事的發展，以致緊急時刻，對外號召乏力，在內又不能維持緊密團結。尤其痛感缺乏政治人才，團體中第一代人物，大多爲軍事人才，即連素爲李宗仁倚爲最重要的政治顧問王季文，亦僅粗通舊學，對新式政治組織、宣傳所知十分有限。廣西團體第二代政治人物韋永成，即曾評道：「可見當時廣西出來的政治人才有限，以王季文這種人居然算是人才，所以注定北伐後李的第一失敗。」（註六二）因此李、白首先便從强化組織和培育人才兩方面著手。

民國十九年冬，李、白在汪精衛所派赴桂的張定璠（白崇禧任淞滬衛戍司令時的參謀長）之建議下，成立第一個秘密政治組織——「中國國民黨革命青年團」，（註六三）組織成員除廣西團體中重要軍政人員外，還包括當時駐桂的第四軍重要人物張發奎、吳奇偉、韓漢英等人。凡欲加入該組織，必須由既有之成員介紹，而後還要在十分嚴肅的儀式中，歃血宣誓效忠組織、反對蔣中正，若有違叛行爲，願受最嚴厲之處分。而成員們之間聯絡也各有暗號和密碼，吸收新會員時，以對團體忠實程度和有無朝氣幹勁爲標準。（註六四）

「中國國民黨革命青年團」團中央設幹事會，以李宗仁、白崇禧、張發奎、薛岳、吳奇偉、楊騰輝、李品仙、黃旭初等爲幹事，其中李、白、張爲常務幹事，爲該組織之核心。幹事會下設：一、軍事委員會，以李、白、張爲常委，凡第一方面軍總司令部（擴大會議後所設機構，李宗仁爲總司令）一切人事、財務措施，均由該委員會討論通過，方交總司令部執行。二、政治委員會，以黃旭初任主委，取代黃紹竑的舊廣西省府職務，清除黃紹竑系人馬。三、財政經濟委員會，由黃鍾岳（廣西軍財經負責人物）、陳勁節（第四軍經理處長）分任正副主委。（註六五）細究此一秘密組織之結構、功能，實與以黨治國的國、共兩黨組織類似，只是嚴密性猶勝國民黨，而與共黨接近。李、白初與廣東國府合作時，力拒黨組織侵入廣西團體，但此時因勢需要，乃自組更嚴密的小團體。

李、白在調整政治組織時，立即感到團體中此方面人才缺乏。李、黃、白當年統一廣西，所依恃的爲武力，栽培後進，大多送往日本士官學校習軍事，對政治人才的培育，向不注意。北伐前，各軍例可推薦下級幹部兩人，赴莫斯科中山大學念書，李宗仁循例派王公度和韋永成二人前去。（註六六）王、韋二人在俄所學自然以共黨的政治理論、組織、宣傳爲主。二人先後返國之初，「武漢事件」尚未發生，因此均未受重用，王公度曾在清黨時期被通緝，逃離廣西。（註六七）韋永成在武漢，也幾乎因共黨之嫌，被陶鈞逮捕。（註六八）但此際王、韋卻深爲李、白所引重，王出任「中國國民黨革命青年團」中央幹事會惟一的書記之職，韋任第一方面軍（後改回第四集團軍名稱）政治部主任秘書。王公度自受李、白重用後，引進其留俄同學謝蒼生、區渭文、李一塵、張威遐等人，在組織、訓練方面形成一股勢力。韋永成則提攜程思遠、韋贄唐、張岳靈等人，在軍中推展政工，另成一系，後被稱爲「少壯派」。這些廣西團體第二代政治人物，不似第一代政治軍事人物，與中央方面人物曾熱情的並肩作戰，亦曾激情的兵戎相見。他們與中央的關係，始終帶有一種冷漠的疏離情結。

民國二十年、二十一年的「九一八事變」和「一二八事變」後，蔣、汪重新合作，張發奎的第四軍也分批離桂，因此由廣西團體與第四軍共同組織的秘密團體——「中國國民黨革命青年團」，無形中瓦解。民國二十一年春，一個名爲「三民主義革命同志會」的秘密組織起而代之，該「同志會」改採會長制，以李宗仁任會長，白崇禧爲副會長，其他體制與功能和其前身「青年團」無甚差異。（註六九）

蔣汪再度合作後，中央的合法性和政治號召均大爲增强，廣西只有結合廣東陳濟棠的實力，依託於胡漢民爲首的「西南政務委員會」之下，勉强維持實質獨立的狀態。由於政治局勢的困難，李宗仁不得不長期住在廣州，以維繫桂、粵相依存的關係。故「三民主義革命同志會」實由副會長白崇禧主導，爲突破日益艱難的政治困境，「同志會」對內言明「蔣介石是我們主要敵人，其他各黨派都是我們的同盟者」（註七十）的策略。在此政治環境下，共黨再度與其他政黨一起進入廣西發展，清黨時期一度逃離廣西的李任仁（白崇禧的老師、重要顧問），亦於此時期出任廣西教育廳長，並推介李大釗學生、馬克斯學說專家楊東蓀，擔任廣西師範專科學校校長，後來該校畢業生中有不少共產黨員。（註七一）

而王公度的權勢也於此時達到極盛，一人身兼數要職。（註七二）王氏所用的組織、訓練、宣傳方式，均係留俄所學，尤其迷信史達林藉組織力量而奪權成功的例子。（註七三）他試圖建立一個以李、白爲中心的緊密團體，因此積極在廣西黨、政、軍中發展小組織，監視各級官員，隨時向李、白彙報。李、白因前有內部不和致失敗的經驗，又鑑於當時環境的危險艱困，對王公度信任有加。王曾對南寧軍校五期生三十多人云：「盼望各位同學，珍念李、白兩公締造廣西局面的艱難，獲得今日的成就，得來不易。大家團結一致，打倒那些破壞團體的官僚政客，確保我們的建設發展，繼續更求進步發展。」（註七四）其組訓方式，由是可見一斑。

此一時期，廣西團體組織的嚴密和反中央的宣傳，可說都發展到極致，其在廣西青年心目中所留下的影響也極爲深刻。其後他們對中央與廣西及中共與廣西關係的發展，均時感困惑。而對王公度其人的評價，在廣西人士中間，也是意見相當分歧。民國二十三、四年間，國內局勢又有改變，中央集中力量於剿共，對廣西的壓力減輕，中央與廣西間原來的緊張關係趨緩。廣西當局甚至在中央承諾接濟餉械條件下，派出一師兵力，協助江西剿共行動。（註七五）而日軍在華北的壓迫，卻日益嚴重。鑑於反共抗日的新時勢，廣西內部的政治運作也做了新調整。先是潘宜之從英國歸來，甘介侯又推介其留美同學邱昌渭給李宗仁，張定璠也推薦萬民一、萬仲文、徐梗生、胡訥生、朱五建、劉士衡等所謂「六君子」來廣西，這批「外江人」沖淡了一些廣西團體前兩年的緊密封閉性。隨著留學英、美人士的加入，留俄派漸被分權，新訂的「建設廣西、復興中國」的政策，也漸以建設、發展，取代前一時期的清除異己、打擊腐化行動。韋永成、程思遠先後被送往德、義，學習法西斯發揚民族主義、打擊共黨、發展經濟等策略、手法。王公度的權力漸被削減。

民國二十三年秋，「三民主義革命同志會」正式改組成「中國國民黨同志會」。李、白仍分任正、副會長，下設秘書處，邱昌渭任主任；宣傳部，潘宜之任主任；組織訓練委員會，王公度任主任。王公度從此不再能獨攬秘密組織大權。（註七六）李、白一向自許爲全國性人物，爲求將來向外發展，勢需培植一些外省人，並藉以沖淡廣西團體濃厚區域性色彩。但年輕一代的廣西人士，被教育要效命李、白，忠於團體，排外性在所難免。且此時廣西團體的資源有限，突然又有一批外來客參與分享，自然遭致本地人士物議，並認爲這是「廣西政治用人之缺點也。」（註七七）廣西團體內部本省人對外省人的排斥，無疑的會增加其日後融入全國性政治運作的困難度。

軍事方面，「武漢事件」中將領失和、衆叛親離是致敗主因。因此自民國二十年，各項軍事行動告終後，李、白便著手重整軍隊，尤其注重內部團結和將領的忠誠。首先是在民國二十年前，已暴露反李、白行跡的將領，如李明瑞、呂煥炎、楊騰輝等，已先後事敗遭清除。接著黃紹竑系的高級軍官，如黃鶴齡、梁朝璣、蘇來蘇、黃韜、何次三等，也因黃紹竑的脫離團體投向中央，而被解除兵柄。（註七八）最後再將所有正規部隊編成第七、第十五兩個軍，分由廖磊、夏威二人任軍長。廖磊爲保定二期生，秉性忠勇，長於練兵、作戰，無意於政治，雖是在湘軍唐生智部發跡，但在「武漢事件」中，曾協助白崇禧逃離北方。夏威爲保定三期生，與白崇禧同窗，早期又曾爲李宗仁部屬，與李、白關係均深，再以性格忠良，所以儘管曾在「武漢事件」中指揮不力，此時仍爲李、白所倚重。經過一番調整，廣西軍士氣、戰力又得恢復，成爲廣西團體日後再度向外發展的實力憑藉。

廣西的財力素來大約只能支持兩個軍左右的兵力，所以李、白此時期便圖以寓兵於團的方式，來厚植實力。當時廣西民團最高機構爲民團總指揮部，先後隸屬於省政府和第四集團軍總司令部。總指揮部下轄十二個民團區（數目曾變更過數次）涵蓋全省九十九縣一市（桂林市）。團兵徵集十八歲至三十歲的壯丁，以九十人編爲一隊，受訓期間爲六個月，期滿退伍，輪番訓練，每區設常備大隊二至三個。縣以下的區、鄉（鎭）、村（街）民團組織，又各編有後備隊及預備隊。（註七九）由於有民團的堅實基礎，故在抗戰期間，廣西能前後共徵兵達一百萬人，在各戰場長期保持約四十萬軍事人員。這也使得中央始終不能輕忽廣西團體的實力和意見。

同時李、白也以民國十五年即成立的「中央軍事政治學校第一分校」（簡稱南寧分校），來儲訓軍中幹部，除召訓學生外，也調訓第七及第十五軍幹部。課目分軍事、政治兩部分，長官精神講話時，「每每提及北伐戰爭中李、白的戰功如何大，和蔣介石的獨裁、偏私、無信、對日不抵抗等情。」（註八十）迄民國二十三、四年後，廣西政策取向有所轉變，南寧分校也開始羅致外省學生，以爲日後向外發展做準備。譬如民國二十四年一月開學、次年六月畢業的第七期之學生隊，即以貴州、福建兩省的高中、大學畢業生爲主。（註八一）而外省學生尤其受李、白優待，（註八二）此類安排對抗戰時期廣西團體向外發展助益頗大。

財政、經濟方面，廣西在黃紹竑主持省政時期，省屬事業已頗有基礎。李、白因「武漢事件」失敗而流亡在外時期，曾飽受經費短黜之苦，（註八三）此時更是大力以官方力量推展各項發達經濟的措施。民國二十年，廣西局勢略爲安定後，李、白即令黃薊、黃鍾岳、廖競天等人，分別組成「廣西銀行債權債務委員會」和「新廣西銀行籌備委員會」兩單位，（註八四）一面清理前省府的債權、債務；一面籌措資金、訂印鈔票，爲成立新銀行做準備。次年八月，新的廣西銀行正式成立開業，總行設在省會南寧，同時在桂林、梧州、柳州、鬱林、香港等地設立分行。當時廣西財政形同獨立，李、白便利用新成立的廣西銀行為金融中心，以吸收游資，再融資或轉投資，發展廣西經濟。此外，李、白及黃鍾岳等人又以私人資本，成立裕字各銀號，總號設在廣州，南寧、梧州、桂林、八步均有分號。（註八五）此一官私難分的銀號系列的資金運作，自較廣西銀行更便利，但擅權腐化的情形也就更多。

當時廣西出口大宗，農產品有桐油、茴油兩種，礦產有鎢、銻、錫、錳四種，全被列為統制產品，禁止私營。民國二十四年，李、白更設立「廣西出入口貿易處」，總處設於梧州，分處設立於香港、八步、平樂、柳州、南寧等地，統購統銷上述諸農、礦產品，「一年多時間，獲利數百萬元。」（註八六）「廣西出入口貿易處」所賺得的外匯，主要用於購買武器、彈藥、機器等不易得自中央的物品。一般而言，此一時期廣西當局在力求財政自主方面，做的相當成功，但在發展整體經濟方面則成績有限，這由廣西在這段時期內之稅收，一直十分仰賴「禁煙」（實際上是以寓禁於徵的名義，抽取煙土過境、行銷稅）收入，可見一斑。故當「六一事變」發生，中央令黔、滇兩省煙土改道武漢，廣西財政立即陷入絕境。（註八七）

民國二十五年六月一日的「六一事變」，可算是廣西與中央關係發展史上，最富戲劇性變化的一幕。是年五月間，胡漢民突然病故，失去此一政治屏障人物，兩廣與中央對立關係陡增。廣東陳濟棠部因部分將領歸附中央，很快即崩解。陳濟棠下野後，事變中心即移到廣西。李、白突失胡、陳的政治和軍事依託，頓時陷入孤立態勢，情況相當危急。但自民國二十年以來，李、白勵精圖治，故內部十分團結，且軍備精實。於是李、白一面以積極抗日爲政治號召，邀集反中央各派人士至南寧，共謀反蔣之道；一面調遣軍隊，做內線作戰的準備。中央方面雖有部分將領力主一戰，並已集結大軍於廣西四境，但在西北張學良與楊虎城暗通中共，局勢不穩，爲一大隱憂。而且日本正在華北步步進逼，大敵當前，卻發動內戰，政治方面無法交代。

正當雙方各有隱憂，又各有企圖之際，彼此信使也穿梭其間。廣西先派密使劉裴赴廣州見蔣中正，（註八八）當雙方略有談和共識後，中央乃派出大員程潛、居正、朱培德等人赴南寧，與李、白會談。正當各派反中央人士在南寧熱烈地爲組織對抗團體而討論時，中央與廣西已暗中達成協議。中央方面允許李、白繼續留省主政，並補助其事變善後經費；廣西方面則通電服從中央，並在政治主張上略向中央政策修正。一場劍拔弩張的對抗危機倏忽消除，並爲雙方建立一妥協溝通的模式，此對後來廣西全力投入中央的抗戰行列頗有正面影響。

綜觀從北伐到抗戰的十年間，廣西與中央的關係，由革命熱情的結合，到武力相向，再發展至彼此冷戰，直迄「六一事變」和解後，雙方始找到理性協調、合作的基點。在這期間，中央面臨各方勢力的挑戰，始終未能全力建設，蓄積抗日的實力，故當抗戰爆發後，仍相當需要來自廣西的一份助力。而廣西自民國二十年以後，大致能全力投入政、軍、經建設，亦頗有些績效。但廣西乃一貧省，資源十分有限，幾年封閉小康的局面，使得廣西團體成爲一個十足的地方派系，當再度投入全國大環境中，無論在人才、兵力、財力上，固能、也只能獨當一面。惟有的例外，是少數廣西第一代領導人物，仍具有全國性的視野、經歷和企圖心。

第三節　抗戰期間的再度合作

抗戰開始，廣西人士在民族情緒、政治情勢和向外發展的企圖心驅使下，重循當年參加北伐的模式，立刻投入中央領導的抗日行列中。但此次廣西與中央的實力之比，已大不同於加入北伐陣營時的情形。那時廣西固然只有第七軍一個軍，但中央嫡系也只有第一軍而已。經民國十八年的「武漢事件」後，廣西團體僻處一隅，資源貧乏，實力無從大肆擴充。而相同時期中，中央卻掌握京、滬財源和全國性的政治號召力，不到十年間，實力擴展何止十倍。在抗戰前後，甚至衍生出一些嫡系中的次團體，軍事方面有陳誠、湯恩伯、胡宗南等系統，政治方面有「政學」、「CC」、「復興社（三青團）」等派系。因此，抗戰期間廣西團體的實力和地位，頂多只和一個中央次團體相當而已。

不過，若與其他地方派系相較，廣西團體可算是最堅實完整的一個。白崇禧任職中央，時常參與重大決策研擬，對廣西力量自是全力維護。李宗仁出任第五戰區司令長官，當時戰區長官握有大會戰中部署所屬部隊之權，對其嫡系部隊又可盡力保全。（註八九）其下廣西軍先後組成三個集團軍（第十一、十六、二十一，其中第十一、二十一兩集團軍在第五戰區，後合併爲一，第十六集團軍留在廣西），集團軍在抗戰時期為一常設編制，同時負有戰鬥和後勤支援雙重任務，足以使廣西部隊在中、小型戰鬥中，不致被分離使用，後勤補給亦不致受壓抑、歧視。（註九十）此外，廣西部隊還有一個完整的隨軍政工體系，或多或少的維繫著團體的認同感。這些優勢均非其他出省抗戰的帶有地方色彩部隊，如粵軍、川軍、滇軍等所能比擬。

過去雙方分合的經驗，雖使再度合作的中央與廣西間，始終存在著一種若隱若現的隔閡；但歷史的教訓也使得雙方在處理彼此關係時，更加智慧、謹慎，因而產生更複雜的政治互動關係和權力運作模式。抗戰八年中，中央始終能充分運用廣西人才，並精確的評估廣西團體的實力，再以此為準，分配給其與之相當的財政和人事資源；而廣西領導人也能盡力與中央合作抗日，爭取應有的權利，以及與中央各次團體周旋，不被其壓制，也不致傷及團結抗日陣營。當時廣西團體與中央間的關係，大致有四個主要接觸點：白崇禧所掌的軍訓部、李宗仁的第五戰區司令長官部、安徽地區、以及廣西地區。以下便依此次序，分別敘述、分析之。

廣西人士的再度參與中央一致對外的過程，與當年投入北伐行列的情形甚為相似。首先還是由與中央關係最密切、意識型態最接近的白崇禧赴京談判，待取得合作共識後，再由李宗仁率軍出省。白崇禧的軍事才華素為蔣中正所賞識，入京後立即被延攬參與多項重大作戰計劃的研擬。而白氏亦曾對程思遠說：「為了團結抗戰，廣西與中央的關係，應力求從混合達到化合。」（註九一）儘管如此，可是歷史淵源和現實狀況卻使雙方真正的化合始終無法實現。雖然白氏在抗戰期間留駐中央，參與軍事大計，但多次外派指揮軍事，無非是協助或代理李宗仁指揮第五戰區戰事，否則即爲指揮廣西境內作戰，大致仍不離其廣西背景，可見最高當局對白氏的調遣，有其從歷史與現實角度的考量。同時中央嫡系的各次團體也從未完全接納白氏，其中尤以陳誠與白崇禧磨擦最多，其主因可能在於二人所長的近似：二人同時供職中樞，皆受蔣中正委員長賞識；二人同以廉潔善戰著名；又同爲保定軍校生，可領導保定出身軍人；即連二人完全不同的派系背景，對最高當局而言，亦同可收互掣易馭之效。白、陳二人的互相競爭，甚至一直延續到抗戰勝利之後。（註九二）

白崇禧初入京時，正值中央延攬各方人士共赴國難，人多缺少，故只能安排白爲副參謀總長。副總長辦公室的編制甚簡，只有兩個秘書和幾個隨從副官名額，甚至連隨從白氏進京的十數人都不夠安插，還得佔廣西綏靖公署的缺。（註九三）初時白氏連基本幕僚配置都無法展佈，遑論在中央建立勢力。不久軍委會改組，白氏受命兼軍訓部長，才有一較大迴旋空間。不過該部一級主管職位大多由中央用來安插各方人士，白只能安排部署一些機要人員，如劉士毅出任軍訓部政務次長，又調第五戰區兵站總監徐文明任主任參事、調第二十一集團軍兵站分監藍香山爲部附、調南寧軍校主任秘書朱五建爲軍訓部主任秘書等等。（註九四）白雖不能完全掌握部內人事，可是透過軍訓部督導軍校和部隊教育訓練的業務，經常四處巡迴、演講，有意無意的蓄積了不少個人聲望。

民國二十七年冬，白崇禧被派任軍委會桂林行營主任，下轄第三、第四、第七、第九四個戰區，幾乎指揮全國近半數的部隊，白氏抗戰時的地位、威望此時達到高峰。白自知其所以有此地位，決非光靠廣西實力支持，主要還是來自層峰的賞識和信任，因此很智慧的請委員長侍從室第一處主任林蔚擔任行營參謀長，並將行營的人事、經理兩權交由林蔚處置。（註九五）不過在一年多的行營主任任內，白與長江以南各戰區官兵建立相當深厚的情誼，對抗戰後國共戰爭中白氏坐鎮華中、舉足輕重的地位頗有影響。

白氏經過長期的冷凍，如今一旦重獲重用，自然招致不少中央嫡系將領的嫉視。尤其是陳誠，此時一面供職中央，任軍委會政治部部長，一面兼任第九戰區司令長官，職務上與白關係最密切，二人瑜亮情結，暗中較勁，時有所聞。（註九六）民國二十八年冬，桂南會戰爆發，白崇禧正在桂林行營主任任上，又對廣西瞭若指掌，故很自然的被指定為該戰役統帥。由於是役有不少嫡系部隊投入，故中央又派陳誠至行營指揮所，協助白指揮作戰。白、陳二人有鑑於大敵當前，頗能通力合作，但私下仍時相調侃、嘲弄，（註九七）似乎二人公誼無間，而私情仍欠融洽。

桂南會戰中，我方主攻部隊是中央嫡系的杜聿明第五軍，廣西留省部隊的夏威第十六集團軍（下轄第三十一和第四十六軍）表現不佳，廣西民團也不如事先宣傳中那般有效率，是皆對白崇禧的聲望有不良影響。是役結束後，中、日對峙漸呈膠著，戰況一時無重大變化，中央便撤消桂林行營，改為軍委會桂林辦公廳，以李濟深為主任。（註九八）白崇禧重回重慶專任副參謀總長兼軍訓部長後，除仍時受中樞之召參與軍事大計外，逐漸轉移注意力於政治層面。是時中央人事已十分穩定，如欲擴大政治影響力，只有在廣結人脈方面努力。白氏幾乎每二、三日便宴客一次，邀宴對象除軍政大員外，還包括黨部人士、社會名流、國民參政員等，甚至還有美國人士。據爲白整理日記的侍從人員云：「在此期間，白對他的政治生活，感到相當滿意。」（註九九）尤其是此時期白經由回教背景和校閱業務，與西北馬鴻奎、馬步芳等實力人物建立深厚情誼，（註一〇〇）這對後來白協助李宗仁當選副總統頗有助益。

一般而言，抗戰期間白崇禧與蔣中正的關係堪稱和諧，但其間也不時透露出幾分緊張、防備的成份。譬如民國二十九年秋，軍訓部大校各軍事學校，白崇禧袒護其親信西北步兵分校教育長劉任，蔣中正認爲白有私心，半年之間不約白參與軍事大計，白爲此甚感沮喪。（註一〇一）而白也深知其在中央受重用，除個人軍事才華外，廣西實力亦爲一要因，故雖身在中央，但對廣西軍隊、省政從未輕忽過，甚至據云「白在重慶每日批閱廣西、安徽、第五戰區往來的電文，比軍訓部、校委會的公文來認眞。」（註一〇二）可見歷史的經驗固然使蔣、白在處理彼此關係上，更爲成熟、智慧，但也造成一難以完全平服的疏離情結。

李宗仁與蔣中正的關係，與蔣、白關係大不相同。蔣、白皆儀表堂堂、舉止嚴肅，反應敏捷且又文筆暢達，同爲參謀長出身，故常惺惺相惜。李宗仁則是五短身材、樸實謙和，最高學歷即爲廣西陸軍速成學堂畢業，完全靠帶兵作戰、身先士卒發跡。如說蔣對白是「敬而不親」，（註一〇三）則蔣對李似應屬既不敬且不親了。因此蔣、李間的互動模式十分單純且公式化，遠不如蔣、白間的複雜微妙。李宗仁在抗戰期間所被賦與的職位和任務，幾乎即等於其軍事經歷加上廣西實力之和，並看不出有特別賞識與栽培的成份。

李宗仁率軍出省抗日後，便被任命爲第五戰區司令長官，該戰區第一個任務，便是防止日軍南北夾擊打通津浦鐵路，結果李宗仁很成功的指揮各部在台兒莊獲捷，李氏名聲重振全國。但中、日實力究竟相距懸殊，不久便有徐州突圍，第五戰區司令長官部一路西遷，經潢川、浠水、宋埠、夏店，終於民國二十七年十月，遷至湖北樊城。

李宗仁初到徐州時，便令廣西綏靖公署匯款前來，成立「第五戰區徐州抗戰青年幹部訓練團」，招訓流離失所的知識青年四、五千人，預備受訓後分發至地方行政機構或各部隊，擔任組訓民眾和宣傳等政治工作。（註一〇四）後隨著司令長官部轉進至潢川，李宗仁又設立「第五戰區抗戰青年軍團」，繼續訓練尙未結業的學員二、三千人，並招訓新至的流亡青年。此時已無法獲得廣西綏署的財政支援，李氏暫以一補充團經費墊支，另一方面，急報軍委會請核發經費。該青年軍團的政工人員幾全爲廣西人，授課內容又包括「廣西建設綱領」、廣西的「三自」、「三寓」政策等。此類措施自然招致中央的疑忌，於是不核發經費，並令尙未結訓的學員，轉赴陳誠主持的中央軍委會政治部戰幹團受訓。（註一〇五）李宗仁因此意識到，中央只是要他負責第五戰區軍事，而非培植基層行政幹部，將整個戰區廣西化。

李宗仁失意之餘，牙疾又復發，乃請假赴武漢東湖療養院修養，第五戰區指揮之責，由白崇禧暫代。適巧李濟深、黃紹竑亦來院居住，白崇禧也偶來探訪。一日，陳誠來院訪問，見彼等圍聚談話，乃笑著說：「你們幾個廣西佬住在一起，外面惹出很多閒話，十分刺耳，我來趕你們出院。」（註一〇六）雖云只是談笑戲謔之語，但彼此心結隱然若現。

第五戰區司令長官部的人事，也並非李宗仁可完全掌握，譬如參謀長徐祖詒、副參謀長王鴻韶（後接任參謀長），皆以軍事學養著稱，與廣西團體無甚淵源。但廣西部隊究竟是五戰區主力之一，有此實力為後盾，李掌握的人事資源，自較白崇禧在軍訓部多。長官部內重要職位，如副司令長官李品仙、兵站總監石化龍、政治部主任韋永成，均屬廣西團體。此外，李宗仁又在民國二十八、九年，在湖北設立短期幹訓班，調訓戰區各部隊中、上級軍官。（註一〇七）惟軍中派系分明，李氏此舉未見深遠影響。

李宗仁主持五戰區軍務時，亦不免與部分中央嫡系次團體發生摩擦，湯恩伯部是中央嫡系在五戰區的一支主力，湯對李的調度，向來只是有選擇性的聽從，（註一〇八）每有延誤戰機情事，李向中央報告，亦無回音。遂使李清楚認識到，中央非但不欲其將整個五戰區視為自己勢力範圍，即連該戰區軍權，其亦不能完全控制。換句話說，李所能真正指揮的部隊，只有戰區內的廣西部隊，和一些所謂「雜牌部隊」。此外，五戰區長官部設在湖北，湖北省主席則是陳誠，軍政、民政時有衝突，尤其以採辦軍糧一事，長官部與省政府爭執最烈。（註一〇九）雙方均上告中央，但亦無具體結果。後李宗仁逐漸體認到，不能再以北伐時的地位，下視這些中央嫡系後輩，彼此關係方漸改善。

民國三十二年，李宗仁被調升為漢中行營主任，下轄第一、第五、第十、三個戰區。但實際運作上，這個機構並無實權，因此李將這項調動視為「是把我明升暗降，調離有實權的第五戰區。」（註一一〇）李的這項認知基本無誤，中央當時似乎確有意將其升至位高權輕的職位，結束其直接掌握兵符的生涯。事實上，李的軍界前輩馮玉祥、程潛、李濟深等人，均經歷過此一過程。李迫於形勢，儘管不甘願，但一時之間亦無法改變現狀。不過李與馮、程、李等人不同的是，他一直在情感上和實際上，切實掌握著廣西團體這股力量，而且這是一個經過歷史考驗的堅實團體。

抗戰之初，為統合軍、民政，各戰區司令長官例兼所轄中一省之主席，李宗仁所兼的是安徽省主席。李氏雖在北伐時期，曾一度駐皖，與安徽人士略有淵源，但十年之後，物換星移，人事已歷幾度滄桑。當時國民黨安徽省黨部為「CC派」人物苗培成、卓衡之等人所掌握，其勢力並深植於該省文教、財經各部門。（註一一一）因此李宗仁為省政的人事佈局頗費周章，引用所謂「民主人士」章乃器為省政府委員，代理秘書長；派廣西軍中最資深的安徽人士張義純（時任第四十八軍軍長），為民政廳長代理省主席；委參加青年黨的十九路軍將領丘國珍任保安處長；又組成「安徽省民眾總動員委員會」（簡稱「省動員委員會」），成員包括周新民、朱蘊山、沈子修、光明甫、朱子帆等中間和左傾人士，其業務範圍與省黨部頗多重疊、競爭之處。

不久，日軍大舉侵入安徽，廣西團體掌握的省府與「CC派」主導的黨部，就省會的遷移問題起了公開的衝突。廣西團體主張遷至大別山區的立煌，因為當時廣西軍受命集結於此，便於取得軍事保護和支持。「CC派」則力主遷往皖南之屯溪，因皖南屬中央嫡系顧祝同指揮的第三戰區之轄區，如此可獲得較佳的保護和活動空間。結果雙方各行其是，省府遷至立煌，而黨部卻撤往屯溪。

武漢保衛戰末期，國軍全盤軍事部署計劃改訂，廖磊率領的第二十一集團軍被派往大別山區固守，以期建立一敵後根據地，爲使軍政合一，廖並兼安徽省主席。第二十一集團軍下轄第七軍、第四十八軍，本即是廣西軍的精華所在，後原李品仙所率的第十一集團軍番號撤消，所轄的第八十四軍亦撥入第二十一集團軍，至此廣西所有出省部隊均駐在大別山區，皖省乃成除桂省外，廣西團體眞正實力所在之區。

民國二十七年，廖磊出任安徽省主席後，李、白特調時任桂林區民團指揮官陳良佐，任安徽民政廳長，協助廖磊辦理省政。陳氏早在清黨時期，即被中央視爲異己，再加上其辦理廣西民團的經歷，可見李、白是有意要將安徽發展成其團體的勢力範圍。當廖集團軍初被派往大別山區建立敵後根據地時，廣西人士大都認爲此乃苦差事，對前景並不看好。但不久日軍戰略調整，撤回至皖中長江流域及鐵路沿線固守據點，安徽大部分地區乃得規復，廣西團體意外取得一略具規模的根據地。

當皖局粗安後，廖磊便在陳良佐輔助下，設立「安徽省政治軍事幹部訓練班」（簡稱「幹訓班」），廖自兼班主任，陳任教育長，其他重要幹部也均爲廖之親信。一面調訓現職基層行政人員；一面招訓初中以上失學、失業青年，結訓後分發工作。以期雙管齊下，深入皖省政治結構基層。廖並規定「第一、在民政廳對縣長的考勤、考績條例中，把縣長是否重用幹訓生作爲獎懲標準之一。拒不任用幹訓生的縣長，立即予以懲處。第二、組織幹訓生同學會，以加强對幹訓生的聯絡和領導」，（註一一二）以增强「幹訓班」的威信和影響力。中央方面對廖磊在皖省如此紮根措施，並未像對李宗仁在第五戰區廣植勢力那般不滿和阻難，可見中央是很精確的照廣西軍事實力，配予相符的行政資源。

廖磊主持皖政時期（民國二十七年十月至民國二十八年十月），國、共兩黨至少表面上處於合作抗日的階段。廖磊和陳良佐在行政方面推行廣西實行過的「三自政策」，政治宣傳和游擊戰術方面，則頗多借重中共之處。早年曾在廣西活動，時任新四軍參謀長的張雲逸，亦曾受邀至立煌，對「幹訓班」學員演講。（註一一三）民國二十八年春，安徽省局面漸趨穩定，「CC派」人士陸續回皖，方治出任教育廳長，劉眞如任省黨部主委。「CC派」人士對廣西團體的主控皖政已感不滿，對共黨份子滲入各單位尤不能忍受，與廖、陳等人的衝突日激。同年夏，安徽省臨時參議會召開，對廖、陳亦頗多責難。廖磊乃一缺乏政治手腕之軍人，對當時複雜情勢顯然已窮於應付，合作中的中央與廣西均感難堪。適巧是年十月廖磊病故，雙方乃決定重新調整皖局。

歷經諸般政治協調、運作後，李品仙被任命爲安徽省省主席，韋永成取代陳良佐爲民政廳長。李品仙出身湘軍唐生智部，因個性溫文，又係桂人，在湘軍中無個人派系勢力，故深爲唐生智所引重，北伐期間曾繼唐後接任第八軍軍長。唐部爲廣西軍所擊敗改編後，李又被任爲第十二路軍總指揮，率唐殘部隨白崇禧北伐。但民國十八年，「武漢事件」發生時，李品仙因受唐生智壓力，公開通電反白，而亦在唐部的廖磊卻協助白逃亡，因此而決定了日後李、廖二人與李、白的親疏關係，以及二人在廣西團體中的地位。抗戰前李、白退處廣西一隅時期，李品仙雖受邀回桂任職，但李、白卻先後將最具實權的第七軍軍長、第二十一集團軍總司令、安徽省主席，交給在湘軍時曾為李部下的廖磊。及廖磊病故，李因與中央曾有淵源，又為廣西團體中資歷最完整者，故在蔣與李、白默契下，接掌廖磊的職務。韋永成則為廣西少壯派中與中央最接近者，後又經委員長侍從室主任賀耀祖介紹，與蔣中正之親戚蔣華秀結婚，跟蔣家關係益發密切。（註一一四）

李、韋二人的出任安徽新職，基本上即代表中央與廣西已取得共識，將重新調整皖局。李品仙到任後，中央立刻將國民黨省黨部主委劉眞如調為省府委員，由李兼任主委，以示信任、及澈底解決廣西團體與「CC派」爭執之決心。而李也立刻解散份子複雜的「省動員委員會」，又肅清廣西學生軍、「幹訓班」內的共黨份子，並逼使新四軍立煌辦事處自動撤離。（註一一五）民國三十年「新四軍事件」後，廣西軍更是多次與共軍兵戎相見，反共的共識使廣西與中央的合作關係有了更堅實的基礎。

李品仙財務方面的操守雖頗受訾議，然其政治權謀卻非一般職業軍人所及。李在就任之前，便已在重慶與皖籍大員許世英、張治中等人多方協商，隨其至立煌赴任的皖籍人士萬昌言、張宗良、范苑聲、儲應時、高長杜、汪劍影、鍾鼎文、張湘澤、汪少倫等人，幾乎涵蓋了中央各派系和安徽旅渝各大老所推薦之人選。李主皖政八年半時光中，始終重用皖人，使「CC派」和省參議會在此方面無話可說。同時李品仙又創設「安徽省地方行政幹部訓練班」，（註一一六）深植其地方基層力量。因此儘管在李之下，仍有所謂「桂系」、「湘派」、「外江派」、「CC派」、「黃浦系」等小團體，彼此互相爭權，但以李爲代表的廣西團體，在安徽的特殊地位，始終屹立不搖，直至抗戰勝利之後。不過，安徽在抗戰時乃一殘破省份，許多縣仍屬淪陷區，廣西團體人才的歷練，充其量也不過仍停留在省、縣級層次，此乃何以後來李宗仁代總統時缺乏得力人才的原因之一。

廣西省內方面，抗戰前長期反蔣、自主的政治路線，乍時之間要劇烈改變，自然十分困難，首先便激出「王公度事件」。王氏自李、白退保廣西後，深受信任，長期掌管秘密組織，培植不少親信幹部，但因特務監視工作，也得罪一些廣西軍政大員。抗戰開始，爲與中央充分合作，廣西勢必得修正政治主張。中央方面首先便透過其時已抵南京的白崇禧，要求廣西當局對王系人馬做一了斷。李宗仁在抗戰前，長期留在廣州，聯絡廣東力量，所以對廣西省內情勢並不十分瞭解。於是李約李品仙、黃旭初、夏威等人討論此事，又責成李品仙召集一王案審判委員會，成員頗不乏怨恨王公度之人士，因此結果王及其部屬十三人，以「托派」之名被判極刑，李宗仁下令槍決此名單中包括王氏在內的前六名。（註一一七）王案在廣西幾乎被公認是冤獄，故廣西當局對王黨也未再深究，其餘牽涉王案的人士，多被送往五戰區和安徽效力。

王公度案結束，廣西反蔣的政治主張和秘密組織自然也告一段落。但李、白也並無意將其根據地完全與中央劃一、融合，因此必須另創新的政治主張和號召，以維繫此一政治資本。於是李宗仁在出省抗日之前，另設立一「廣西建設研究會」（簡稱「建研會」）的公開組織，表面上是一學術研究團體，實則是糾合一批意見與中央不盡相同的人士，在政治主張上獨樹一幟，以免廣西團體中的認同感完全被對中央的認同取代。政治號召方面，因爲反蔣、自主等主張已不能再用，所以便訴諸弱勢團體一向樂用的法寶——民主、自由。

「建研會」設會長一人，由李宗仁擔任；副會長二人，一是白崇禧，一是黃旭初。會長之下，設有常務委員三人，分別是李任仁、陳劭先和黃同仇，是實際負責人。（註一一八）其中黃同仇在職不久即赴安徽，因此該會實由李任仁負責政務，陳劭先負責常務。李任仁早在清黨時期，即列名異議份子，抗戰時任廣西臨時參議會議長，力倡民主、自由，與共黨及中間派人士接近。陳劭先則爲老同盟會會員，反蔣歷史久遠，以此二人主持「建研會」，其政治路線和目的，幾不言可喻。

「建研會」下設政治部、經常部、文化部三研究機構，成員主要包括李四光、李達、歐陽予倩、陶孟和、、胡愈之、千家駒、范長江等左傾或中間人士，另外尙包括黃同仇、黃鈞達、韋贄唐、甘介侯等少數廣西團體中堅人物，各部每月舉行座談會一次，雖說是討論廣西建研問題，但實際上是全國乃至國際事務無所不包。尤其對憲政問題最爲關心，在其機關刊物《建設研究》上，對訓政和「五五憲草」大肆抨擊，（註一一九）以影響國內輿論。當時適值北平、上海等文化城市相繼淪陷，不少向大後方轉進的文藝界人士，有鑑於重慶思想管制太嚴，而紛紛遷至桂林居住，再在「建研會」贊助、共黨幕後推波助瀾下，桂林一時文藝風氣大盛，大陸學者甚至將之美稱之爲「桂林文化城」時期。（註一二〇）惟「新四軍事件」前後，廣西與中央關係重新調整，在一致反共的基礎上加强合作，「建研會」的主要功能消失，遂成一名存實亡的機構。

民國二十八、九年以後，中、日戰場上的對抗漸呈膠著，中央乃有餘力進一步劃一內政。民國三十年，中央政府實行統一財政措施，收回許多省級財政權。廣西省府自黃紹竑主政時期以來，蓄積了爲數頗多的省屬工、礦、農、林事業，一旦收歸中央，則非但中央將掌握廣西經濟命脈，李、白可私自運用的財源也將大爲減少。於是省主席黃旭初便另組「廣西企業公司」，賤價收購原屬省建設廳的各項事業。該公司表面上照民營公司組織條例組成，實際則全屬冒名官股，無論董、監事或經理人員均爲廣西團體中堅人士。（註一二一）如此安排使廣西團體的「私產」暫時免於被中央收併，但在團結抗日的政策下，中央和外省銀行十餘家還是進入了廣西，（註一二二）抗戰前廣西自給自足式的封閉經濟已不復存。

除了金融力量進入廣西外，中央政治勢力也在相同政策下，逐漸潛入廣西。中央入桂勢力的大本營是國民黨廣西省黨部，因國民黨中央組織部大致爲「CC派」人士所掌握，所以廣西省黨部人事也以該派系爲主，而後再由省黨部逐漸發展入廣西文教界。（註一二三）而廣西團體對「CC派」力量在桂的發展也防制甚嚴，一經發現本身有動搖人員，立刻不予任用，但在「CC派」的長期經營下，其潛在發展依然可觀。調廣西官員至重慶「中央訓練團」受訓，再相機吸收，是中央政治勢力進入廣西的另一種方式。譬如陳壽民氏便是在調訓「中訓團」期間，與二陳兄弟等人建立深厚的關係，（註一二四）返桂後在宦途上頗受中央照顧。此外一些在省內不甚得意的人士，也往往循類似途徑投入中央的各次團體中。李、白對此一情況並非不知，但由於本身在中央分享權力，亦不便完全排除中央勢力於廣西之外。

民國二十七年夏，國民黨中央成立「三民主義青年團」（簡稱「三青團」），同年底，三青團廣西支團部籌備處亦在桂林成立，由省主席黃旭初兼主任，而負實際責任的是書記一職，由廣西綏署主任公署政治部主任程思遠兼任。三青團中央組織處處長康澤派親信方采芹，至廣西支團部任組訓組長，是中央所謂「三青團系」至桂發展的代表人物。（註一二五）惟「三青團系」人物大多較「CC派」人士年輕，在桂系發展力量時急切躁進，與廣西團體格格不入，不久幾個重要人物均被調離廣西，（註一二六）因此團系始終未在廣西建立勢力。總之，因爲抗戰期間，中央嫡系部隊始終未長期駐防廣西，故中央各政治次團體缺乏實力支持，無法穩固紮根。

抗戰期間，廣西修正前此的政治主張，與中央二度合作，在這種政治路線驟變的浪潮中，最感困惑的可能便是廣西團體中的中、下層幹部，他們大多是抗戰前廣西自辦的各種訓練班培訓出來的，被灌輸不少絕對服從李、白、效忠團體等觀念。而戰爭開始後，在不甚瞭解上層政治運作的狀況下，驟然投入中央領導的抗日行列中，思想上一時感無所適從。所以當民國二十七年，出省廣西部隊中的政工人員，奉命赴漢口「戰時工作幹部訓練團」受訓時，均在「學員志願調查表」上填道：「平生最信仰蔣總裁，李宗仁司令官，白崇禧副總長」，同時「結業後願回原部隊服務」。（註一二七）這種混合而非化合的結合，正是多數廣西人士在抗戰期複雜的疏離意識之寫照。

第四節　抗戰勝利後的決裂

抗戰勝利，政府接收了各重要城市，國際地位也大為提升，中央掌握的政治、財富資源驟增。相對之下，參加抗戰的各地方派系團體，所分得的勝利果實便十分有限，迥異於北伐完成時的景況。第十戰區的李品仙部，只奉命接收蚌埠、安慶等次要城市，(註一二八)廣西部隊除第四十六軍部分單位外，也未獲最新美制裝備。李宗仁奉調為國民政府主席北平行轅主任，但位高權輕，「實在是吊在空中，上不沾天，下不著地」。(註一二九)白崇禧雖出任國防部長，卻處處受制於參謀總長陳誠。因此抗戰期間逐漸調和的廣西與中央關係，此時再度面臨考驗。

接收工作和職務安排，基本上屬新增資源的分配，其所導致的不滿情緒，自遠不及收縮既有資源所引發的衝擊。因此真正再度喚起廣西團體疏離意識的，應算是中央的裁軍行動。抗戰勝利後，中央力行裁軍政策，主其事者為陳誠，陳氏歷來整軍記錄素為各地方派系所戒懼，此時再採強硬裁軍政策，立刻招致一片反對聲浪。白崇禧以國防部長身份，曾在復員整軍會議中，公開與蔣中正、陳誠二人起爭執(註一三〇)，但當時中央威望正隆，是項政策還是被強力貫徹。

廣西留省之第三十一和第四十六兩軍，合併為第四十六一個軍，並調防海南島。而廣西出省部隊的第二十一集團軍，其中第四十八軍和第八十四兩軍被裁撤番號，僅留下有歷史傳統的第七軍，擴編爲七個師。編餘幹部先收容於合肥的第十戰區軍官隊，預備爾後再集中於南京安置。（註一三一）這批失業又失去團體歸屬的中下級軍官，雖後因國共戰事擴大，第四十八軍番號恢復，重返廣西部隊，然其對中央的怨憤之情已不易再消除。

民國三十五年夏的廣西省參議會議長的選舉，使省內「CC派」與廣西團體的長期暗中較勁公開化。此一議長之爭的背景，至少可分三個層次：第一爲桂南白話地區與桂北官話地區的差異；第二爲李任仁、陳良佐、韋贄唐等與省主席黃旭初有隙之人士，與黃之親信陳壽民、黃崑山等人的爭權；第三爲自抗戰以來在桂省暗中發展的「CC派」勢力，與廣西團體的對抗。

廣西在抗戰期間成立臨時參議會，由桂北李任仁長期出任議長。因李氏思想較左傾，又負民意監督之責，爲黃旭初增加不少困擾，故二人時而不睦。民政廳長陳良佐、教育廳長黃樸心，均在抗戰中期以後始返省任職，與一直留省發展的陳壽民、黃崑山有隙。三青團書記韋贄唐先前任職於廣西綏署，與省府派系有別，相當疏遠。故李、陳、黃、韋乃結爲同一陣線，欲推舉李任仁爲正式參議會議長。（註一三二）黃旭初最初信賴省府秘書長陳壽民和臨時參議會秘書長黃崑山，交託二人負責運作參議員提名人選。迨六月十日，參議會正式召開，並選議長時，與「CC派」關係密切的桂南議員陳錫珖居然以四十四票（其中有四票「錫」字書寫有誤），領先李任仁的四十票，黃旭初始發現廣西團體的團結認同出現危機，急忙以有四張廢票爲由，質疑選舉的結果。最後幾經折衝，始由白崇禧在取得中央同意後（註一三三），回省另舉行投票，結果由李任仁派的蔣繼伊當選議長，桂南的岑永杰當選副議長。此一議長選舉之爭，雖以協調落幕，但親中央與反中央兩派人士的間隙因而更爲深刻。

民國三十六年初，廣西部隊第四十六軍奉中央之命，從海南島調赴山東，歸第二綏靖區司令官王耀武指揮剿共。此乃廣西部隊第一次僅以軍爲單位，由中央嫡系將領指揮作戰，一方面顯示中央此時的威望及對各軍系的控制力；一方面也說明了廣西當局對中央的信賴。但結果卻因戰略錯誤，第四十六軍在綏靖區副司令官李仙洲的指揮下，和中央嫡系部隊第七十三軍，一併被共軍全殲於萊蕪。（註一三四）第四十六軍潰散部隊，後雖經中央批准，重新收容恢復編制，但經過全殲，士氣與戰鬥力已大不如前。廣西當局對這次挫敗極度失望，尤其對中央的指揮頗多怨言，後來白崇禧先後出任國防部九江指揮官、華中剿匪總司令部總司令，親自指揮廣西部隊作戰，也與此次戰役挫敗經驗有關。（註一三五）

民國三十七年，政府剿共態勢逆轉，國軍受創頗重，經濟因而受影響，通貨膨脹日益惡化，中央威信連帶受損，對地方派系的約束力日減。李宗仁自抗戰勝利後，坐鎭北平，雖無甚實權，但北平爲文化故都，人文薈萃，李的諸項開明措施，頗得人心。因此李雖脫離了軍事實權，政治聲望卻驟升。是年，李遂決定出馬競選行憲後第一任副總統。李氏自言其參加競選之目的有三：一爲華北局勢日非，「坐困北平也終非了局」；二爲「加入中央政府，對徹底腐化了的國民黨政權做起死回生的民主改革，以挽狂瀾於既倒」；三爲「擺脫這種於國已兩無建樹的政治生涯，離開故都，解甲歸農」。（註一三六）不過，事實上當時南京政要已替李氏安排好監察院長一出路（註一三七），足以滿足李氏上述的目標。所以李氏堅持競選副總統之主要原因，可能如廣西團體軍師級人物劉斐所言：「因為他（李宗仁）自以為在北伐時，一、四、七軍聲望相等，蔣以廣東為基礎，他以廣西為基礎，共同北伐，因此在蔣家王朝中總想要維持『次高』地位，即第二把交椅的地位，自北伐以後到他從政治舞台上倒下去，這種思想一直支配著他。」（註一三八）故一旦中央政府即將出現明確的第二把交椅時（儘管可能只是名義上的第二），李遂不惜孤注一擲的參與角逐。

李氏角逐副總統的訊息傳出後，團體其他領袖幾乎一致反對，因為以當時實力對比來看，廣西團體仍只有依附中央才有前途，而蔣中正又已表明態度不欲李為其競選伙伴，若違背其意旨，勢將嚴重影響雙方關係。然在李氏執意參選的壓力下，白崇禧、黃紹竑、黃旭初、李品仙等因歷史淵源關係，不得不逐一投入助選陣容之中。當時李宗仁的競選對手包括孫科、程潛、于右任、莫德惠、徐傅霖等人，其中孫科係蔣中正屬意人選，得到黨工組織的全力輔選，聲勢最大。然亦因李宗仁抗拒蔣的意旨，堅持競選到底，所以反得到反蔣和不滿蔣氏部分作為人士的支持。即連中央嫡系「三青團系」、「黃埔系」的部分人士，也因不滿「CC派」人馬得蔣特別青睞，主控選舉，而支持李宗仁，以示抗議。（註一三九）最後李宗仁終在各派人馬反蔣或對蔣抗議的共識下，幸運的當選。

李宗仁競選副總統的成功，對其後廣西與中央關係的發展影響甚鉅。首先因李宗仁的入京任副總統，將廣西團體此後的命運與中央緊密的結合在一起；然二者在選舉期間又已加深了彼此疏離情懷，同床異夢的悲劇至此已不可免。其次此次選舉的勝利，使廣西團體開始對政治環境和運作產生過高的期望。北伐之後，廣西團體因迷信軍事實力，忽視政治的重要性，而付出慘痛代價；此後又注定要因謀取超出實力所及的政治果實而失敗。

至民國三十七年底，國軍精銳在徐蚌會戰的頹勢已無法挽回，而且只要蔣中正繼續任總統，美援似也將永不會到來。至是蔣氏下野已成時間早晚問題，李宗仁既然身為副總統，自將成繼任的不二人選。而此際身為華中剿匪總司令的白崇禧，卻已按捺不住躍躍欲試之心，先後於十二月二十四日及三十日，發出兩封勸退電報。（註一四〇）因白一向為蔣所賞識、提拔，故此舉對蔣情感上刺激甚大。而白崇禧又一直是中央與廣西團體的主要橋樑，至此也中斷，二者關係已跡近正式決裂。

民國三十八年一月二十一日，蔣氏正式宣佈下野，同月二十四日，李宗仁就任代總統。李氏政權的穩固與否，端視能否達到以下五項先決條件：第一、能繼承蔣氏的全部權力；第二、能與中共達成和平協議；第三、能爭取到中央和中共以外的其他勢力的支持；第四、能爭取到美援；第五、位於華中的廣西部隊能充分發揮戰力。但後來事實證明，李宗仁和廣西團體甚至無法澈底達成其中任何一項，故試圖取中央而代之的廣西團體，曇花一現後，便狼狽的退出全國的政治舞台。茲就廣西團體在此五方面的努力和失敗，逐一加以分析說明。

清末以降，許多傳統的制度，以及從這些制度衍生出來的倫理，均在快速崩解之中。在新制度和其權威性尚未建立起來之前，個人威權和私人恩德往往是決定效忠取向的依據。蔣中正能蹶起於民初政局，自然是對各種制度性和非制度性的實力培植，有其獨到之處。蔣氏自北伐後二十餘年間，所累積的聲望，亦決非他人可輕易取代。尤其是蔣在下野前一、兩天內，陸續發表湯恩伯爲京滬杭警備總司令、張群爲重慶綏靖公署主任、朱紹良爲福州綏靖公署主任、陳誠爲台灣省主席；又令將國庫所存銀元、黃金、外匯，運至台灣儲存保管。這些人事、財政安排，已預示他無意亦無法完全脫離政治。

然李、白因鑑於在副總統選舉時有部分中央嫡系倒戈支持李宗仁，居然過分樂觀的將中央與廣西團體歷史性的疏離、對抗，簡化成蔣、李二人政見之爭。李宗仁因而在行政院長孫科辭職之後，邀何應欽組閣，試圖透過何掌握蔣所遺班底，重演民國十六年蔣氏首度下野，李、何、白龍潭大捷，穩定南京政府的歷史。然何應欽能於北伐後二十餘年間，在中央名義上常保第二號人物的地位，即在於其對蔣之恭順，不介入蔣與中央嫡系各次團體的直接統屬關係。所以李、白企圖以何應欽來整合中央殘餘勢力，無異緣木求魚，中央各實力派人物，仍直接與蔣聯絡，接受指示。

財政方面，李宗仁更是一籌莫展。「金元券」的準備金既已被運往台灣，新的貨幣顯然沒有發行的可能，只能眼見通貨膨脹持續惡化。孫科內閣的財政部長徐堪辭職後，李宗仁原屬意上海江浙財團領袖陳光甫和張嘉璈二人，但彼等自北伐以來，便只對蔣中正一人政治信用有信心，李、白既不能在民國十六年時，得到江浙財團全力支持，此時又何能回天，因此二人均「婉言謝絕了」。（註一四一）而另一方面，白崇禧在華中對中央實力派將領宋希濂、陳克非等人的招撫，也澈底失敗。（註一四二）李、白鑑於副總統選舉時，中央嫡系亦有倒戈支持李宗仁的先例，以至高估本身政治整合潛力。殊不知當時倒戈之人，只是借選李爲副總統，表達對蔣的一些不滿，並不意味其會支持李取蔣而代之，因此李、白無法繼承蔣所遺力量，亦勢所必然。

其次，在與中共言和方面，李、白亦終徒勞無功。徐蚌會戰結束，共軍已處絕對優勢。中共方面對李之代蔣，國民黨進一步分裂，自是樂觀其成。然若認爲其對李宗仁有所偏愛，願眞誠與之談和，則完全不切實際。李就任代總統後，深知和談成功與否，實爲其政治生命所繫，於是立刻與中共展開接觸。但中共已於李就任前數天，公佈和談八大條件，其中第一條便是懲辦戰犯，而李宗仁亦赫然名列其上，中共之咄咄逼人與對李並未另眼相看，由是可見一斑。

但李宗仁仍儘量委屈求全，先於一月三十一日偕邵力子赴上海，召開各黨派聯席會議，敦促顏惠慶、章士釗、江庸、邵力子等四人組成「上海人民和平代表團」，於二月十四日飛赴北平求和。二十七日，該代表團完成初步溝通工作，返抵南京。三月二十四日，何應欽內閣決議組織「南京政府和平商談代表團」，成員爲邵力子、張治中、黃紹竑、章士釗、李蒸五人，預計于四月一日，在北平與中共代表團展開官方會談。（註一四三）另一方面，南京方面又組成一個包括李宗仁、何應欽、于右任、居正、張群、吳鐵城、孫科、吳忠信、朱家驊、徐永昌、董顯光等十一人的指導委員會（註一四四），爲該方面和談最後決策單位。

李宗仁就任代總統後的三個月之間，國、共兩軍隔江對峙，幾乎已無軍事衝突。而兩方公開、秘密和談代表則來往穿梭，一時似乎頗有和平氣氛。然這風雨前的寧靜之造成原因，主要在於中共需時間消化江北的勝利成果。是以中共雖在「懲辦戰犯」方面略做讓步，同意「一切戰犯，不問何人，如能認清是非，翻然悔悟」，則「准予取消戰犯罪名，給以寬大待遇。」（註一四五）但對「即行渡江」一則，毫不讓步。南京和談指導委員會認爲若同意共軍堅持渡江，則無異變相投降，因此無法簽字。四月二十日，雙方和談破裂，翌日，共軍渡江。

第三、李宗仁自抗戰爆發起，即致力於軍事任務，對政治層面素少經營，後出任北平行轅主任和副總統期間，雖薄負時譽，但仍無獨立鮮明的政治主張和實力。因此李就任代總統後，即努力試圖收服國民黨左派和所謂「民主人士」爲班底，創出一全國性、而又有別於中央嫡系及中共的第三勢力。李於是「致電孫中山夫人、李濟深、民盟領袖如張瀾、章伯鈞、張東蓀，還有其他一些人等，他們都代表一些小派」（註一四六），然國民黨左派大老們，在蔣中正領導期間，被冷凍已久，早已爲共黨人士包圍，此時已無意再回殘破的黨，而逕赴北平出席「人民政治協商會議」了。而知名的「民主人士」中，眞正中間民主的人士本即不多，其中不少投機的野心份子，惟恐巴結中共新貴不及，豈肯與李宗仁利害相結，知其不可而爲之。結果誠如李宗仁所云：「事實證明，所有這些都只是我的如意算盤」（註一四七），全國人民也失去了一個第三種選擇。

美國大使司徒雷登（J. L. Stuart）與李宗仁相識甚早（註一四八），且李自決定競選副總統時起，與司徒雷登之間一直保持密切連繫。（註一四九）李自認對爭取到美援相當有把握，可是美方態度始終審愼保守。當民國三十七年四月二十九日，李宗仁確定當選副總統後，司徒雷登給當時美國務卿馬歇爾（G. C. Marshall）的報告中，儘管確認李是國民大會中不滿份子集結的中心，但高度懷疑其能否成功的整合、領導這股力量。（註一五〇）兩天後，美大使館對國務院的報告中，再度對李宗仁及其團體能否振奮士氣提出强烈質疑。（註一五一）此後美政府對李宗仁和廣西團體，一直抱持這種態度，而李也一直未能給美國使其轉變態度的實力證明。

民國三十八年初，李宗仁就任代總統時，美國鑑於大量援華武器爲共軍所擄獲，對是否繼續援華問題，已抱觀望態度。美總統杜魯門（H. S. Truman）甚至準備暫時終止一九四八年援華法案（China Aid Act of 1948），但在是年二月間遭部分國會領袖反對而作罷。杜氏因而指示國務院，暫不終止軍援中國計劃，但亦不必加緊趕運援華物資，如此便留給時任國務卿的艾奇遜（D. G. Acheson）相當大的政策詮釋空間。（註一五二）艾氏對國民黨政府的能力和操守素無信心，因此美援也就遲遲未能到來。共軍渡江後的五月五日，李宗仁向杜魯門發出最後一封求援信而無具體結果後，所有美援的希望便全落空了。

徐蚌會戰期間，中央精銳黃伯韜、黃維、李彌、邱清泉等兵團先後崩潰，相對的，坐鎮華中的白崇禧所率部隊地位便更形重要。然其實廣西基本部隊仍只是第七、第四十六、第四十八三個軍，其中眞正具戰鬥力的只有第七軍。其他張軫、陳明仁兵團與程潛接近，魯道源兵團主要爲雲南部隊，宋希濂兵團屬中央嫡系。因此白崇禧的華中軍力號稱三、四十萬，其實是統屬龐雜、外强中乾，很難成爲李宗仁政權的堅實後盾。民國三十八年初，華中剿匪總司令部擴編成華中軍政長官署，一來以示好於中共，二來白崇禧可以軍政長官身份，控制政權和財權（註一五三），但湖北大老何成濬素與白不和，而湖南大老程潛則已有投共意圖，對白氏決策陽奉陰違。迄共軍在長江下游渡江成功，武漢地勢過於突出，白氏指揮部不得不遷往長沙，再遷至衡陽，完全無法發揮一柱擎天，屏障政府的功能。

共軍渡江成功後，李宗仁及廣西團體在全國政治舞台上的重要性，實際上已大幅降低，但尚未到完全無足輕重的地步。李宗仁因怪罪蔣中正並未交出所有權力，且對其政策頗多掣肘，故南京危急之際，便逕飛桂林，而不去政府遷往的廣州。當時因兩廣尚非中央力量所能完全控制，蔣中正仍希望與李宗仁繼續合作，故迭派大員赴桂促駕，並承諾交出更多權力（註一五四），李宗仁始飛廣州赴任，但李、蔣權力之爭至此已公開化。

白崇禧則自江防線爲共軍突破後，率部撤至湖南集結，急於與蔣重新合作，以聯合東南地區的陳誠、湯恩伯等部，及四川、鄂西的胡宗南、宋希濂等兵團，結爲一氣，彼此互爲依托。而蔣也有意拉攏白，二人取得諒解後，白氏飛桂，一面痛斥省內主和派；一面勸李宗仁以職責爲重，赴廣州坐鎮，甚至微露要李勸蔣復出之意（註一五五），李、白後來分道揚鑣，此爲先兆。

民國三十八年七月間，戰局日益惡化，共軍已進逼湘南、粵北。是月底，國民黨中常會通過決議，設立「中央非常委員會」，爲一指導政務的單位，並選蔣中正爲主席，李宗仁爲副主席。此一以黨治國的委員會，顯然不合行憲後的國家體制，但在當時危急存亡之秋，蔣又實際主控大部分現存軍力，多數常委均認爲有此必要，李宗仁迫於情勢，只得「隱忍了事」，而代總統權力進一步被架空，李從此「更覺得無事可辦。」（註一五六）

十月初，共軍向廣州推進，白崇禧率所部退保廣西，中央嫡系劉安祺兵團撤往海南島，廣州實已無有力部隊保衛。十月十二日，共軍接近廣州近郊，李宗仁經桂林轉重慶。四川軍事完全掌握於黃埔軍人胡宗南、宋希濂、羅廣文、陳克非等人手中，政界人士也開始醞釀請蔣復職活動。李宗仁一面不願重回副總統之位；一面感於對蔣的舊怨新恨，乃以出巡之名離渝赴滇，再回廣西南寧，李、蔣二人此後終生未再謀面。十一月二十日，李宗仁飛港養病，十二月五日由港飛美。李氏出國前，始終不肯讓出代總統之職，使蔣復出無名，其中不無意氣、洩憤成份。同年底，廣西部隊也爲共軍所全殲，此一在全國舞台施展尙不及一年的地方派系團體，至此完全崩解。

大陸易手後，廣西團體除李宗仁、甘介侯等少數人赴美外，大致有三種選擇：素與中央接近的白崇禧、李品仙、韋永成等前往台灣，在清一色中央嫡系當權的台北，自無展佈空間；左派的李濟深、李任仁和投機的黃紹竑等人，留在大陸，依附中共政權，初時尙有些作爲，但文革期間，李任仁和黃紹竑均受迫害而死；中間派的黃旭初、夏威、程思遠、韋贄唐等人，逃赴香港避難，最初尙可靠廣西銀行存港部分資金營生，後亦生活困苦。惟有程思遠運動李宗仁返大陸成功，一時見重於中共當局，但亦只不過活躍於該政權民主擺設之政協裡而已。此一被大陸學者稱之爲「新桂系」的地方派系之終結，充滿了無奈與悲哀。

小結

廣西乃中國一邊陲省份，其稀少的人口、匱乏的資源，更使其缺少邁入全國政治舞台的條件。民國十幾年之際，一批具全國視野的廣西青年軍人，取得了該省政權，再乘著席捲全國的革命浪潮與武力征服，一舉進入全國權力中心。然馬上得之的天下，卻不能馬上治之，缺乏政治經驗且地方派系性質濃厚的廣西團體，很快的便土崩瓦解，成爲革命熱情退潮後破滅的泡沫。李、白退居廣西一隅奮力自強時，原本隱約存在的疏離意識潛流，乃公然激盪橫流。抗戰爲一新契機，廣西團體加入中央領導的民族保衛戰。戰後更因中央嫡系力量，在國共戰爭中受重創，廣西人士一時有主宰全國大政之機會，但不久此一希望即幻滅。在新的時代潮流中，已無類似廣西團體這般地方派系存在的空間。

被視爲「桂系」或「新桂系」的廣西人士，實有其深沈的無奈和無力感。他們有著全國性的視界和企圖心，但當向全國政治中心進軍時，卻發現地方派系實力才是其求發展的憑藉，若無此依靠，則很難進入權力核心。黃紹竑脫離廣西團體至中央服務後，始終不甚得意（註一五七），即爲明證。而處境尤其困難的，是那些試圖以行動證明其非地方派系份子的廣西人，一位黃姓在台廣西資深國代的親身遭遇即可爲例。黃氏畢業於廣西中央軍事政治學校，民國二十二年在第四集團軍第四十四師韋雲淞部任連長，隨部隊赴江西剿共，後因病離開軍旅。旋赴浙江投靠黃紹竑，從此留在中央任職。勝利後至武漢中央訓練團受訓，結訓後被分發回廣西龍州上金縣任義務勞動團副團長，竟受到廣西團體特工的監視。在接受我們口述歷史訪問時，黃氏慨嘆道：「中央系、桂系，很多人受到系別犧牲。人在中央，別人叫桂系，回到廣西，別人叫中央系」（註一五八），語透無奈，值得同情與深思。

晚清以降，中央傳統的體制與權威逐一瓦解，地方權重，其中尤以邊陲省分為甚。民國以後，國民黨、共產黨先後興起、掌權，兩黨皆有中央集權的傾向，反對地方派系割據，只是彼此主張有緩進、激進之分而已。因而晚清以來，逐漸形成的地方派系團體，生存空間越來越小。在中央政府整合各地方派系的過程中，廣西人士的疏離意識愈演愈烈，也因而付出慘重的代價。

【附註】

註一：此一劃分法大致參考黃紹竑的分類，參見黃紹竑，〈舊桂系的興滅〉，《文史資料選輯》第十六輯（中華書局，北京，一九八一），頁二一四至二一六，及黃紹竑，〈新桂系的崛起〉，《文史資料選輯》第五十二輯（文史資料出版社，天津，一九八一），頁六十；其中客話系統部分，並參考徐啓明，《徐啓明先生訪問紀錄》（中研院近史所，台北，一九八三，）頁六三。

註二：西林岑氏先世曾襲武職，春煊父毓英因討平雲南回亂，積功至雲貴總督。岑春煊，《樂齋漫筆》（中國現代史料叢書第四輯，文星書店，台北，一九六二），頁二。

註三：李宗仁，《李宗仁回憶錄》（台光印刷出版事業，台北，缺年代），頁三二至三三。

註四：廣西辛亥革命史研究會編，《民國廣西人物傳》（廣西人民出版社，南寧，一九八三），頁五一。

註五：雷殷，〈雷殷與民初內政〉，《口述歷史》，第一期（一九八九），頁一一四。

註六：李宗仁，《李宗仁回憶錄》，頁一三五。

註七：黃紹竑，《五十回憶》（龍文出版社，台北，一九八九），頁一〇六。

註八：白崇禧，《白崇禧先生訪問紀錄》（中研院近史所，台北，一九八九），頁六八六。

註九：徐啓明，《徐啓明先生訪問紀錄》，頁三十。

註十：黃旭初，〈由動亂到統一的新廣西〉，《廣西文獻》，第十三期（一九八一），頁十九。

註十一：李品仙，《李品仙回憶錄》（中外雜誌社，台北，一九七五），頁十七至十八。

註十二：黃崑山，〈廣西省會遷移史話〉，《廣西文獻》，第十九期（一九八三），頁二六至二七。

註十三：李宗仁，《李宗仁回憶錄》，頁四五。

註十四：黃紹竑，〈舊桂系的興滅〉，頁一七五。

註十五：李培生，《桂系據粵之由來及其經過》，一九二一年出版，文海出版社影印發行，〈序〉，頁二、三、七。

註十六：黃旭初，〈馬君武博士長桂十月〉，《春秋雜誌》十二卷一期，轉引自《廣西文獻》，第十二期（一九八一），頁二七。

註十七：李宗仁，《李宗仁回憶錄》，頁九七至一〇三。

註十八：同註十六。

註十九：黃紹竑，《五十回憶》，頁七一。

註二十：黃紹竑，〈新桂系的崛起〉，頁十七。

註二一：同前文，頁十八及二三。

註二二：據黃紹竑云，李宗仁是欲有兼理軍、民、財政事務的「善後督辦」頭銜，而且李、黃等人深恐在廣州孫中山左右的桂籍老國民黨員，會趁機插手廣西民政。（黃紹竑，〈新桂系的崛起〉，頁三七及五三至五四。）不過事後證明，李、白等人還是得以完全掌握廣西黨、政、軍大權。

註二三：白崇禧，《白崇禧先生訪問紀錄》，頁三三及三四。

註二四：李宗仁，《李宗仁回憶錄》，頁一九二。

註二五：黃紹竑，〈新桂系的崛起〉，頁五四。

註二六：李宗仁，《李宗仁回憶錄》，頁二〇一及二〇二。

註二七：黃紹竑，〈新桂系的崛起〉，頁五七。

註二八：張森，〈麥煥章先生革命簡史〉，《廣西文獻》第八期（一九八〇），頁二二。

註二九：李宗仁，《李宗仁回憶錄》，頁二二三。

註三十：同前書，頁二五七。

註三一：武漢地區的現代化之工、商發展，本即不如京滬地區甚遠，再以武漢政權縱容中共推展過激工農運動，經濟、財政因此大受打擊，無法與寧方相抗衡。〔張國燾，《我的回憶》（明報出版社，香港，一九七一），頁六〇四。〕

註三二：黃紹竑，〈新桂系的崛起〉，頁五三。

註三三：黃紹竑，〈新桂系與鴉片煙〉，《廣西文史資料選輯》第四輯（政協廣西文史資料委員會，南寧，一九八二），頁二二。

註三四：黃紹竑，〈「四・一二」事變前後我親身經歷的會議〉，《廣西文史資料選輯》第七輯（政協廣西文史資料委員會，南寧，一九八八），頁十六及十七。

註三五：同前文，頁二三。

註三六：李宗仁，《李宗仁回憶錄》，頁三〇七。

註三七：盧蔚乾，〈胡宗鐸、陶鈞在桂系中的起落〉，《文史資料選輯》第五十二輯，頁六四。

註三八：李宗仁，《李宗仁回憶錄》，頁三六五。

註三九：董顯光，《蔣總統傳》（中國文化學院出版部，台北，一九八〇），頁一〇七。

註四十：李宗仁，《李宗仁回憶錄》，頁三一九至三二一；白崇禧，〈白崇禧先生訪問紀錄〉，頁九四一。

註四一：李宗仁，《李宗仁回憶錄》，頁三三三至三三四。

註四二：蔣永敬，〈蔣中正先生「第一次下野」的原因〉，《傳記文學》五四卷二期（一九八九），頁四五。

註四三：李濟深口述、張克明筆錄，〈李濟深的略歷〉，《廣西文史資料選輯》第十四輯（政協廣西文史資料委員會，南寧，一九八二），頁十四。

註四四：民國十六年八月，中共發動南京暴動後，黃琪翔率第四軍返粵，粵軍將領聯合向李濟深奪權時，黃紹竑曾對李說：「你雖然是廣西人，但你不是桂系，他們不會對你有什麼惡意。」（黃紹竑，〈一九二八年粵桂戰爭〉，《文史資料選輯》第二輯（政協文史資料委員會，北京，一九八〇），頁三八。）可見廣西人士亦未將李濟深視爲其團體中的一份子。

註四五：李宗仁，《李宗仁回憶錄》，頁三七八至三七九。

註四六：涂允檀，〈胡宗鐸、陶鈞把持武漢政局與新桂系的內部矛盾〉，《廣西文史資料選輯》第六輯（政協廣西文史資料委員會，南寧，一九八二），頁一〇七。

註四七：張任民，《回憶錄》，轉引自區渭文等編，《新桂系紀實》上冊（政協廣西文史資料委員會，南寧，一九九〇），頁二一七。

註四八：白崇禧，《白崇禧先生訪問紀錄》，頁九二三。

註四九：李宗仁，《李宗仁回憶錄》，頁三六七至三六八。

註五十：白崇禧，《白崇禧先生訪問紀錄》，頁九三二。

註五一：董顯光著的《蔣總統傳》中亦承認：「桂系之發動叛變，原無預定的戰略計劃」（頁一四五）。

註五二：蔡元培等人的調察結果，據國民政府三月二十四日令云：「李宗仁供職在京，事前並不知情。第五十二師長葉琪、第十五師長夏威，未奉前第四集團總司令之命令，遽行處理湘事，激起釁端。」（《申報》，民國十八年三月二十五日，第八版。）

註五三：蔣中正著、陳屺懷編輯，《自反錄》（南京，一九三一），第二集，卷十四，頁一三八三及一三八四。

註五四：《申報》，民國十八年三月二十八日，第六版。

註五五：《申報》，民國十八年三月三十一日，第四版。

註五六：一說蔣令宋子文透過陳公博的親信余愷湛，交給俞作柏、李明瑞等人三十萬元「收買費」。（盧蔚乾，〈胡宗鐸、陶鈞在桂系中的起落〉，頁六八。）

註五七：張文鴻，〈李明瑞倒桂投蔣和倒蔣失敗經過〉，《廣西文史資料選輯》第十三輯（政協廣西文史資料委員會，南寧，一九八二），頁一四八。

註五八：李宗仁，《李宗仁回憶錄》，頁四〇二。

註五九：羅永平，〈李明瑞傳略〉，《廣西師範學院學報》，一九八〇年三月，頁二。

註六十：張文鴻，〈李明瑞倒桂投蔣和倒蔣失敗經過〉，頁一五一至一五二。

註六一：中原大戰後，國府主席蔣中正主張制定約法，召開國民會議，早日邁入憲政時代。立法院長胡漢民以現實環境不許可，主張訓政，反對約法。

註六二：韋永成，《談往事》（作者自印，台北，年代不詳），頁三四。

註六三：虞世熙，〈新桂系與改組派的秘密組織——中國國民黨革命青年團〉，《廣西文史資料選輯》第一輯（政協廣西文史資料委員會，南寧，一九八二），頁四二至四三；另據程思遠稱，此一組織的正式名稱應爲「中國國民黨護黨救國青年軍團」。（程思遠，〈談談桂系秘密政治組織〉，《廣西文史資料選輯》第七輯，頁一二二。

註六四：虞世熙，〈新桂系與改組派的秘密組織——中國國民黨革命青年團〉，頁四三至四四。

註六五：程思遠，〈談談桂系秘密政治組織〉，頁一二二至一二四。

註六六：韋永成，《談往事》，頁二五。除王、韋二人外，國府尙有考送、選派廣西籍的留俄學生約二、三十人。（諸直，《廣西留學史》，轉引自《廣西文史資料選輯》第二十七輯，（政協廣西文史資料委員會，南寧，一九八九），頁十一。）

註六七：陳壽民，《八十年浮生夢》（文壇社，台北，一九七四），頁一六二。

註六八：韋永成，《談往事》，頁三三。

註六九：程思遠，〈談談桂系秘密政治組織〉，頁一二七。

註七十：同前註。

註七一：路璋，〈我所知道廣西師專的一些情況〉，《廣西文史資料選輯》第十輯（政協廣西文史資料委員會，南寧，一九八三），頁四一。

註七二：據程思遠《政海秘辛》（南粵出版社，香港，一九八八）載，其時王公度一身兼任第四集團軍總政訓處處長、南寧軍校政訓處處長、廣西省黨部常委、廣西省府委員、廣西黨政研究所訓育主任、童軍訓練所教育長等職。（頁一〇五）

註七三：韋永成，《談往事》，頁一〇七。

註七四：梁伯鳴，〈悼念王公度、謝蒼生先生〉，《廣西文獻》第十期（一九八〇），頁四四。

註七五：凌壓西，〈王贊斌在江西圍攻紅軍〉，《廣西文史資料選輯》第二輯（政協廣西文史資料委員會，南寧，一九八二），頁一二七至一二八。

註七六：程思遠，〈談談桂系秘密政治組織〉，頁一三〇。

註七七：陳壽民，《八十年浮生夢》，頁一六三。

註七八：虞世熙，〈我所知道的白崇禧〉，《廣西文史資料選輯》第十七輯（政協廣西文史資料委員會，南寧，一九八三），頁二一一。

註七九：虞世熙，〈新桂系的民團組織〉，《廣西文史資料選輯》第十三輯（政協廣西文史資料委員會，南寧，一九八二），頁一六五至一六六。

註八十：郭堅，〈我和新桂系〉，《安徽文史資料》第二十一輯（政協安徽文史資料委員會，合肥，一九八四），頁一四四。

註八一：李駿整理，〈中央軍事政治學校第一分校編組概況〉，《新桂系紀實》，上冊，頁四六〇。

註八二：郭堅，〈我和新桂系〉，頁一四二。

註八三：李宗仁曾說：「在港閒居期間，最使我感到苦楚的是兩袖清風，……。」（《李宗仁回憶錄》，頁四〇四）；白崇禧也曾對韋永成說過：「那一次在香港才知錢的重要。」（韋永成，《談往事》，頁三五。）

註八四：廖競天，〈廣西銀行史料〉，《廣西文史資料選輯》第二輯（政協廣西文史資料委員會，南寧，一九八二），頁三九。

註八五：黃宗儒，〈裕字各銀號和廣西興業銀行〉，《新桂系紀實》，上冊，頁四四四。

註八六：李四杰、陳雄，〈新桂系官僚資本的兩個企業機構〉，《廣西文史資料選輯》第一輯，頁八十。

註八七：陳雄，〈新桂系統治下我所主辦的廣西「禁煙」〉，《廣西文史資料選輯》第二輯，頁七三。

註八八：劉斐，〈兩廣「六一」事變〉，《文史資料選輯》第三輯，頁二三。

註八九：例如在第五戰區最輝煌的一役——台兒莊戰役中，屬西北軍系的孫連仲部便受命死守台兒莊，承受日軍正面猛攻。而廣西廖磊的第二十一集團軍和李品仙的第十一集團軍，則集結於徐州背後的宿縣附近，做爲總預備隊。另外中央嫡系湯恩伯部也集結於台兒莊附近的滕縣，直待孫部傷亡殆盡，日軍亦力竭，方出兵夾擊。（余定華，〈徐州會戰見聞憶述〉，《廣西文史資料選輯》第二十二輯（政協廣西文史資料委員會，南寧，一九八六），頁一二七，及李宗仁，《李宗仁回憶錄

》，頁四七八至四八一。）

註九〇：松滬會戰後，當廖磊的第二十一集團軍向第五戰區李宗仁麾下轉進途中，曾一度奉命受張發奎指揮，而廖磊即對該集團軍兵站分監藍香山說：「本軍補給辦法聽我的，不要問張向華（發奎）。」（藍香山，〈抗戰初期第二十一集團軍在滬浙皖戰場〉，《廣西文史資料選輯》第二十二輯，頁八二。

註九一：程思遠，《白崇禧傳》（南粵出版社，香港，一九八九），頁二一〇。

註九二：直至白氏晚年在台接受訪問，當被問及蔣中正總統似乎很聽信陳誠副總統時，白氏答道：「我的看法是陳辭修『先意承旨』。」（白崇禧，《白崇禧先生訪問紀錄》，頁八九六。）言外之情，不言可喻。

註九三：何作柏，〈白崇禧當副參謀總長兼軍訓部長〉，區渭文等編，《新桂系紀實》中冊（廣西政協文史資料委員會，南寧，一九九〇），頁四一五。

註九四：藍香山，〈白崇禧在軍訓部和校閱委員會〉，《新桂系紀實》中冊，頁四二四至四二五。

註九五：倪仲濤，〈軍事委員會桂林行營的矛盾〉，《新桂系紀實》中冊，頁四一一。

註九六：同前文，頁四二至四四。

註九七：陸學藩，〈崑崙關戰役親歷記〉，《廣西文史資料選輯》第七輯，頁一四六至一四七。

註九八：李濟深早在北伐後便已失去實力憑藉，此番出任桂林辦公廳主任，並無實權。政治上的失勢，可能是後來李傾向中共的主因。

註九九：何作柏，〈白崇禧當副參謀總長兼軍訓部長〉，頁四一八。

註一〇〇：鄧達之，〈白崇禧在國民政府的活動片斷〉，《新桂系紀實》中冊，頁四一三至四一四。

註一〇一：藍香山，〈白崇禧在軍訓部和校閱委員會〉，《新桂系紀實》中冊，頁四三〇至四三一。

註一〇二：同前文，頁四三三。

註一〇三：此乃白崇禧隨從少將秘書楊受瓊語。（白崇禧，《白崇禧先生訪問紀錄》，頁八九六。）

註一〇四：李宗仁，《李宗仁回憶錄》，頁四九四。

註一〇五：韋瑞霖，〈我所知的第五戰區抗敵青年軍團〉，《新桂系紀實》中冊，頁二七一至二七六。

註一〇六：黃紹竑，〈我與蔣介石和桂系的關係〉，《文史資料選輯》第七輯（政協文史資料委員會，北京，一九八一），頁一〇二。

註一〇七：張壽齡，〈憶第五戰區長官部〉，《湖北文史資料》第十八輯（政協湖北文史資料委員會，武漢，一九八七），《新桂系在湖北專輯》，頁九三。

註一〇八：李宗仁，《李宗仁回憶錄》，頁五〇三至五〇六。

註一〇九：黃宗儒，〈新桂系在鄂北與陳誠的矛盾片斷〉，《湖北文史資料》第十八輯，頁一一二至一一六。

註一一〇：李宗仁，《李宗仁回憶錄》，頁五二七。

註一一一：陳良佐，〈新桂系治安徽初期的片斷回憶〉，《新桂系紀實》中冊，頁三〇六至三〇七。
註一一二：同前文，頁三〇七。
註一一三：呂祖杰，〈新桂系舉辦的安徽省政治軍事幹部訓練班〉，《新桂系紀實》中冊，頁三二〇。
註一一四：韋永成，《談往事》，頁一三六。
註一一五：李品仙，《李品仙回憶錄》，頁一六八至一六九。
註一一六：呂祖杰，〈新桂系舉辦的安徽省政治軍事幹部訓練班〉，頁三二三。
註一一七：程思遠，《政海秘辛》，頁一一二至一一三；又有一說只槍決前四名。（韋永成，《憶往事》，頁一一〇。）
註一一八：陳劭先，〈廣西建設研究會的成立和結束〉，《廣西文史資料選輯》第四輯，頁六九。
註一一九：同前文，頁七一。
註一二〇：李建平，〈論「桂林文化城」的地位和作用〉，《廣西大學學報》（哲學社會科學版），一九八二年第一期，頁十九。
註一二一：李四杰、陳雄，〈新桂系官僚資本的兩個企業機構〉，頁八四至八五。
註一二二：廖競天，〈廣西銀行史料〉，《廣西文史資料選輯》第二輯，頁五六至五七。
註一二三：李微，〈新桂系和CC在廣西的鬥爭〉，《廣西文史資料選輯》第二輯，頁三至六。
註一二四：陳壽民，《八十年浮生夢》，頁一四二至一四三。

註一二五：李明章，〈地下黨在三青團廣西支團的活動〉，《廣西文史資料選輯》第十七輯，頁一三三至一三四。

註一二六：黃立志，〈抗日戰爭初期的廣西三青團〉，《廣西文史資料選輯》第十七輯，頁一二六至一二七。

註一二七：袁雁沙，〈蔣桂在五戰區政工方面的明爭暗鬥〉，《湖北文史資料》第十八輯，頁一〇三。

註一二八：李品仙，《李品仙回憶錄》，頁二二六。

註一二九：李宗仁，《李宗仁回憶錄》，頁五六九。

註一三〇：白崇禧，《白崇禧先生訪問紀錄》，頁八五至八六。

註一三一：徐啓明，《徐啓明先生訪問紀錄》，頁一二五至一二六。

註一三二：李徽，〈廣西省參議會議長選舉糾紛的幕前幕後〉，《廣西文史資料選輯》第二輯，頁九七至九八；黃崑山，〈黃崑山自傳〉，《廣西文獻》第四十一期（一九八八），頁三十。

註一三三：陳學澧，〈廣西省參議會議長選舉糾紛述要〉，《廣西文史資料選輯》第二輯，頁九四。

註一三四：周競，〈山東萊蕪戰役桂系第四十六軍被殲經過〉，《廣西文史資料選輯》第七輯，頁一五七至一五九。

註一三五：戈鳴，〈白崇禧圍攻大別山戰役概述〉，《湖北文史資料》第十八輯，頁一七九及一八二。

註一三六：李宗仁，《李宗仁回憶錄》，頁五七一。

註一三七：李氏自稱不願就監察院長，因其職是「位尊而無所事事」（《李宗仁回憶錄》，頁五七二），但副總統一職又何嘗不是如此。

註一三八：劉斐，〈兩廣「六一」事變〉，《文史資料選輯》第二輯，頁二七。

註一三九：程思遠，《李宗仁先生晚年》（文史資料出版社，北京，一九八〇），頁四至五。

註一四〇：白崇禧，《白崇禧先生訪問紀錄》，頁八七五至八七六。

註一四一：李宗仁，《李宗仁回憶錄》，頁六一二。

註一四二：陳克非，〈我從鄂西潰退入川至起義的經過〉，《文史資料選輯》第二十三輯（政協文史資料研究委員會，北京，一九八一），頁四四至四八。

註一四三：張豐冑，〈一九四九年國共和談的有關史料〉，《文史資料選輯》第三十二輯（政協文史資料研究委員會，北京，一九八〇），頁七一至七七。

註一四四：李宗仁，《李宗仁回憶錄》，頁六一五。

註一四五：張豐冑，〈一九四九年國共和談的有關史料〉，頁八二。

註一四六：李宗仁，《李宗仁回憶錄》，頁六〇七。

註一四七：同前註。

註一四八：據司徒雷登回憶，早在抗戰前，廣西還在負隅頑抗中央時，其與李宗仁已有過兩次長談，且其對李、白印象甚佳。J. L. Stuart, *Fifty Years in China — the Memoirs of John Leighton*

Stuart, (Random House, New York, 1952), p. 114.

註一四九：程思遠，《政海秘辛》，頁一九八。

註一五〇：Department of State Publication, *The China White Paper August 1949* (*United States Relations with China with Special Reference to the Period 1944-1949*), (Stanford University Press, Stanford, California, 1967), Vol. 2, p. 857.

註一五一：同前書，頁九一一。

註一五二：D. G. Acheson, *Present at the Creation: My Years in the State Department*, (New American Library, New York, 1970), p. 402.

註一五三：葉敏，〈華中「剿總」及華中軍政長官公署見聞〉，《湖北文史資料》第十八輯，頁二四〇至二四一。

註一五四：李宗仁，《李宗仁回憶錄》，頁六三六至六三七。

註一五五：同前書，頁六三五。李宗仁對蔣提出飛穗六大先決條件中，雙方對第五項記述有些出入。李宗仁回憶錄中稱蔣同意不以黨權干涉政務，控制政府；而董顯光《蔣總統傳》卻稱蔣「對於李氏要求撤銷杭州會談決定之國民黨非常委員會的權力，表示異議。」（頁五二四）董文中所提之杭州會議，蓋指民國三十八年四月二十二日，共軍渡江後，李宗仁與政府要員飛赴杭州，會晤當時隱居溪口的蔣中正。

註一五六：李宗仁，《李宗仁回憶錄》，頁六五〇。

註一五七：參閱黃紹竑，〈我與蔣介石和桂系的關係〉，《文史資料選輯》第七輯（政協文史資料委員會，北京，一九八一），頁七六至一〇九。

註一五八：此處遵照黃代表之意，不使其名見諸文字，不過我們確保有完整的錄音和書面紀錄。

第四章　九一八事變以來東北人士的流亡意識

前　言

歷史研究的角度，應儘量求其寬廣與均衡。而許多學者對歷史上中央與地方關係的研究，往往傾向於從中央的角度來觀察，如此難免使得一些地方的觀點晦暗不明，而失去史學研究的公正性。中國幅員廣闊，各地區因地理環境和歷史背景的不同，而彼此差異甚大，若從地方的角度分析其與中央的關係時，又必須個別處理。本章即是經由對東北人士之流亡意識的研究，來探討「九一八事變」以來，東北與中央的互動關係。

欲瞭解東北人士流亡意識的發展，首先必須先探究其本土意識的形成。因此本章第一節將追溯清代以來東北的開發，及其過程中東北人士本土性格的養成，和對該土地的認同。第二節主要討論「九一八事變」後，東北人士流亡入關，其流亡意識的形成和演變，以及這種意識與時局的交互影響。第三節則敘述抗戰勝利後的東北接收情形，及東北陷共後，東北人士的第二次流亡，並論及本土性格和流亡歷史近年來對東北人士的遭遇之影響。最後做一小結。

本章史料基礎方面，大致可分文獻資料和口述歷史訪問兩部分。文獻部分，除參考近代史的相關書籍及報刊外，並徵引《東北文獻》、《傳記文學》、《文史資料》等期刊中東北籍人士回憶性文章，以冀能從東北人士的角度，來看整個流亡意識的發展過程和影響。口述歷史訪問部分，除利用中研院近史所已做成之訪問記錄外，本研究並親自訪問了十餘位東北籍民代及文教人士，並做成書面記錄。在訪問的過程中，除切身體會東北人士獨特的一些人文氣質外，也在觀念和常識上獲得相當多的提示，有時更獲贈難見的專書和手稿，對本章寫作助益甚大。撰寫本章之目的，並不在於替某人或某些團體翻案，更不是刻意的要譴責或批判某些歷史人物和事件。只是希望在事過境遷後，透過歷史研究，對一種地方意識做一理性、均衡的描述和分析，使我們對一些與東北人士有關的歷史事件之背後動力，有更深入的瞭解。民主時代，地方派系的運作必不可免，本章的研究或許能在這方面提供些許歷史智慧。

第一節　近代東北本土意識的形成

所謂「流亡意識」乃相對於「本土意識」而言，惟有當一群人眞正認同所居住的土地，在其被迫離開故鄉時，才會產生共同的流亡意識，且此一意識才能強烈的左右其行爲動向，並進而影響到歷史的發展。近代東北的疆界，基本上是在十九世紀中葉以後一連串與帝俄之不平等條約下才大致確定的

，而「東北」一詞的確立，則更遲至民國初年。（註一）

論及近代東北本土意識的形成，至少得追溯至清代。而近人對清代東三省開發的研究相當豐富，早期學者如有高巖、謝國楨、蕭一山等，均做過清代東三省流人和移民的研究。（註二）近二十年來，學者如趙中孚、楊合義、Robert H. G. Lee 等對清代東三省社會、經濟、政治方面的研究尤其可觀。（註三）但前人眾多研究大多偏重於東三省的漢化，與本章所論之本土化有別。事實上，任何一種強勢文化進入一新的地理環境中，都不可能不做適度的調適；尤其是與早已適應該地區的原住民長期交往時，亦不能不產生互相影響關係，更何況在清代東三省開發時期，漢族在某段時期，或某些地區亦曾是過少數民族，單方面的漢化可能不足以說明整個歷史文化的發展過程。故本節即擬在前人堅實的研究基礎上，對近代東北本土化之形成做一探討。

清代東三省的旗地理論上是不得轉售予漢人的，但滿人又須仰賴漢人較高水準的農耕技術及商業經營，因此漢人乃利用租佃、典押等方式逐步取得土地，在這種相依相存的關係下，彼此的相互影響是無法避免的。在漢化方面，前人論述雖多，但卻往往忽略了入關滿人對東三省漢化的貢獻，這些曾深入漢族腹地的滿人，後因故重返關外，對其同族的影響相當深遠。《黑龍江志稿》載：

> 延憲字克卿號觖庵，北京滿洲旗籍……光緒初戍齊齊哈爾。憲夙嫻漢、滿、蒙三種文字，舉止循循有規矩，授徒自給，門人多顯達者。（註四）

這類漢化滿人，其行止風度即具說服力，再加上又嫻熟滿、蒙文，其對東三省之滿、蒙族之漢化的影響自然也就更大。

由關內歸來的滿人除帶回上層文化，同時亦引進了一些民俗文化，《黑龍江外記》云：

（齊齊哈爾）城西普恩寺，俗稱娘娘廟……有紙本風來大士像，殿上揭一牌，楷書靈異記，杭州旗人華照撰。照自言乾隆壬戌以上書得罪來黑龍江，途中夢碧霞元君，……自是醫學大進，痘疹尤著效。（註五）

碧霞元君信仰乃源自民間對「冥君」東嶽泰山的信仰，是漢族民間宗教中相當重要的一部分，尤其在華北祭祀碧霞元君的娘娘廟甚多，華照其人很可能是途經華北時，深受此一信仰之影響，而將之引進東三省。

當東三省漢化的同時，出關的漢人也接受了一些滿人習俗。《寧古塔紀略》載：

凡各村莊，滿洲居者多，漢人居者少，凡出門不齎路費，經過之處，隨意止宿，人馬俱供給。（註六）

東三省物產豐富，但卻地廣人稀，因此滿人早已蘊育出一種熱情好客的習俗，漢人進入東三省，自然也受其影響。《柳邊紀略》云：

十年前行柳條邊外者，率不裹糧，遇人居直入其室，主者則盡所有出享，或日暮讓南炕宿客，而自臥西北炕。馬則煮豆麥剉草飼之，客去不受一錢……今則走山者以萬計，蹤跡詭秘，……于是乎非裹糧不可行矣。然宿猶讓炕，炊則猶樵蘇，飯則猶助瓜菜，尚非中土所能及也。（

註七）前人研究亦曾引述此文，借以證明隨著「走山者」增多，東三省習俗有所改變，但該引文最後明言「尚非中土所能及也」，可見與關內究竟有別。當一文化進入一新地理環境，與當地文化交流的結果，常產生一種交融折衷的文化，此恐方爲該引文眞正蘊含的意義，同時這也是本節所論「本土化」的眞正涵意。

至於日常生活方面，漢族也多有仿效滿族者，如《黑龍江志稿》載：

冬衣名哈爾瑪兒，……服之作苦最耐磨涅。各城婦女皆滿裝，即墾民亦習從之。（註八）

又云：

黑龍江漢、滿、蒙、回等人居處大致相同。城鄉之中，所有建築房屋均以樸素禦寒爲重。（註九）

黑龍江地處極北，氣候與內地迥異，新來之漢族墾民，很自然的便由原住民處學得衣、住適應之道。此外，語言文字顯然對東三省各種族的融合也不構成不能突破的隔閡，精通漢、滿、蒙三種文字的個例前已論列，茲不贅述。語言方面的交流無礙，尤其有助於下層文化的融合。《黑龍江外紀》云：

晉商與蒙古、索倫、達呼爾交易，皆通其語，問答如流，蓋皆童蒙習之，惟通國語者寥寥，滿洲多能漢語故也。（註一〇）

可見在現實需求下，東三省人民（尤其是滿人）能通兩種以上語言者相當普遍。

而異族間通婚的情形亦不罕見，從東三省各地方志〈列傳〉部分觀之，滿、漢通婚十分常見，且從清初便已如此。滿、蒙貴族的長期結親，則更是歷史常識。至於漢、蒙通婚，《黑龍江外紀》亦有記載：

過混同江北來直至多鼐站，環站雜處皆蒙古，素與站丁往來，或結姻亞。（註一一）

清代東三省站丁多係漢人充任。至於這種異族通婚的背景，東北籍近人錢公來有所解釋：

兩個民族，共同生存，都有彼此相需相依。相處久了，便益發多發見對方的優點與長處，忘掉對方的劣點與短處。於是「愛好和親」，不分蒙漢矣。（註一二）

異族通婚的結果，使得狹義民族主義的最後據點——血統論，亦失去了說服力。

東三省森林密佈，氣候酷寒，在開發這塊處女地的過程中，當地人民也被塑造出一種特有之冒險犯難之精神。滿、蒙兩族的淳樸、好武、重信義是各地方志一再稱道的。而漢族出關者也是歷經艱險，據《柳邊紀略》記載，當時偷出關採人參之「走山者」每年死於飢寒者，「蓋不知凡幾矣」。（註一三）經這種九死一生的冒險生活之磨練，造就出東北人民強悍、豪邁的性格，故錢公來氏論其東北同胞個性時曰：

論其性格，能忍耐，富創造，慷慨好施，濟人之厄，因其當年受過飢寒困頓。（註一四）

此一特質在「九一八事變」後的流亡生涯中不時地流露出來。

另一方面，清初東三省漢人頗多係遷謫流戍而來，社會地位頗受壓抑，又不許參與科考，因此養成其倔强奮鬥的個性。即以呂留良後裔爲例，先有呂景儒以「不得仕進，學成，輒經商以資雄於塞上，齊齊哈爾之富，無呂氏若者。」後有呂醒夫之「加入國民黨，參加國民革命。」（註一六）而清末的日、俄交迫，更加深了東北人士的危機意識與奮鬥精神。

辛亥革命後，東北本土化情形並沒有因滿清的覆亡及民國的肇建而逐漸減緩，反而在政治和軍事上更形獨立。當辛亥革命爆發後，新軍紛紛在關內各省得勢之際，東北地方性部隊——邊防軍，卻在張作霖的領導下，成功的壓制住新軍，張氏並進而在十年之間，攫獲東北的軍政大權。張氏之能逆轉時代潮流，擊敗新軍將領和革命領袖，脫穎而出，恰反映出清代以來的東北本土化，已使關內、外情勢產生相當大的差異。而東北土生土長的張作霖，本身即是東北長期以來本土化的表徵，他的豪邁粗獷，開懷大度，以關內尺度而言，可能不被視爲一理想領袖，但在東北卻頗得人心，因當時東北人的價值觀念，本即並不是單純「漢化」下的產物。

張作霖主政期間，雖曾在楊宇霆、姜登選等留日士官派的鼓動下，三度大舉入關。但當時以王永江、張作相分別爲文、武首腦的東北保守派，則始終力主不介入關內政治，全力建設東北。王、張二氏並在主持遼、吉省政和東北大學及吉林大學期間，引用大批不滿張作霖窮兵黷武作爲，卻願投身於教育及建設東北工作的年輕知識份子。（註一七）也正因爲這種東北本位的保守力量存在，張作霖方能每次在入關奪權失敗後，仍得以退出關外繼續做其名副其實的「東北王」，死後還能父死子繼的傳給其子張學良，這與關內軍閥一敗塗地，喪盡地盤的戰敗下場，又成鮮明對照。

張學良繼承父業後，除沿續乃父用人不疑，既往不咎（註一八）豁達作風外，又因其個人的少年得志，給東北政局的運作更添入幾分戲劇化的氣息。如所謂的「槍斃四院長事件」（註一九），便充分顯出張學良任意妄為，敢作敢當的作風。民初東北軍政在張氏父子主導下，發展出一套別具一格的運作倫理，與關內政海中的縱橫捭闔之術，截然有別，也伏下日後東北人士流亡入關後，常遭人忌之遠因。

民國十七年東北易幟以後，張學良的一些政策頗得新派知識份子的認同，如臧啓芳、高惜冰、高崇民、杜重遠、閻寶航等均投入張氏幕下，任秘書一類機要策劃的工作。但這些具全國乃至世界視野的知識份子，主要是團結在張氏抵抗外侮和民族統一的大旗之下，至於在其他政治理念的認知上，則甚為紛歧，此亦伏下「九一八事變」流亡入關後，彼此各自為政的遠因。另外，張作霖時代的老派軍政菁英，以及朱霽青、錢公來、齊世英等與張氏不合的國民黨員，均在張學良的寬容政治下，於「九一八事變」前後，扮演相當重要的角色。

由以上所論述從清初至「九一八事變」前東北本土意識的形成過程，可知當東北人士開始流亡生涯之前，本身已發展出一些與關內文化有異的特質。但這些差異也不可被過分誇大，因為他們實質上仍屬一統一民族、國家前提下的差別，這種微妙的關係。可以東北籍人士田雨時的話來說明：

吾確愛吾鄉，吾曾愛吾國；人不愛其鄉，豈能愛其國？（註二〇）

而且即使東北，遼、吉、黑三省之間，有時亦有紛爭，（註二一）吉、黑兩省也曾為遼省人士壟斷政權，而有過不平之鳴。

東北易幟後，近三百年來所發展出的東北本土化情形，本有望相應於統一國家的建立，而逐漸與全國大一統的文化取得一理想的調適，但日本軍閥的侵略卻隨即來臨，於是東北人士便不得不背負著長期本土化所累積的傳統，踏上流亡的旅程。

第二節　第一次流亡（民國二十年至三十四年）

以往學者對「九一八事變」後流亡入關的東北人士之討論，每每集中於他們發起或參與的幾次重要事件。本章則試圖追溯其整個流亡歷程，及其流亡意識之累積過程。以此角度觀之，則流亡意識好比一條容納眾細流的長河，隨著時間演進，蓄積越來越多的能量，一旦遭遇無法超越的阻礙，便激出一些震驚世人的政治事件。

東北人士的流亡意識在三方面表現得特別顯著：第一、他們對造成其流亡的原因——日本侵略，反應最為激烈，入關後，他們始終是反日急先鋒，也是國人眼中抗日之表徵。第二、他們對其團體和傳統的延續特別重視，一旦此一事項面臨威脅，反應往往過激。第三、東北人士所遭境遇與處世方面，本即與流亡所至各地有所差別，故其常難免有寄人籬下，有志難伸之感。以上三種心態時時反映在東北人士流亡生活之中，此乃本節所欲探討之重點。

近年來學界針對「九一八事變」的研究，十分豐碩，本節偏重不同，故不擬重述。要之，學者大致同意，此一事件之主要禍首蓋爲日本軍閥，而國民政府和東北當局亦當負相當的疏失之責，惟有東北老百姓是無辜受害者。東北人士踏上流亡旅程時之悲憤，實非未親歷其境者所能設想，一位當時的流亡學生回憶：

> 我是遼寧省人，……民國二十年九一八事變時，我剛跨過大學門檻十八天，馬上成了流亡學生，從車窗爬上免費火車前往平津，車過山海關時，我暗自發誓，我要參加收復東北工作，無論誰，只要領導我們打敗日本，收復東北，他就是要作皇帝我都擁護！自然，這種想法不免狹隘、幼稚，但我想當年這樣發誓的東北青年，絕不止我一人。（註二二）

東北人士本即以率直著稱，又遭此突變刺激，其日後流亡過程中，思想行爲漸趨極端激烈，實亦勢所難免。

當時流亡入關的東北人士可說各種身份者均有，包括軍政人員、教員、學生、農民、工人等等，以及他們的眷屬，不過一般農民和工人大多係於清末民初才移民至東三省，或只是季節性的由華北至東北討生活，故在山東或河北老家均尚有親朋好友，僅需將其遣返本籍，（註二三）善後工作即告完成。然而軍政人員和知識份子的情形則迥然不同，他們瞭解國內外情勢，懷抱個人理想和對國家的使命感，而更重要的是，他們還有深層的東北本土文化情結。因此本章對東北人士入關後流亡意識的發展，將著重在對這些人動態的探討。爲分析方便，茲將這些人士分爲社會人士（包括黨政和一般民間團體人員）、流亡學生、東北軍三大類，依時段分別加以敘述。

一、「九一八事變」至熱河失陷（民國二十年九月至二十二年三月）

政治立場而論，流亡入關初期的東北人士大致可分爲親中央和反中央兩派，二者各有其組織、財源、政治主張、盟友和民意基礎。反中央派（或可視爲東北主流派）以原東北人民團體領袖人物如——高崇民、杜重遠、閻寶航、盧廣績、王化一、車向忱等爲主，他們的事業和發展空間均在東北，倉惶入關後，先企圖去投靠當時尙執掌華北軍政大權的張學良，但此時的張氏正是生活最糜爛的時期，執意奉行「不抵抗原則」，並無出兵規復東北之意圖，僅設立「東北問題研究委員會」安插這些東北民間領袖，月支薪一百元，使無衣食匱乏之虞而已。（註二四）

在得不到張學良支持的情況下，這批原東北民間團體領袖於事變後的第十天，九月二十七日，聚集於北平舊刑部街奉天會館，決定自力成立一個東北流亡團體，並立時召開大會，推舉原瀋陽商會副會長盧廣績爲主席，會中決議成立「東北民衆抗日救國會」（簡稱「救國會」）。大會同時選出三十一位執行委員會委員，再由執委會選出九位常務委員，常務委員會下設三個組：總務組由金恩祺、盧廣績任正副組長，政治宣傳組由閻寶航、車向忱、李夢興任正副組長，軍事組由王化一、熊飛、彭振國任正副組長。（註二五）從「東北民衆抗日救國會」執委會成員觀之，當時的確並無黨派之分，大家全基於抗日救亡此一信念前提之下，團結在一起。

「救國會」成立之後，首先面臨到的困難便是經費問題。儘管「救國會」的負責人中頗有一些昔日大實業家和商會領袖，但倉惶入關後，已一無所有，而張學良最初並不贊成該會的設立，故亦不能要求其大力支援。因此「救國會」的負責人只得分頭向東北籍人士在華北任官者，或以往與東北素有淵源者募捐，結果所獲有限，歷程卻甚艱辛，使東北人士首度嚐到流亡過程中的人情冷暖。後張學良有鑑於東北各地蠭起的義勇軍紛紛至北平向他求援，而其又不便公開給予支持，於是便決定透過「救國會」予以援助，而指定北平市發行愛國獎券，每月開獎一次，月入約二、三萬元，全數撥交「救國會」，此經費即成該會最大且固定的一項財源。（註二六）

「救國會」在各項財源漸有著落後，便展開各項工作。一方面先從事撫輯流亡的工作，設立東北中學收容流亡中學生。東北大學亦在北平復校。並成立東北難民教養院，院內辦有手工廠、小學、幼兒園。另一方面，該會負責人士有鑑於中央政府和一般人民均未對日本侵略和東北淪陷寄予應有之關注，故採取各項積極措施，如發行《救國旬刊》、《覆巢月刊》、《東北通訊》等宣傳刊物，又由馮庸、高崇民、閻寶航等，率領一進京請願團，赴南京要求中央政府採取積極抗日政策，沿途並廣為宣傳，喚起民眾重視。（註二七）該請願團於十一月五日由北平至天津，共一千餘人，（註二八）再沿津浦路南下，七日，到達浦口，乘輪渡江轉車至上海，先後與汪兆銘和胡漢民會談，均不得要領。再於十日返回南京，次日，赴中央軍校晉見蔣中正，其他各地請願團亦趕到共同要求積極抗日，但仍無法改變政府既定政策，當東北請願團黯然過江反回浦口車站時，中央軍校二、三百名東北籍學生前往送行，論及時勢，「許多人落了淚，同感亡省亡家之痛」。（註二九）這時東北流亡意識裡，除了強烈仇日情緒外，又添入一些對中央政府的不信任感。

在促請中央積極抗日請願活動失敗後，「救國會」益發將不抗日之罪歸於中央，而與張學良關係日趨緊密，並在張氏暗中支助下，積極援助東北各路義勇軍抗敵行動和敵後各項破壞行動，極盛時期，「救國會」軍事組組織的義勇軍共計五十二路，人數估計達數十萬之多。（註三〇）直至民國二十二年熱河失陷，張學良下野前，以「救國會」爲中心的東北主流派始終在張氏掩護支助下，從事各種自力救濟工作，其對中央之猜忌與隔閡已逐漸產生。

至於親中央派的東北人士則以「東北反滿抗日協會」（簡稱「東北協會」）爲中心，其中尤以齊世英爲中心人物。齊氏自參與郭松齡倒戈事件，與張作霖父子有隙後，即入關與國民黨接觸，尤其與陳果夫、立夫兄弟關係密切，一般視爲所謂「CC派」東北系首腦。「九一八事變」後，齊氏在陳立夫協助下，聯合對張學良感到失望的臧啓芳、周天放、徐箴等東北籍人士，（註三一）並結合京滬各界有力人士在上海組成「東北協會」總會，並附設「北平分會」和「天津辦事處」，該協會理事包括各方人士，如外交方面的王正廷，財政方面的孔祥熙、張嘉璈，黨務方面的陳立夫，幫會方面的杜月笙，以及張學良的秘書長王樹翰和「救國會」派赴上海的杜重遠等人。（註三二）

「東北協會」的主要經費來源有二，一爲向海外華僑募款；一爲接受國民黨中央黨部秘密津貼。

而其工作內容，則與「救國會」相近，一面募集國內外抗日捐款，支助東北一切抗日組織；一面分別在北平和天津設立知行中學（後併入東北中山中學）及興華小學，收容流亡學生。此外並成立「同義救濟會」，聯絡津沽幫會人士，共同從事抗日工作。（註三三）「東北協會」因得黨部支持，其經費來源和組織發展較爲順利持久，但因所屬龐雜，包含各界人士，故其成員緊密程度似不及「救國會」，然並不能說親中央派人士皆爲派系野心份子，或其愛鄉心情遜於反中央派，只是他們不相信能在張學良領導下打回東北，而認爲中央的政策更爲切實可行。

另外，國民黨爲因應「九一八事變」後變局，特在北平成立「東北各省市黨務執行委員會委員辦事處」（簡稱「東北黨務辦事處」），此一機構雖名義上以張學良爲首，但實際負責人多爲「東北協會」成員，專門從事反滿抗日工作，實與「東北協會」互爲表裡，後「東北黨務辦事處」在日本逼迫下，奉命遷至南京，其關外工作便移交「東北協會」代辦。（註三四）

東北流亡學生方面，事變後大部分得到平津市政府的安排，分派至各校收容或借讀。（註三五）而東北流亡人士惟恐其傳統和抗日返鄉使命乏人承續，亦紛紛建立東北流亡學校，其中影響最鉅者爲東北大學、東北中學和東北中山中學三所。（註三六）由於各校創辦人士的政治立場不同，所以校風亦有異，學生的思想行爲自然也就有別。

張學良兼東北大學校長，所以「九一八事變」後，便假北平奉天會館收容學生，設東北大學辦事處，後借得北平南兵馬司稅務監督署爲校舍，便於同年十一月十八日復課，張氏並在順成王府接見抵平全體教授，每人發給現洋二百元，學生每人十元（註三七）。次年，張學良商得財政部長孔祥熙的同意，改東北大學爲國立，由中央補助經費，（註三八）但與昔日在瀋陽時財源豐富的情形相比，自遠不如昔。張學良爲東北大學校長，東大教員及優秀畢業生又多經其安排工作或出國深造，故大多數東大師生思想自較傾向東北主流派，其後在經費不足，學校發展受阻的情況下，對中央不滿情緒更日益滋長。

東北大學創校於流亡入關之前，有其傳統與特色，教師大多任教有年，包括各類人士；而大學生年事稍長，亦有其獨立判斷和見解，故東大雖帶東北主流派色彩，但師生的主張、立場並不完全一致。然東北中學和東北中山中學則截然不同，兩校分別由「救國會」和「東北協會」所辦，均成立於流亡時期，創校之時已派系立場分明。二者唯一相同之處，在於均反映流亡中的東北人士，希望將其傳統和使命延續下去。

東北中學由「救國會」於民國二十一年創校，校址爲北平市社會局西單皮庫胡同倉庫，分高、初中部，共十餘班。張學良自任董事長、校長，王卓然爲副董事長，董事王化一、杜重遠、高崇民、閻寶航、盧廣績等均爲「救國會」重要成員。學校經費由張學良和「救國會」籌措，後經爭取，獲得中央部份補助。（註三九）東北中學學生因「肩負打回老家去的使命，在課程上軍訓較其它學校多些，每周六小時，由東北軍派來了軍事教官，並發了一個營的槍枝彈藥，重武器有迫擊砲、輕重機關槍。東北中學在北平每年的軍訓比試都取得了第一名。」（註四〇）其校歌中更有「痛九一八之慘變，恣丑虜以侵凌。三千萬同胞沈淪浩劫，水深火熱相哀鳴。悵望故鄉，滿腔熱血如潮湧」（註四一）等辭句，流亡意識流露無遺。東北中學既由「救國會」所辦，又有東北軍教官任教，其親東北主流派之立場，不言可喻。

東北中山中學則由齊世英、臧啓芳、高惜冰等「東北協會」重要成員所創辦，最初籌措經費困難，向汪兆銘主持的行政院申請時，曾被視爲「請願者皆係反對張學良者，乃烏合之衆」，（註四二）後經二陳兄弟從旁協助，由行政院撥給五萬元開辦費，終於民國二十三年在北平建校。東北中山中學學生亦因「大家志在復仇，收復失地。而收復失地終須一戰，所以注重軍訓」。（註四三）同時校歌中也有「唯楚有士，雖三戶兮，秦以亡。我來自北兮，回北方」（註四四）之悲痛勵志文句。不過，因東北中山中學爲親中央東北人士所辦，故校歌中又有「以三民主義爲歸向」之句，可見該校之立場不同於東北中學。東北中山中學成立後，除使親中央派的主張得以延續至下一代，同時也使一些親中央的東北知識份子，如李錫恩、董文琦、徐箴等暫在華北得一棲身之地。（註四五）

東北軍方面，其精銳部隊大多在民國十九年「中原大戰」期間，隨張學良入關，「九一八事變」後，其他部隊亦在「不抵抗原則」下，陸續入關。而此時的張學良仍以陸海空軍副司令之職，支配華北地區，部分原西北軍和晉軍的殘部，均歸其節制。民國二十年十二月，張氏引咎請辭陸海空軍副司令一職，但隨即改任北平綏靖公署主任，仍掌握華北軍政實權。次年八月，張學良因與汪兆銘不合，請辭北平綏靖公署主任，中央有鑑於張氏實力，另設北平軍事委員會分會，由蔣中正兼任委員長，仍

請張學良代理委員長，權責不變。（註四六）

民國二十一年十二月，張學良將「九一八事變」後留駐華北之東北部隊整編為六個軍：第五十一軍（軍長于學忠），第五十三軍（萬福麟），第五十七軍（何柱國），第五十五軍（湯玉麟），第六十三軍（馮占海），第六十七軍（王以哲）。（註四七）其中萬福麟和湯玉麟係張作霖之老部屬；于學忠原係吳佩孚部，後投靠奉系；何柱國為廣西人，但始終在東北軍中發展；馮占海所屬為「九一八事變」後由吉林撤出部隊編成；王以哲則為張學良親信，所屬亦為張之嫡系部隊。此時之東北軍實力幾乎不遜於九一八事變前，但因喪失東北，財源受損，被迫領打折的「國難餉」（註四八），而且又蒙不抵抗之恥，故士氣已逐漸低落，端賴張學良個人權威維繫全軍之安定。

二、熱河失陷至「二二事件」（民國二十二年三月至二十六年二月）

民國二十二年二月下旬，日軍分三路進攻熱河，湯玉麟軍竟不戰而失承德，出援的東北軍亦不堪一擊，紛紛撤回長城以南，三月十日，張學良通電下野，中央另派何應欽代理北平軍事委員會委員長，東北軍歸中央直接指揮。張學良的毅然交出兵權，出洋考察，固然頗獲各界好評，但對流亡的東北人士，不異又是一次沈重打擊。九一八事變後雖已失東北，但他們尚可依庇於主控華北的張學良，張氏下野後，隨著華北局勢的日益惡化，這些東北人士遭遇到更多的挫折和苦難。

張學良離開華北後，「救國會」立刻受到影響，愛國獎券被華北行政委員會勒令停辦，該會財源斷絕，苦撐至是年秋季，不得不解散。另由「救國會」的常委們組成「復東會」，閻寶航任主任，高崇民任秘書長，繼續秘密從事抗日活動。（註四九）高崇民並於同年在北平發表《三民主義的眞諦》和《東北魂》兩本小冊子，譴責中央的退縮行爲，並呼籲積極抗日，早日收復東北。（註五〇）東北主流派人士的態度，在逆境中，愈趨激進。

民國二十二年至民國二十三年，對東北主流派之發展而言，是一相當關鍵的時期。從「救國會」縮編成「復東會」（暗喩恢復東北之意），使得此團體組織更緊密，意志更集中；而關懷範圍也從全國縮小至東北一區；此外因對東北義勇軍支援工作的停止，使「復東會」的工作漸轉至思想層面的鬥爭。而被東北主流派奉爲領袖的張學良，在此一時期思想上也經歷一急驟之轉變。以張學良當時的年齡、個性、以及遭遇而論，其在短短一年中，由極端腐化、頽廢轉變成精力旺盛，力圖振作，並不是十分値得驚訝的事。因此當民國二十三年，張學良歐遊歸來後，其所持的激進意識型態，與「復東會」成員們的心態十分接近，故二者很快的便又結合在一起。

當民國二十三年春，張學良返抵上海時，「復東會」重要成員前往探望，張學良百感交集的說「我回國時，有人到新加坡接我，有人到香港接我，從香港到上海的船上，這些舊相知仍如「九一八事變」前那樣狂歡豪賭。竟然沒想到今天東北領土喪失，國破家亡之恨，我眞感到有些失望。」（註五一）此時的張氏，與「九一八事變」後，東北人士流亡入關之初，前往拜訪的張學良，可謂判若兩人。可是儘管此時張氏與「復東會」成員在激進抗日心態上一致，但在方法上卻主張不一。

張學良在留歐期間，對主張極端的義大利法西斯黨和德國國社黨留下深刻印象，認爲中國若要快速强盛起來，可模仿二黨之組織和行動。但張氏自認聲望不夠，且獨力無法有效抗日，故主張擁蔣中正爲領袖，效法法西斯、納粹方式建國、强國；而「復東會」成員，對蔣氏長期主張「攘外必先安內」政策感到疑慮，後在張學良極力勸說下方妥協。

張氏自返國接任「豫、鄂、皖三省勦匪副總司令」一職，成爲華中地區實際上最高長官後，更積極企圖組成法西斯式的小組織，蔣中正對如此極端的建議略持保留態度，最後應允由構成張氏主要政治幹部的「復東會」成員，與以黃埔學生爲主的國民黨少壯派「三民主義力行社」（簡稱「力行社」）重要成員，合組一「四維學會」，名爲「四維」之因，在於蔣氏希望此一組織之活動仍應限制於中國固有文化領域內，以免產如法西斯和納粹黨的過激行爲。（註五二）約在民國二十三年五月間，「四維學會」在武昌三省勦匪總部正式成立，成員包括「復東會」方面的王卓然、王化一、王以哲、何柱國、高崇民、閻寶航、黎天才等；以及「力行社」方面的劉健群、鄧文儀、邱開基、戴笠、干國勳、丁炳權、趙龍文、韓文煥等人。並請蔣中正任會長，張學良副之。

儘管「四維學會」中的兩個次團體有一些相同的目標，但卻有兩項難以克服的障礙。其一爲領袖問題，法西斯式團體必須有一位大家都絕對服從的領袖人物，以蔣中正一貫對黃埔學生的提攜照顧，「力行社」份子自然對之絕對信仰，可是「復東會」份子則長期以來對蔣抗日態度感到不滿。因此當劉健群、鄧文儀等引領「復東會」份子赴廬山晉見蔣中正途中，賀衷寒便與高崇民就領袖問題發生激辯，賀主張服從領袖需是無條件的，而高則辯稱：「只有自己父母，是生來不變也無法改變，至於政治領袖，應該有條件。譬如領袖抗日，我們應服從。如不抗日，我們當然可以另行考慮，不只是盲目的服從。」（註五三）可見「復東會」份子對蔣中正的不信任，因而主張對領袖的服從是有條件的，而這惟一的條件便是必須積極抗日。賀、高二人的爭辯雖經眾人的勸解而平息，但爭論的關鍵問題，卻始終未能完全解決。

另一更大的困難是，當時無論「力行社」或「復東會」份子，對法西斯主義眞正的內涵並無深入的瞭解，事實上他們也無意完全推行法西斯的各項政策，他們所嚮往的只是使國家富強起來而已。不過，「力行社」份子是國民黨的少壯派，就其改造國民黨和國家的理想而言，時間是對其有利的，而且在「四維學會」組成前，「力行社」已透過「革命軍人同志會」、「革命青年同志會」、「復興社」等外圍組織，推行了兩年的改造國家運動，頗有些成果。而「復東會」份子則在前兩年裡，飽受流離失所之苦，面對日漸衰微的流亡團體和力量，只想早日強國，抗日和返鄉。因此「復東會」份子的激進，與「力行社」份子的緩進，彼此不能相容，更無法合作共進，最後「四維學會」成員根本無法透過協商取得共識，終而無形終止。東北主流派與中央取得和諧團結的最佳時機，從此失去，進而走向更激烈的反中央之途。一位「四維學會」中的「力行社」份子認爲「後來西安事變，多少可能與『四維學會』終止有關」。（註五四）

「四維學會」瓦解後，東北主流派的幾位重要人物漸轉赴京、滬一帶。上海一向環境複雜，共產黨地下工作人員活動頻繁。杜重遠自「九一八事變」發生，被「救國會」派赴上海後，更與當地中間和左傾人士接近，並創辦《新生周刊》，後因該刊登載〈閑話皇帝〉一文，語涉日本天皇，遭日本領事館抗議，杜因而於民國二十四年十月，被上海法院判刑一年兩個月，至翌年九月方得出獄。（註五五）

民國二十四年，高崇民流落至上海，此時高「思想已苦悶到極點。爲了抗日，各種辦法都試過了，但都失敗了。……眞是感到前途渺茫，山窮水盡了。」（註五六）透過杜重遠的中介，高結識中共地下黨員宋克農（即孫達生），此是高第一次眞正接觸到共黨極端理論，發生相當的好感，不過最有興趣的仍是共黨積極抗日的主張。自一九三五年（民國二十四年）七月，共產國際受到德國納粹黨興起的威脅，決定令各國共黨與其他黨派組成統一戰線，以扼阻極右勢力發展後，同年八月，中共爲求自救亦發表「八一宣言」呼籲組成抗日民族統一戰線。高崇民在屢圖結合各方力量積極抗日挫敗後，此番初聞相同主張，便「決心跟共產黨走定了，就毅然決然地撕毀了國民黨黨證」。（註五七）

閻寶航在「四維學會」組成時晉見蔣中正，因表現沈穩，深獲賞識，被派至「新生活運動總會」工作，隱然成爲中央與東北主流派的聯絡人。閻氏此時期雖家住南京，但亦常赴上海與高、杜二人會商國事。民國二十四年底，盧廣績亦由海外返國，暫居上海。這些旅滬的東北主流人士雖無一正式組織，但往來密切，且已受中共的抗日民族統一戰線宣傳所影響，並與共黨份子直接接觸。

民國二十四年十月二日，張學良就任西北剿匪副總司令。同月，高崇民即代表旅居京滬東北主流人士，在共黨份子協助下，由上海經平津赴西安。高於十一月抵西安後，除面見張學良，力勸其放棄執行剿共政策外，又運動東北軍將領，及扮演張學良與楊虎城聯絡人角色。（註五八）至次年四月，高因編著《活路》一書，主張聯共抗日，反對「攘外必先安內」政策，在東北軍中廣為流傳，而被中央通緝，不得已逃往天津。但同年八月，在張、楊安排下，高再度潛返西安，同月，盧廣績亦應張學良電召赴西安，出任西北剿匪總部第四處處長。「西安事變」發生的次日（十二月十三日），張學良便下令成立一「設計委員會」，負責處理政治事務，高崇民、盧廣績均為成員，高並任主任。「設計委員會」，初成立的四、五天，每天開會，午、晚兩餐且在金家巷張學良私邸進餐，對處理蔣中正問題，以及組織聯合政府問題，討論十分熱烈。（註五九）但隨著張學良與中央協調大員關係之改善，「設計委員會」的影響力逐漸減弱，十二月二十三日，該會決議要求張學良在取得具體保證後才可釋蔣，為張氏所拒。（註六〇）二十五日，張學良陪同蔣中正離開西安後，高崇民為營救張學良，不主張與中央軍開仗，因而不為楊虎城所容，而投奔駐紮渭南的東北軍劉多荃部。（註六一）

高崇民離開西安，東北團體的政治事務便落入東北主流派中的少壯派掌握之中，其中尤以「抗日同志會」的書記應德田為中心人物。（註六二）「抗日同志會」是張學良在西安事變前，所組成的小組織，由張學良任會長，成員均為張氏新近提拔起來的一批少壯派，包括秘書應德田、苗劍秋，特務團團長孫銘久，手槍營營長商同昌等人。（註六三）這批人對張學良絕對信仰、效忠，（註六四）而且深知其驟起之身價地位，全仰賴張之提拔，其返東北之願望，亦全寄於張之領導，若張氏不存在，則一切將歸烏有。因此彼等乃發動「二二事件」，刺殺當時東北軍中心人物王以哲，王因為陳誠保定軍校同期同學，當時對與中央和戰問題又態度曖昧，故遭少壯派猜忌而被刺殺。「二二事件」後，東北軍分裂，應德田、孫銘久、苗劍秋三人逃往共區。

民國二十二年張學良出國後，親中央東北人士認為是爭取東北流亡人心之最佳時機，於是身在華北的梅公任、徐箴等「前後組織並參加九一八周刊社，東北青年力行團，及東北青年學社」，（註六五）此外東北軍中亦開始設立「政訓處」，實施思想教育，由中央所派任之處長，亦皆為「東北協會」和「東北黨務辦事處」有關人士。不過，儘管張學良離開華北後，使東北反中央派人士一時群龍無首，陷於徬徨無依狀態，但隨著華北局勢惡化，中央在該地區影響受日人抵制，中共乃趁機滲入活動，因此東北親中央人士的活動，反受到更有力的挑戰。（有關學運、兵運活動詳後。）

而正值親中央東北人士積極展開爭取人心工作時，其中卻有些重要人士於此際被二陳兄弟借調至政府行政部門工作。民國二十三年春，時任江蘇省主席的陳果夫，派臧啓芳為鹽城區專員，王德溥為淮陰區專員，邵漢元為徐州區專員。此外，周天放被派任湖北省教育廳長，徐箴出任北平市電話局長。雖云二陳之意是為將來收復東北「預做生聚訓練儲備故也」，（註六六）但卻使這些親中央東北幹才致力一般行政事務，此對「東北協會」在華北的爭取人心之工作有負面的影響。

民國二十三年，張學良返國後，主持豫鄂皖三省剿共事宜，與中央關係改善，亟欲整合東北流亡力量，共同抗日，中央亦樂見其成，故張學良特邀齊世英赴鄂溝通，三日之間，二人多次傾談，然派系成見仍無法消除。齊世英並曾與郭松齡胞弟大鳴向蔣中正指控張學良種種不當措施。（註六七）張學良對東北流亡力量的整合失敗，及親中央東北人士的挑撥其與中央之關係，始終梗梗於懷。此亦爲「西安事變」的遠因之一。

「西安事變」爆發後，親中央東北人士立刻發動救援委員長行動。曾任漢口市黨部常委，長期指導東北軍黨政工作的梅公任，立刻向中央推薦曾任第五十一軍及五十三軍政訓處長的栗直、曹德宣，及曾任第一一三師政訓主任的李仲華等人，潛入潼關，與王以哲等人取得聯繫，力保委員長安全。（註六八）另一方面，齊世英亦發動在南京的中央大學、中央政校、金陵大學、中央陸軍軍官學校、中央砲兵學校內東北籍學生聯合簽名運動，通電西安，要求釋放委員長。（註六九）但由於親中央東北人士在事先不能有效防範「西安事變」的發生，事後救援的影響力又十分微弱觀之，其在東北流亡人士中，始終是扮演著非主流的角色，派系意識太重實爲其發展之最大弱點。

流亡學生方面，自張學良出國後，東北大學由秘書長王卓然暫代校務。「東北協會」成員梅公任、曹德宣等組成「東北青年學社」、「東北行健學會」、「中華青年力行團」等組織，吸收東北流亡大、中學生。東大學生王大任、王長璽、關大成、王淑蓮等人，分任社團幹部。另一方面，中共也在東大發展組織，其中尤以參加過義勇軍而後復學的部分左傾學生最爲活躍。（註七十）不過，直至民國二十四年「一二、九學運」之前，東大學生中的眞正共產黨員爲數極爲有限。（註七一）

中共自發表「八一宣言」後，便積極展開對華北各大學的宣傳工作，其「聯合抗日」口號，對東北籍學生尤具吸引力。而此時日人又正傾力扶植冀東自治組織，使之脫離中央，成爲日本之附庸，於是乃激起「一二、九學運」。參加此次學運的學生大多均動機純良，一心爲愛國抗日，參與的學校亦僅有東大、北大、清大等少數幾所學校，但因北平政府當局採高壓政策，多名學生被捕，其中尤以東大十二人爲最多。（註七二）繼而乃有「一二、一六學運」幾乎北平各校均有學生參加。中共亦趁機介入，從中操縱，其後並成立「中華民族解放先鋒隊」（簡稱「民先隊」）之共黨外圍組織，大量吸收青年學生。

因東大學生在「一二、九」和「一二、一六」兩次學運中表現激進，故事後軍警仍時常至校中調查搜捕學生，如此使學生們產生強烈反感，參加或同情共黨的人數激增。民國二十五年春季，東大學生宋黎、馬紹周等人赴西安請願抗日，其中宋黎爲共產黨員，馬紹周尚爲外圍份子，結果馬被「中統局」工作人員逮捕，張學良因兼東大校長，負有照顧學生之責，在溝通不得要領後，乃下令搜查國民黨省黨部，造成與中央的磨擦。（註七三）同年夏季，張學良在西安成立「抗日學兵隊」，大批親共東大學生前往入伍。（註七四）同年十二月九日，西安各校學生紀念「一二、九」，數千人遊行請願，以東大學生先行，西安警察局長馬志超顧慮冒犯張學良，故不敢斷然處置，而向上級請示，張學良親赴灞橋與學生對話，示威行動固被勸止，但對張學良下定發動「西安事變」之決心頗有影響。（註七五）「一二二事件」結束後，一些東大赴西安的學生，投向共黨。

東北中學自張學良離開北平後，處境亦日益困難。及至張學良返國，坐鎮武漢時，便將東北中學遷至鄂、豫間的雞公山，借用山上靳雲鶚大樓和湖北雞公山管理局的華中避暑山莊爲課堂和宿舍。（註七六）東北中學尙在華北時期，「CC派」的對學生工作組織已吸收一些東中學生；民國二十五年春，教育部通令全國高中一年級學生要集訓。於是東中七、八班去開封受訓時，部分學生又爲「力行社」的外圍組織「復興社」所吸收；同年暑期，中共的外圍組織「民先隊」也打入東中，於是東北中學中的明爭暗鬥乃無止息。因東中本帶有的東北主流色彩，及國家環境中抗日聲浪越來越盛，更激起東北學生的流亡傷痛，所以東中的左傾學生勢力日益增長，終而引起「蕭家港事件」，校長王化一開除十一名左傾學生，引發學生罷課，並向張學良請願要求改革校務。張學良不得已，免王化一職，自兼校長，又派孫恩元代理校長職務，但校中派系之爭仍無法完全平服。（註七七）「西安事變」發生後，河南省主席劉峙，乃多次派兵至東中搜捕左傾學生，一些「民先隊」學生因身份暴露遂不得不離校逃亡。（註七八）

民國二十三、四年間，正是以「CC派」爲主的「東北協會」致力爭取在平東北流亡學生之時，但因華北情勢惡化，抗日呼聲日高，共黨份子亦得以打入「東北協會」成員所創辦的東北中山中學。當時中山中學「很有幾名共黨職業學生，其中爲首者爲姜紹禹、趙培榮……等人。他們年齡大，涉世深，論年齡幾與某些老師相埒」。（註七九）後趙培榮雖因被查出私藏共黨宣傳資料，而被開除，但已有一些學生受其影響而左傾，後並在趙的領導下，從事地下工作，（註八十）可見在中共抗日口號與學生流亡情緒結合後，即使長期接受擁護中央教育的學生，亦很難不受影響。民國二十五年十一月

，中山中學南遷至南京中華門外板橋鎮。不久，又發生學生反對參加軍訓抗爭，後經校方多方疏導，方得以平服。（註八一）

東北軍方面，自張學良下野出國後，軍紀大不如前，河北省民抱怨甚多。（註八二）而軍中對中央不滿情緒更甚高張，中央派至東北軍宣導的華北宣傳總隊長劉健群回憶道：

我率領華北宣傳總隊到北平時候，恰逢張漢卿先生去國外考察。東北軍內，牢騷甚多。日本人又多方造謠挑撥，有許多對中央的言語文字，超出了常情想像之外。（註八三）

因此中央乃在東北各軍、師中分設政訓處長、主任，試圖加强思想教育。當時所派之人均為親中央東北籍人士，其中又以「CC派」為主。民國二十二年七月，經由陳果夫推薦，王德溥被任命為第五十一軍政治訓練處長，（註八四）隨後馬愚忱任第五十三軍政訓處長，（註八五）開始黨化東北軍工作。不過，東北軍究竟與張學良有深厚淵源，因此張學良歐遊歸國後，很快的便又完全掌握住全軍。

張氏出任豫鄂皖三省剿匪副總司令後，王以哲之第六十七軍，何柱國之第五十七軍，劉多荃之一〇五師（戰力約相當一個軍）隨之調赴華中剿共，其與中共紅二十五軍交戰雖不甚順利，但中共隨即逃往陝北，故未有大規模會戰。民國二十四年六月，于學忠調任陝甘邊區剿匪總司令。八月下旬，王以哲六十七軍，何柱國騎兵軍，董英斌五十七軍，劉多荃一〇五師，先後自豫鄂皖冀開往陝甘，九月，張學良出任西北剿總副總司令。

東北軍到達西北後，隨著局勢的發展，流亡意識中的三種主要情結均流露出來。首先軍人覺得越來離家鄉越遠，作戰對象也從日本轉爲同是中國人的共軍，士氣大爲低落。中共趁機大宣傳，軍中流傳共產黨員張寒暉所作的歌「流亡三步曲」，歌詞中有云：「我的家在東北松花江上，那裡有我的同胞，還有那衰老的爹娘。九一八，九一八，在那悲慘的時候，離開了我的家鄉，拋棄那無盡的寶藏，流浪流浪，整日價在關內流浪，那年那月才能回到我那可愛的故鄉，……」（註八六）中共「聯共抗日」的主張，更激發了東北軍抗日情緒，及對中央的不滿。

其次，東北軍因領「國難餉」，早已憤憤不平，及至西北，經濟環境更形惡劣，故入關後覺得處處受歧視排擠的情緒更爲增漲。第五十七軍軍長繆澂流便曾對中央派至西北剿總任參謀長的晏道剛抱怨：「中央對東北軍太不公平，你看胡宗南軍隊是雙人雙餉，我們則是糧餉不夠，兵也不補，到處流離，還要我們打內戰。」（註八七）王以哲也在一次宴會上，佯裝醉態，對晏道剛說：「我們的老家在東北，……我們從東北到華北、華中，這次又到了西北，輾轉數千里，無非是想實現打回老家這一願望。誰想到陝西打仗，損失得不到補充，犧牲的官兵和家屬得不到撫恤，……流落在西安，一點救濟辦法都沒有。」言至傷心處，痛哭失聲。（註八八）

最後，最直接的打擊是東北軍在陝北剿共遭到一連串挫敗。民國二十四年十月初，一一〇師遭伏擊，師長何立中陣亡。下旬，一〇七師之六一九團遭夜襲，團長高福源被俘。十一月下旬，一〇九師被全殲，師長牛元峰自戕；同時一〇六師亦有一團被殲。（註八九）而更嚴重的是中央不願補充這些損失，使流亡中的東北人最害怕的事——流亡力量的逐漸消耗殆盡——成爲事實。東北人士自入關後，一直竭力試圖維持軍力和傳統，以便打回東北，重建家園，但如今卻似乎是與此目標背道而馳，更加懷疑中央是欲消滅東北流亡勢力。此際，非但軍中普遍怨懟，即連張學良本人的剿共決心也動搖了。中共趁機釋回被俘並遭洗腦之高福源，遊說王以哲及張學良，於是東北軍之剿共行動實際上已完全停頓。

臨「西安事變」發生之前，因爲東北軍均駐防西安外圍地區（西安城屬楊虎城軍防區），而且高級軍官尙不夠激進，故張學良刻意提拔一些隨身少壯軍官，其中以孫銘久爲中心，張除任命孫爲特務團長外，又兼「抗日同志會」行動部長，發動「西安事變」時張學良主要便是靠孫銘久所率領的這一支兵力。及至張學良陪同蔣中正赴南京後不久，孫銘久、應德田等「抗日同志會」成員，便發動「二二事件」，槍殺一些身在西安且被懷疑與中央勾結的高級軍官，此舉澈底破壞了東北軍之團結，其後群龍無首，四分五裂的東北軍只有接受中央調遣，分割使用。

三、「二二事件」至抗戰勝利（民國二十六年二月至三十四年八月）

從「西安事變」至「二二事件」，東北主流派力量受到極大的打擊，而其過激主張所造成之惡果，也使多數東北流亡人士對之無法再信賴，故其已不能再被視爲主流派，且高崇民、閻寶航等人，自「西安事變」以後，與中共益發接近，視之爲左派，可能最爲恰當。另一面，「西安事變」後，東北老派人物莫德惠、劉哲、劉尙清等又重新復出，收拾殘局，領導一些年輕、溫和的東北流亡人士，形成一穩健中間派。而以「東北協會」、「東北黨務辦事處」為中心東北親中央派，仍保持一貫態度，相應於以上兩派，可視為右派。以下為敘述、分析方便，便就左、中、右三派之分，追溯此時段東北人士流亡意識之演變。

民二十六年六月，左派東北人士，在周恩來指導下，成立「東北抗日救亡總會」（簡稱為「東總」），以高崇民、閻寶航、車向忱、杜重遠、盧廣績等人為主席團，栗又文為秘書長，于毅夫主編「東總」機關刊物《反攻半月刊》。（註九十）「七七事變」爆發後，「東總」又組織「戰地服務團」，宣傳抗日民族統一戰線政策，向延安輸送青年學生。（註九一）高崇民並將其獨子高存信送往延安，閻寶航的四個年長子女明詩、明英、大新、明智也都先後奔赴延安。

北平失陷後，高崇民先到濟南建立東北救亡總會山東分會，又赴山西建立山西分會。民國二十七年，又建立陝西分會，一面接受中共指導，進行抗日宣傳；一面向延安輸送青年學生。高並於此時向中共提出入黨申請，但經陳雲勸說，未辦正式入黨手續。（註九二）而閻寶航則已於民國二十六年九月，秘密加入共產黨。（註九三）並以其委員長行營少將參議、軍委會政治部戰地黨政設計委員等身份，為共黨蒐集情報，並掩護其地下工作人員。此時的「東總」已是十足的共黨外圍組織，而左派東北人士也已全面倒向中共。民國二十八年，政府分別查封「東總」西安和成都兩分會，遂只剩下重慶總會。民國三十年「新四軍事件」之後，政府的反共政策更為强硬，「東總」重要成員，重慶大學教師徐仲航，中法比瑞文化協會秘書李羽軍等人均被捕。（註九四）

民國三十一年，政府爲統一東北流亡組織，成立「東北四省抗敵協會」，勒令所有東北流亡團體一律加入。「東總」雖拒絕加入，但已不能合法存在，工作人員相繼另謀生路。只有《反攻半月刊》的註冊尚未被吊銷，由高崇民等少數人勉强維持，與有「閻家老店」之稱的閻寶航公館，形成兩個僅有的東北左派人士的據點。直至抗戰勝利前幾個月，高崇民、閻寶航、陳先舟、金錫如等人，才在周恩來指導下，秘密組成「東北民主政治協會」，準備勝利後重建東北事宜。綜觀「二二事件」至抗戰勝利期間，左派東北人士已將原寄於張學良和東北軍的抗日返鄉之期望，轉託於周恩來和共軍，因此甘爲中共利用，甚至將下一代也送往延安，冀其在中共率領下打回東北。

經過「西安事變」和「二二事件」激變後，流亡東北人士痛定思痛，對過激行爲普遍感到厭惡，再加上不久「七七事變」即爆發，半壁江山轉瞬淪陷，華北、華中許多人士，也加入流亡行列，東北人士的流亡痛苦，如今有更多同胞來共同承當，也使東北人士的那種受排擠、歧視的流亡心態逐漸緩和。由於這些變化，溫和的中間派人士漸嶄露頭角。溫和勢力初次出現，是在「西安事變」善後安排時，老派人士莫德惠、劉哲、劉尙清等被邀請出面調解中央與東北軍之緊張關係，最後達成協議，由于學忠任江蘇綏靖公署主任、劉尙清任安徽省政府主席，以安置東北軍政人員，駐陝、甘的東北軍，則移調蘇、皖整訓。（註九五）

抗戰期間，莫德惠、劉哲均被遴選爲國民參政會參政員，劉尙清也於民國三十年出任監察院副院長。當時上述老派人物及東北軍界大老萬福麟、鄒作華等，均寄居重慶南山一帶，年輕東北中堅人士，亦或居南山，或常赴南山向大老們請益，使南山成爲抗戰期間東北流亡文化的重心，亦使「這群曾從黑龍江、松花江、遼河流亡起，奔波輾轉，渡過黃河，又重聚在幾至長江的源頭，不無『同是天涯淪落人』的慰藉」，而「老祖宗昔年從關內向關外逃荒墾殖所遺熱情，也都一古腦帶到南山。」（註九六）

民國三十一年秋，政府有鑑於左派東北人士團體傾向共黨，而右派人士則人事糾紛不斷，故解散所有東北流亡組織，由中央從東北人士中遴選百餘名，另組「東北四省抗敵協會」，統籌一切東北抗敵救亡事務，並發行《東北前鋒》爲宣傳刊物。該會所選出的常務理事和幹事「多係較少派系色彩或早已脫離『東北協會』者」，（註九七）可說是一以中間溫和派爲主導的組合。

東北軍從「二二事件」至抗戰勝利期間，除萬毅、呂正操等部投共外，大致均接受中央指揮，但亦或多或少保留一些地方色彩，總體而言，其政治立場與中間派東北人士接近。東北軍自張學良離開和發生「二二事件」後，已不能自成體系，部隊由中央調遣，被分割使用，尤其是當民國三十二年，于學忠奉調軍委會參議院副院長後，魯蘇戰區撤消，原西北剿總所遺留下的參謀幕僚人員解散，自此東北軍即無軍以上的指揮機構。（註九八）

抗戰期間，東北軍在歷次戰役中損失消耗甚大，而其中尤其又以「俘虜葉挺之功不彰」一事，對東北人士的流亡意識的影響最爲深遠。民國三十年元月，中央決定對時在皖南發展的共黨新四軍實施包圍，由原東北軍精銳之第六十七軍於淞滬戰役後縮編成的第一〇八師，亦參與圍擊。同月六日，戰事爆發，至十二日，新四軍主力已被困山區，戰力日消，該軍軍長葉挺有鑑於東北軍於西安事變前後與共黨友善，乃派時在該軍主管宣傳的林植扶和一張姓上校，至一〇八師六四四團談和，但雙方未能達成協議。十四日，新四軍分兩股突圍，副軍長項英向西北屬川軍系統之第一一四師正面突圍；葉挺則向北方之一〇八師（實僅有六四四團）正面突圍，葉於突圍不成後爲六四四團所俘。但該團將葉挺上送後，其戰功竟爲上級所湮沒，而國軍戰史中對生俘葉挺一事始終記載不清，諱莫如深，甚至在參戰部隊序列表中亦漏列一〇八師番號。固然葉挺當時是有意選擇非中央嫡系的六四四團投降，但中央對該團之功實不應也不必抹殺，此舉使東北人士覺得受排擠、歧視的危機意識更爲加深，該團團長李世鏡曾引張學良《反省錄》中所云之「誤長官，害朋友，毀部屬，莫此爲甚」來說明「西安事變」後東北軍所受的不平待遇。（註九九）

「西安事變」和「二二事件」發生後，本是右派東北人士活動發展的最好時機，此時非但全國民眾和東北流亡人士均對原東北主流派人士過激行徑不滿，中央也有意支持以「東北協會」爲中心的右派人士主導整個東北流亡勢力，但因派系意識過濃，視野格局太狹，右派人士終坐失此一良機。

「二二事件」後不久，「東北協會」重要成員臧啓芳便奉派接掌東北大學，但在秘書長周鯨文和工學院院長金錫如領導下，東大學生組成護校隊，堅拒臧啓芳的接收行動，（註一〇〇）校內部分支持接收的學生如王大任、張國維、王長璽等人均被毆傷，左、右兩派學生鬥爭激烈。（註一〇一）臧啓芳向西北軍系掌握的北平市社會局要求協助接收，亦得不到積極回應，只得暫借開封河南大學設立

「東北大學臨時辦事處」，一方面請教育部停發在北平的東北大學經費，東北師生在經費無著落情況下，除一部分左派人士奔赴延安外，大多赴開封入學。抗戰期間，東大由西安再遷至四川三台，臧啓芳始終任校長，學生們雖逐漸傾向中間溫和立場，但仍偶有罷課等事件發生，直至勝利後再遷回瀋陽。

與東北大學同屬原主流派的東北中學也遭到相類似命運，民國二十六年七月間，時任湖北省教育廳長的右派東北重要人物周天放「聲稱東北中學內部情況複雜，仿整理東北軍例，派『整理組』去校，並派趙雨時為該校校長」。（註一〇二）趙也相同的受到東中師生抵制，迫不得已只得一方面斷絕其經費來源；一方面另設校址，方得勉強接收，惟東北中學在抗戰期間卻始終不得安定，學運頻繁，齊世英至晚年猶認為，接收東中「是一個錯誤，是我的失敗。」（註一〇三）

另一方面，抗日戰起，「東北協會」與「東北黨務辦事處」均從而可展開公開抗日工作，但因擴充過速，而國民黨中央對東北地下工作又採複線領導方式，各系統之間頗有隔閡，終而爆發民國二十九年「東北協會」幹事王榮濤與東北黨務特派員馬文煥勾結出賣同志，以換取情報事件。（註一〇四）此事件對「東北協會」和「東北黨務辦事處」打擊甚大。其後國民黨組織部長朱家驊另派羅大愚等人至東北發展地下組織，與「東北黨務辦事處」分頭工作；而「東北協會」也因「東北四省建設協會」之成立，而奉令結束，該會部分成員甚至一度難以維持生計。（註一〇五）

綜觀東北人士自「九一八事變」至抗戰勝利期間流亡意識之發展過程，可謂起初是越來越強烈，終而激出「西安事變」與「二二八事件」，其後中間溫和派人士雖漸露頭角，但整體而言，東北流亡勢力已大不如前，尤其是左、右兩派，更是頻陷困境，無怪乎勝利後接收東北時，流亡關內的東北人士只能扮演次要角色。

第三節　勝利接收與第二次流亡（民國三十四年——）

雖說抗戰勝利後，政府隨即展開接收東北的工作，但對許多東北人士而言，流亡的生涯始終未曾結束過，因爲日本投降後，整個東北立刻全陷於俄人之控制，後又將部分地區轉交給前往接收的中共軍隊。即使在國軍軍事接收的全盛時期，新制九省中，也只能有效的控制遼寧、遼北、安東、吉林四省而已，且此四省尙有部分地區有共軍出沒，而其他五省省政府只能寄居於哈爾濱、長春二市，等待無法實現的接收，中央政府力量既從未能進入松花江以北廣大地區，因此在國軍接收初期，便有大批學生和民衆湧入松花江以南國軍防區，國民政府行憲後民意代表之選舉，亦有不少地區代表是流亡民衆所選出來的。故就長期整體形勢而言，東北人士的流亡悲歌始終並未譜上最後的休止符。

自「九一八事變」後，流亡入關的東北人士，因不同理想、看法，發展出各種不同派系；而在東北現地抗敵人士，因抗戰期間中央對東北地下情報人員採複線領導方式，故亦是各有統屬，彼此甚至相互不知是同志。再加上勝利後中央派赴東北的接收大員，又多非東北籍人士，故勝利後的東北一時給人派系林立、接收工作混亂的印象。茲爲便於分析，將此一時期重要人物分中央接收人員、返鄉東北人士和東北現地人士三類，再依時段加以敘述。

一、民國三十四年八月至三十五年六月

此一時期國軍接收順利，直抵松花江畔，文職人員也隨後完成遼寧、遼北、吉林、安東四省部分地區之政治、經濟接收。中央方面，自始即不願光復後的東北再回到九一八事變以前的半獨立狀態，因此於抗戰末期，便在中央設計局中設台灣、東北兩委員會，研究戰後復興建設事項，分由陳儀和沈鴻烈主持，而最高實際負責人則爲設計局秘書長熊式輝。（註一〇六）抗戰勝利後，熊式輝隨即被任爲軍事委員會委員長東北行營主任，並兼政治委員會主任委員，成爲東北政治方面最高負責人。熊氏雖係軍人出身，但歷任政治、外交要職，一向被視爲所謂「政學系」的要角。東北人士原以爲張學良會受命重返東北主持大局，後得知由熊式輝主政，已大失所望，而熊氏又任用親信，（註一〇七）其親戚更組織「中美公司」，把持瀋陽交通特權，（註一〇八）招致東北人士普遍不滿。

東北經濟接收方面的主要負責人是東北行營經濟委員會主任委員張嘉璈，張氏雖亦被視爲「政學系」要人，但處事端方、操守清廉，惟略欠政治統御領導之才。當時直接隸屬經濟委員會各接收機構，皆編制龐大、人員複雜，利益又特別多，故單位間之爭權奪利，以及貪污濫權情形，皆時有所聞，即連張嘉璈之兄嘉森亦被謠傳牽連在內。（註一〇九）而整體經濟接收工作，先受俄人阻撓，後又受

國共戰爭的破壞，始終進行的並不順利。

軍事接收方面負實際責任的是東北保安司令長官杜聿明，下轄五十二軍、十三軍、新一軍、新六軍、七十一軍、六十軍、九十三軍、二〇七師等部隊，其中除六十和九十三軍係滇系部隊外，其他均爲中央嫡系中的精銳，新一、新六兩軍更是當時所謂「五大王牌軍」中的兩支（其他三支分別是第五軍、第十八軍和第七十四軍）。杜聿明爲陝西人，精於處人之道，故被東北人士視爲「也算咱們北方人，作事與我們東北人差不多」。（註一一〇）但中央嫡系軍隊在抗戰期間大爲擴編，且長期分區駐防作戰，派系已分，故杜聿明指揮接收作戰時，先與十三軍軍長石覺意見分歧，後又與新一軍軍長孫立人失和，影響戰局頗大。

當時中央政府的接收政策是視東北地區爲一整體，故政、經、軍均有一統籌九省的負責單位，惟獨黨的方面，卻因俄人的阻撓，及熊式輝不欲黨內派系與之爭權，（註一一一）始終無一整合全東北的黨務機構。如此非但造成熊式輝在東北權傾一時，也使得從事黨務工作者無法在決策規劃層面擔負責任，而傾力於省級以下黨部常務性職務的爭奪。東北人士自入關後，有政治企圖心者，多與國民黨內派系結合，而乏人與活躍政界的政學系往來。接收時始終沒有統籌九省的黨務機構出現，遂使得東北人士對整個接收計劃無著力之處。

中共方面的接收工作則係黨政軍三位一體，而且行動快速，民國三十四年九月二十一日，即以彭眞、陳雲等人組成「中共東北局」，次日，便在瀋陽大帥府召開會議。十二月正式組成「東北民主聯軍」，由林彪任司令員，副司令員為呂正操、李運昌、周保中、黃克誠，彭眞任政委。至於統籌東北政務的「東北行政委員會」，則遲至民國三十五年七、八月間方成立，林楓為主席，張學思、高崇民為副主席，其功能遠不及「東北局」重要。（註一一二）

綜觀以上所述可知，無論國共兩黨的接收工作，均視東北為一整體，且二者均無意讓東北地區再重返「九一八事變」前的半獨立狀態，故統籌整個接收工作的人員均非東北籍。但在省級以下的接收人員，國共雙方均不得不借重「九一八事變」後流亡入關的東北籍人士。抗戰中期，中央政府恢復東北四省建制，分別任命萬福麟、鄒作華、馬占山、繆徵流為遼寧、吉林、黑龍江、熱河四省主席，但抗戰勝利後，中央卻指派熊式輝主持東北接收工作，並將原東三省劃為九省。新制下的九省二市主管人選（瀋陽市長人選初未定，後由董文琦出任），分由各界推舉候選人近百人，再由熊式輝、張群、吳鼎昌三人審察後，推薦給蔣委員長做最後的圈定。（註一一三）結果選定的人選是遼寧省主席徐箴、安東省主席高惜冰、吉林省主席鄭道儒、松江省主席關吉玉、遼北省主席劉翰東、合江省主席吳翰濤、黑龍江省主席韓駿傑、嫩江省主席彭濟群、興安省主席吳煥章、大連市長沈怡、哈爾濱市長楊綽庵。

這些人選中，除鄭道儒、沈怡、楊綽庵（三人結果均未能實際赴任）為「政學系」有關人物外，其他諸人均為東北籍人士，但因長期流亡關內，投身各界服務，故出身、派別極為複雜，其唯一共同點便是均為蔣中正所賞識的行政幹才。這批壯年幹才雖操守能力均有可觀之處，但「皆為年輕一輩，在東北人民腦海中極少印象」，（註一一四）對久陷日人統治之下的東北人民，殊欠號召力。而其上又有統合九省的政、經、軍單位節制，即使在確實完成接收的省、市，主管人員亦只能「隨軍進退，奉命行止，……均無補於大局」，（註一一五）至於未能接收之省市則更無論矣。

「九一八事變」後，「流亡關內之東北人士約在五十萬上下，其中一部分為軍公教人員，在大後方各省輾轉流離間，遭逢戰亂，工作機會甚少，常受歧視，或遭排擠」，「他們一心一意所期盼者，就是早日復土返鄉」，（註一一六）而要衣錦榮歸，最好能謀一接收人員職務，於是省府廳、處長等職務，乃成返鄉流亡人士積極爭取的工作，結果往往接收實務未辦，派系傾軋已成。（註一一七）這些人事糾紛，從抗戰剛勝利時的南山地區，一直延續至接收後的東北，無怪乎抗日名將馬占山慨嘆道：「我們東北人在外流浪十幾年，吃的苦頭最多，……現在能夠回來的人才幾天，大家就這樣吵吵鬧鬧，實在是笑話」。（註一一八）

國民黨各省市黨部方面，因在「滿洲國」時期，黨務工作均係複線發展，故更是派系林立，其中尤以「CC派」、朱家驊和「三青團」三派為主。各派系之間爭執「劇烈的程度，甚至致到雙方在牆壁上貼標語對罵，在餐館中吃飯遇到一起時，雙方會怒目相視」，「這些內部之爭，使得一些知識份子很失望，因為雙方都忽略了共同的敵人共匪」。（註一一九）

中共方面，各省省主席亦多委派東北籍流亡入關的左派人士擔任，張學思、高崇民、閻寶航、于毅夫、栗又文等人，均先後擔任過省主席。不過中共接收東北工作的重心是黨和軍，任用這些政治人物，只為政治號召，並未賦與太多實權，當中共佔領整個東北後，此輩紛紛被調職中央，也未能真正治理東北家鄉。

至於東北當地人民，則先受了日本人統治之屈辱，（註一二〇）後又遭俄人蹂躪，並不得不成為「滿洲國」之人民，若深究其苦難命運之原由，實「是國家丟掉了東北民眾，是政府放棄了保護人民的責任」，而東北「國民殊無負於國家，永持懷念故國的孤臣孽子」。（註一二一）但勝利後他們卻被部份接收人員視為「偽民」、「偽商」、「偽教授」、「偽學生」，其心中不平可想而知。再見到部分接收大員們的貪污腐化情形，東北人民更是憤恨不已，即連對一些回來接收的同鄉，亦迭有怨言：「這些小子也算『衣錦榮歸』一場，其實都是回來作官的。什麼叫拯救東北同胞於水火？何嘗解除鄉人半點苦痛？真讓我們失望！情勢危急了，又都掉頭不顧的跑了！」（註一二二）不滿之情溢於言表，再加上中共刻意的爭取，東北民心便逐漸轉向了。

二、民國三十五年七月至三十七年十月

此一時期，國軍在東北的戰事逐漸失利，中央政府轄區，由面成線，再退縮到點，終而完全失陷，東北人士也隨之踏上第二次流亡的旅程。惟此次流亡歷程較前次更為艱辛，時間也更長。

民國三十五年下半年，是國共和談時期，松花江畔暫無戰事，但情勢已在轉變之中，江北的共軍正積極整補，蓄積戰力；而江南的國軍卻開始腐化，戰力日消。三十六年初春，共軍便開始展開攻勢

。是年夏季，國軍疲態已露，蔣中正方意識到局勢嚴重，於八月末正式任命參謀總長陳誠兼東北行轅主任，接替熊式輝。陳誠在東北人士議論中，是一個毀譽參半的人物；不似熊式輝和衛立煌，是完全負面的人物。陳氏主政素以剛强清廉著稱，至東北後，對貪污濫權情事大肆整頓，政風爲之一變。另外，陳誠在東北黨務方面，有三青團系全力支持；他又調東北軍系的四十九、五十三兩個軍回東北戰場。四十九軍軍長王鐵漢與陳誠淵源深厚；（註一二三）五十三軍則在抗戰期間，分別在第九和第六戰區，兩度受陳誠指揮，軍長周福成又與陳誠是保定軍校同學。（註一二四）惟此際東北戰局已成頹勢，此兩個軍竟未能在家鄉充分發揮戰力。

而陳誠主政東北時期，最受人批評之處，乃在於其剛愎自用，只信任正規軍，而將東北地方保安部隊裁撤、整編。東北保安部隊中，固然有濫竽充數或吃空缺的情形，但亦有不少的確是一心報國的東北健兒，如此不加區分地一併裁整，難免招致東北民怨，更爲林彪部隊驅來大批兵源。後陳誠去職養病滬上時，遇見來訪的東北人士，還一再表示：「東北之行，對不起國家，對不起同胞」。（註一二五）

民國三十七年初，東北局勢更形惡化，陳誠亦無法挽回劣勢，乃赴上海養病。中央另組東北剿匪總司令部，由衛立煌任總司令。衛氏乃北伐、剿共時代名將，但此時已腐化不堪，雖知此行困難重重，但眷戀名利，仍走馬上任。上任後以自保爲最高原則，集重兵於瀋陽周邊，另分遣部隊防守長春、錦州，以不失要地，續保名利爲第一要務。

正值此局勢險惡之際，東北地區也與國內各地一致，開始選舉民意代表，準備行憲。此次選舉可謂是一流亡選舉，即以吉林省爲例，其時該省只剩吉林、長春二市，尚在國軍掌握之中，民意代表乃由該省流亡在該兩市難民選出。至於松花江以北各省民代，則盡由其旅居遼瀋選民選出，（註一二六）其代表性可想而知。

而選舉本身更是弊端百出，作票舞弊情形屢見不鮮。當時黨政大員，頗多投身選舉，其所持理由，黨方人員是認爲訓政時期以黨治國，憲政時期黨務人員自應轉任民代；政方人員則稱要印證其在家鄉的民意基礎。然若深究其實，多不免是見東北局勢日益險惡，不如藉此機會「溜之大吉」。（註一二七）無怪乎一些東北人民怨憤的指出「九一八時候，官員把人民丟下跑了，讓他們受了十四年的異族迫害，現在共匪還沒攻城，而大官們卻已作逃走的計劃，又把他們丟下任由共匪宰割」。（註一二八）選舉結果，國民黨大老朱霽青，及前東北大學校長臧啓芳皆落選，臧啓芳甚至憤憤不平的不肯接受選舉結果。（註一二九）因此行憲選舉非但未能整合東北派系、民意，反使之更加分裂。

民國三十七年三月，政府決定放棄吉林，向長春撤退，「約八萬民眾（包括長白師範學院學生），捨掉田園廬墓及一切財產，隨國軍長達數十里的行列，男女老幼，徒步三百餘里，沿著吉長鐵路沿線邁進」，大規模的流亡行動，再度開始，惟其悲慘程度較九一八時，恐有過之而無不及：「爲了避免共軍正面襲擊，夜行日宿，沿山掩護，依然屢遭衝斷掃射，萬千老弱死於途，妻離子散，哭聲震天地」。（註一三〇）

隨著大舉流亡行動的發生，類似「九一八事變」後的各種活動也陸續開始。先是東北人士組成「東北請願團」赴京請願。三十七年春，第一支請願團由遼寧省議會議長李仲華、瀋陽市議會議長張寶慈、遼瀋議會法團代表王化一、「東北建設協會」代表田雨時四人組成，背負東北民意赴南京請願。抵京後，除晉見國民政府主席蔣中正外，並分別會晤行政院長，及國防、財政、經濟等部首長，又列席國民黨中常會，控訴「接收大員與不肖的軍政經官吏違紀非法；籲請速定大計，挽救危亡」。（註一三一）與會中常委為之震驚。請願團離京前召開記者招待會，控訴外國侵略者，與中國反叛集團勾結，不過這次被控訴者不再是日本和偽滿，而是蘇俄和中共。會中尤其大力駁斥當時京中一些言論——主張「政府宜持快刀斬亂麻的手段，索性早日犧牲東北，作為換取關內和平的條件」。（註一三二）東北人士怕被中央犧牲的流亡意識，再度表露無遺。

是年四月，國民大會在南京召開時，東北籍國代孔憲榮以「屍諫」企圖挽救東北危局，朝野震驚。孔憲榮原籍山東，「九一八事變」後，一度留在東北打游擊。抗戰勝利後，為杜聿明任命為東北保安第二支隊司令，返吉林收容昔日抗日舊部，得二萬餘人。後與共軍作戰負傷，至關內療養，待傷癒返東北，發現所部給養極度缺乏，後更遭編遣，因而對陳誠及吉林省主席梁華盛頗有微詞。（註一三三）行憲後，孔氏雖當選松江省國大代表，但仍志在重返東北戰場，原欲藉進京開會之機會，向當局及國人痛陳東北之慘狀，但連日所見「國民大會內外，凡『絕食』、『抬棺』、『主席團拉票』、『黨內相競副總統』，一連串地在爭權奪利」，痛心之餘，乃決定「屍諫」，以冀「足以諫正權要，挽回東北與國家危運」，（註一三四）終於四月十五日下午，自經於南京東來旅館。孔憲榮之死，一時激起在京開會的東北籍二、三百名國代同仇敵愾之心，除集會致哀外，並推舉二十餘名代表，向國府蔣主席懇切建言，頗受採納，然大局已壞，勢難挽回。

此外，學生運動也再度爆發。「九一八事變」後的學運，最初純係一抗日愛國運動，直至「一二九學運」之後，才逐漸變質。此次學運則全然不同，早在勝利接收之初，共黨職業學生已潛伏入東北各大學院校，而國民黨亦利用青年軍二〇七師復學學生為耳目。並且此次學運訴求目標，也不再是崇高的抗日愛國，而是赤裸裸的意識型態鬥爭。有心學生刻意利用流亡意識，擴大學潮，以遂其政治目的。而歷次與東北流亡學生有關之學潮中，以「七五事件」最具代表性。

民國三十七年夏，東北四院校（東北大學、瀋陽醫學院、長白師範學院、長春大學）已開始分批陸續遷往北平，尋覓校址，預備從是年秋季起在北平開課。一時之間，大批東北流亡學生湧入北平，造成北平市社會治安等問題，於是便有議員在市議會中提議徵流亡入關學生當兵。七月四日，北平各大報披露此一消息後，立刻激起東北流亡學生強烈的不滿情緒，左傾的「北平學聯」也表示同情。

七月五日，以東北大學和長白師院為首的學生隊伍便走上街頭抗議。他們「沿路高呼『反對市議會的非法提案』、『要求許惠東（北平市參議會議長）道歉』、『反對非法學生思想審查』、『反飢餓、反壓迫、反內戰』、『反對徵兵當炮灰』、『要讀書、要自由、要活命』」。（註一三五）學生隊伍先衝進北平市參議會，損毀一些辦公用具和車輛，並將「北平市參議會」的匾額，用黑漆塗改為

「北平市土豪劣紳會」。至十時左右，北大、清華學生亦加入示威隊伍，轉向當時華北最高負責人李宗仁請願，再轉往東交民巷許惠東家抗議，遭憲警阻攔。（註一三六）至傍晚，「包圍許宅的學生，在翻越院牆，企圖打進許宅的時候，與守軍二〇八師發生衝突，開了槍，有很慘重的死傷」。（註一三七）後據統計，東北學生共被打死九名，其中包括長白師院學生六名，東大先修班一人，另負傷百餘名。（註一三八）

慘案發生之後，長白師院左傾學生為死亡同學設置靈堂，並發表演說，激起同學們流亡情緒，使「大部分存著『看熱鬧的心情』的中立者，在靜心自反的時候，被他們用眼淚侵入仇恨的毒素，引導踏上反政府的道路」。（註一三九）因此又有七月九日，東北、華北學生聯合走上街頭遊行示威之舉。學生高舉「反剿民、要活命」標語，抬死難同學畫像遊行。高呼「傳作義該槍斃」等口號，並成立「東北華北學生抗議『七五慘案』聯合會」。（註一四〇）此次遊行幸未釀成事端。

七月二十二日，長白師院青年軍復員學生被調至西苑，參加國防部預幹局主辦的暑期幹部教育營。左傾學生少了掣肘力量，更加活躍，主控學生自治會，並欲驅逐校內訓導人員。七月末，因公費不能按期發下，左傾學生藉此機會，與校方之對抗更為激化。左、右兩派學生之間，更因誰才是造成東北學生流離失所的罪魁禍首，而發生鬥毆事件。八月初，青年軍復學生返校，組成「復校復課委員會」，右派學生方有一正式組織。八月四日，憲警人員進入校園，「護校會即當眾提議檢舉匪嫌份子，這時首惡份子劉殿來和程淑媛二名見風頭不妙，已先行逃避，其餘當場被憲警帶去羈押十八名」，（

註一四一）此即所謂的「八四事件」。此一事件「直接影響到『八一九』全國大學逮匪諜學生的壯舉，爲政府在學校公開逮捕匪諜，開了先河」。（註一四二）「八四事件」後，長白師院得以順利在是年八月中旬開課，但不久隨著華北情勢惡化，該校師生又踏上更長、更辛酸的流亡旅程。

三、民國三十七年十一月——

民國三十七年十月下旬，東北全陷。而華北、華中情勢，緊接著急轉直下，因此東北人士在毫無喘息機會的狀況下，幾乎是毫無組織的一路流亡至台灣，其路途之漫長、過程之艱辛，均遠超過九一八事變後的第一次流亡。有關這次流亡的個人經歷之回憶，資料甚多，不堪縷述；茲僅以當時可能是人數最多的一個東北流亡團體——長白師院爲例，記述這一段流亡過程。

自東北局勢逆轉後，長白師院便從松花江畔的吉林，經撫順，遷至北平。民國三十七年「八四事件」後，在北平開課方三個月，山海關便失守，林彪部隊入關，該院院長方永蒸奉教育部命，往衡陽南岳勘覓校址，在湖南衡陽設辦事處，上海設招待所，準備南遷。民國三十八年一月初，該師院第一批南遷流亡學生七十二人，抵達衡陽。是月底，北平失守。二、三月間，該師院學生又有二、三百名，陸續離平抵衡陽，遂在湖南國立師範學院借讀。及至五月，湖南省主席程潛和駐守衡陽之最高軍事長官陳明仁，已有與中共局部和談之意圖，長師師生乃又不得再南遷廣州。六月上旬，該師院師生初抵廣州，因教育部公費遲遲不能發下，生活窘迫異常，造成「日後很多同學罹有因營養不足而引發的慢性疾病」。（註一四三）因當初未經教育部同意，便自衡陽撤至廣州，故經數月的奔走請託，方被核准復校。於是該師院乃借用海南島瓊山縣府城鎮瓊海中學的一部分校舍，於九月間再度開課。

惟好景不長，民國三十九年初，海南島亦面臨撤守命運。長師學生又分數批，配合國軍撤退航次，逐步撤至台灣。其中較幸運的兩批，一批是「以山東籍的同學爲主三十五人，與趙琳軍長取得聯繫，參加該軍軍中學生服務隊，隨三十二軍赴台。另一批共八十六人，以東北籍同學爲主，隨遼南綏靖總指揮部乘天平輪至高雄」。（註一四四）另一批一百七十四人，乘成安軍艦抵達澎湖馬公，卻因入境證未辦妥，不准登岸，而被拘限在一艘報廢的軍艦上，達四個多月。最後一批殿後師生共八十餘人，則先被送往海南島最南端的三亞，使這批來自極北的青年，卻在最南疆羈留了近三個月，最後才在共軍炮火下，被接運來台。是年六月六日，所有長師師生終於全體抵台，後轉往台北，借住台北師範學院。在數度申請復校不成後，教授由教育部安排工作，員工遣散，學生送往青年服務團，重施訓練。「一個完整的學校，在敵人的砲火之下，尚可以茁壯成長，發揮高度力量，等到他一旦投入了慈母的懷抱，正在天眞的興奮鼓舞之餘，她竟因營養失調，猝然暈厥，終於休克了」。（註一四五）最後的一個流亡團體，至此結束。

然東北來台人士仍個別保有其本土性格和流亡意識，此一傾向除反映在其特別緊密的同鄉會、同學會組織外，在民意機構中尤其顯著。因東北九省民意代表，往往被視爲一個整體，故其在立法院和國民大會中，人數遠超過其他各省，其動向影響也就特別引人注目。

來台之初有兩位東北籍民意代表均因直言不諱，而被國民黨開除黨籍。一位是立法委員齊世英，齊氏自陳立夫出走美國後，隱然是立院「CC派」的首腦。民國四十三年，行政院提出電價上漲百分之三十二的議案，但立委電力審察小組則主張只漲百分之十三。是年十二月十七日，黨部就電費漲價一事召開第二次座談會中，齊世英仍堅持己見，主張最多只能漲百分之十八。十二月二十日，國民黨召開臨時中常會，會中「遵照總裁條示，決議開除齊世英黨籍」。（註一四六）齊氏被畢生忠愛的黨開除後仍一本東北硬漢個性，堅不認錯。一度雖與雷震、高玉樹等接近，有另組一新黨之意圖，但又因理想不合而與之分開，長期流亡生涯所造成的不安全感，隱然呈現。

另一人為監察委員曹德宣。曹氏為老國民黨員，張作霖時代起，即在東北從事革命工作。行憲後，當選監察委員，並追隨政府來台。當政府外交逐漸陷入困境後，曹氏公然主張「兩個中國」政策，因而遭開除黨籍，抑鬱以終。（註一四七）「組黨」及「兩個中國」主張，在當時均是政治禁忌，但兩位東北民代卻勇於提出，其正直剛烈的本土性格可見一斑。近年來又有東北籍立委費希平先被國民黨開除黨籍，後又自動脫離其參與建立的民進黨；以及立法院長梁肅戎對立委同志先支持其當選院長，後又公開逼退，表示極度不滿，是皆可看出其東北本土性格和流亡意識的流露。不過這些時事均剛發生不久，歷史深度不足，或許更適合政治學者或心理學者分析研究。

留在大陸的知名左傾東北籍人士，雖未受第二次流亡之苦，但其後來境遇卻更為淒慘。一九五四年，中共正式批判所謂「高崗、饒漱石反黨聯盟」，因高崗曾主持過東北黨政工作，一些東北人士頗受牽累。（註一四八）而著名東北人士遭到慘酷打擊，主要是在「文化大革命」時期。首先受到打擊的是海軍司令部參謀長張學思，張學思因不與林彪親信——海軍黨委第一書記李作鵬妥協，而於一九六七年九月被拘捕入獄，遭誣陷爲所謂「東北叛黨集團」一份子，三年後病死獄中。（註一四九）而閻寶航、高崇民等人，因在九一八事變後之流亡時期，與國民黨有所接觸，且與周恩來關係密切，因此遭「四人幫」忌恨，文革期間，均將之打爲以呂正操爲首的所謂「東北叛黨集團」，閻寶航於一九六七年十二月被拘捕，高崇民於次年十月入獄，先後死於獄中（註一五〇）張、閻、高三人，至死皆不知何以又成了「叛徒」、「特務」。

而在中共統治下的東北，似乎仍是一特殊化的邊陲地帶。近年來因批評時政，而被迫流亡海外的東北籍報導文學作家劉賓雁在其自傳中云：「對人的才智愚鈍化、白痴化和對於人的創造精神的窒殺，在我的家鄉黑龍江省效果特別明顯」，「一九四九年以後，則有三十年之久那裡沒有生長過一個作家」。（註一五一）一個近代以來素以產生豪邁敢言人物著稱的地區，居然在集權統治摧殘下，變得寂靜無聲了。

小結

東北籍黨政元老朱霽青流亡來台後，在一次與同鄉友人聚會中說：「關東三省，介乎日俄兩大之間，外交關係極其微妙，革命同志苟一不慎，即蹈張邦昌與劉豫之覆轍，且我每次東北政局之演變，咸爲革命同志發動於前，而我軍政妥協之後，因此東北革命之結局，恆被全國整個權益所犧牲」。（註一五二）頗能說明東北地區在近代史中所處之困境，並道出東北人士長期以來的委屈與辛酸。

遼東地區早即被納入漢民族的版圖，惟明清之際的戰亂，導致大量人口的死亡和內徙，直至康熙、乾隆之後，才又有關內漢人潛入東三省，但清廷仍屢申封禁政策。迄清末日俄交侵，清政府方改採馳禁政策，此後關內過剩人口大量擁入東北，至「九一八事變」時，漢人已在東北佔絕大多數。但這並不意味近代東北文化完全是漢化的結果，事實上，漢人出關後，爲適應新環境，亦不得不將既有文化做相當的調適，並吸收當地文化所長，而形成一種本土文化。另一方面，在東北某些地區，受日、俄文化的影響也是十分顯著的。因此我們必須瞭解這本土文化，也惟有如此，我們才能確切明白相應於這種本土意識而產生的流亡意識。

民國二十年「九一八事變」爆發，大批東北人士流亡入關，很快的他們便發現中央政府和關內同胞的處事態度、對時局的認知、以及對未來的打算，都與他們存在著相當大的差異，流亡意識遂逐漸產生。爲求生存、發展，東北流亡人士組成各種團體，派系也漸形成，一派爲擁護張學良的主流派，另一派爲傾向國民黨中央的非主流派。主流派主張支持張學良，並不斷對中央施壓力，以團結全民力量，早日打回東北。非主流派則排斥張學良的領導，主張配合中央既定政策，終有一天會重返家鄉。在日益高漲的流亡意識驅使下，東北主流派終於引發了「西安事變」和「二二事件」。經此兩次慘痛的教訓，東北流亡人士中的穩健溫和派逐漸成爲主導力量，而部分左傾極端人士遂全面倒向中共。

勝利返鄉原是東北流亡人士夢寐以求的事，但抗戰勝利後的接收之行，很快的便變成一場噩夢。中央所委派的外地接收大員，不甚瞭解東北的實況與需求；而返鄉的東北人士卻因長期流亡所造成的分裂，使得各派系間水火不容。最感失望的還是東北現地人民，他們受了異族十四年的凌辱，所盼到的「接收」結果成了「劫收」。隨著民心、戰局的逆轉，東北人士又開始了流亡歷程，類似第一次流亡時的請願運動、學生運動，也再度爆發。歷經千辛萬苦，部份東北人士終於流亡到台灣，但在民意機構裡，我們仍時見其本土性格和流亡意識的流露。而留在大陸的早期著名流亡人士，也大多因其直爽性格和流亡歷史，而負出慘痛的代價。

「流亡」實際上是中國現代史中的一普遍主題，並非東北人士所特有。抗戰期間，國土東半壁各省同胞，許多都歷經流離之苦，逃向大後方。國共戰爭更導致全國各省皆有同胞奔赴台灣。但兩次流亡潮皆始自東北，換句話說，東北人士的流亡路程最遠，時間也最長，故其流亡意識也就最爲顯著、重要。經過本文的探討，也許我們對東北人士的流亡意識已獲致更深入的瞭解，但何以近代史中，各地中國人都要一再歷經流亡之苦，仍值得我們三思。

【附註】

註　一：《東北年鑑》（東北文化社年鑑編印處，瀋陽，一九三一），〈概論・東北釋名〉，頁一。

註二：有高巖，〈清代滿洲流人考〉，《三宅博士古稀祝賀記念論文集》（未見原文，僅見楊合義論文引述）；謝國楨，《清初流人開發東北史》（台灣開明書店，台北，一九六九）；蕭一山，〈清代東北之屯墾與移民〉，《學術季刊》六卷三期（一九五八），頁一至四七。其他相關著作尚多，以上僅舉其要者。

註三：趙中孚，〈近代東三省移民問題之研究〉，《中央研究院近代史研究所集刊》（以下簡稱《集刊》）第四期下冊（一九七四），頁六一三至六六四，〈清末東三省改制的背景〉，《集刊》第五期（一九七六），頁三一三至三三五，〈清代東三省的地權關係與封禁政策〉，《集刊》第十期（一九八一），頁二八三至三〇二，〈清代東三省北部的開發與漢化〉，《集刊》第十五期下冊（一九八六），頁一至十六；楊合義，〈清代東三省開發の先驅者——流人〉，《東洋史研究》三二卷三號（一九七三），頁一至三二，〈清代活躍於東北的漢族商人〉，《食貨月刊》五卷三期（一九七五），頁十三至十七；Robert H. G. Lee, *The Manchurian Frontier in China History*（Harvard University press, Cambridge, 1970）.

註四：《黑龍江志稿》（一九三二），卷五七，〈人物流寓〉，頁十一至十二。

註五：西清，《黑龍江外記》（藝文印書館，台北，一九六八），卷二，頁十三。

註六：吳振臣，《寧古塔紀略》（藝文印書館，台北，一九七〇），頁十。

註七：楊賓，《柳邊紀略》（藝文印書館，台北，一九六五），卷三，頁二七。

註八：《黑龍江志稿》，卷六，頁十八。

註九：同前書，卷六，頁二四。

註十：西清，《黑龍江外記》，卷六，頁四。

註一一：同前書，卷二，頁七。

註一二：錢公來，《東北史話》（中央文物供應社，台北，一九五九），頁四一。

註一三：楊賓，《柳邊紀略》，卷三，頁十三。

註一四：錢公來，《東北史話》，頁十七。

註一五：《黑龍江志稿》，卷五七，頁九。

註一六：錢公來，《東北史話》，頁十七。

註一七：吉林大學校長李錫恩即是「從德國留學回來不接受張作霖任命任官職，而以一介書生說服吉林省長張作相，創辦省立吉林大學」。〔崔垂言，〈幾項片斷的回憶〉，《國立東北中山中學金禧紀念集》（一九八四），頁十四。〕；另外後來的瀋陽市長，來台後行政院政務委員董文琦，對張作相的網羅人才，建設吉林，亦有深刻描述。〔《董文琦先生訪問紀錄》（中研院近史所，台北，一九八六），頁二九至三二及頁一一五。〕有關王永江事蹟論著更多，可參考曹樹鈞〈回憶並懷念母校創辦人及歷任校長〉，《東北文獻》十三卷四期（一九八三），頁十五，李宗穎〈略述東北大學〉，《遼寧文史資料》第八輯（遼寧人民出版社，瀋陽，一九八四），頁六五至六六，以及錢公來〈王永江其人其事〉，《東北文獻》四卷四期（一九七四），頁十二等處之記載。

註一八：《王鐵漢先生訪問紀錄》（中研院近史所，台北，一九八五），頁三九。

註一九：一九三一年五月南京中央政府召開國民會議，張學良預擬一名單，要東北大學師生選為會議代表，但學生卻紛紛投票給該校孫國封、周天放、臧啓芳、高惜冰等四學院院長。張誤認既彼此早有默契，東大師長事忙不宜離校參加會議故未予提名，但卻出此結果，顯係彼等故意開其玩笑，故邀四院長至帥府，作勢欲槍斃四人，翌日釋之，一場鬧劇落幕。（寧恩承，〈東北大學話滄桑（上）〉，《東北文獻》二十卷二期（一九八九），頁十四至十六。）不過據臧啓芳〈哲先回憶錄〉記載，其離開東大之原因是與副校長劉風竹不合，（《東北文獻》三卷一期（一九七二），頁五三至五四。）且一九三一年五月時，他已離開東大。另在李宗穎，〈略述東北大學〉一文中，言被選上及被威脅將遭槍斃的是汪兆璠和孫國封兩院長及註冊部主任夏博泉。（《遼寧文史資料》第八輯，頁八十至八一。）無論此一事件當事人為誰，確有此一鬧劇發生，則無庸置疑。

註二十：田雨時，〈東北接收三年災禍罪言（四）〉，《傳記文學》三六卷三期（一九八〇），頁一〇二。

註二一：例如民國十三年，國民黨黨員楊錫九，便因參加「吉人治吉」運動，為張作霖下令就地正法。「楊氏臨刑前，痛陳奉系專橫，吉黑兩省軍政要職，奉天人士囊括一空。」（栗直，《東北抗暴列傳》（東北文獻社，台北，一九八八），頁一五四。）另如抗戰中期中央整理東北團體，建立一元化的「東北四省抗敵協會」時，所選理事，亦按遼、吉、黑、熱四省分配。〔田雨時，〈齊世英先生蓋棺論〉，《傳記文學》五一卷四期（一九八七），頁三九。〕

註二二：高語和，〈我接掌遼北首縣西安回憶〉，《東北文獻》一卷二期（一九七〇），頁八十。

註二三：《大公報》（天津），民國二十年九月二十九日，第五版，及同年十月二十五日，第七版。

註二四：盧廣績，〈九一八事變前後東北人民的抗日救國活動〉，《遼寧文史資料》第七輯（遼寧人民出版社，瀋陽，一九八三），頁十二至十三。

註二五：同前文，頁六至七。

註二六：同前文，頁八至十。

註二七：據報載，請願團南下過濟南時，「代表下車演說，聞者淚下。」〔《大公報》（天津），民國二十年十一月七日，第三版。〕

註二八：《大公報》（天津），民國二十年十一月六日，第七版。

註二九：盧廣績，〈九一八事變前後東北人民抗日救國活動〉，頁十二。

註三十：同前文，頁十八。

註三一：據臧啓芳，〈哲先回憶錄〉載，臧啓芳與徐箴、周天放二人於「九一八事變」後，親訪張學良，見其頹廢生活，深感東北收復無望，彼此慨嘆不已。〔《東北文獻》三卷二期（一九七二），頁六九至七十。〕

註三二：栗直，〈東北黨務工作輯要〉，《東北文獻》十七卷一期（一九八六），頁二六。

註三三：同前註。

註三四：同前文，頁二五。

註三五：當時平津各校大致尚能共體時艱，收容東北失學流亡學生，《大公報》的一篇爲東北逃難中學生請願的讀者投書，云：至民國二十年十一月初爲止，大約逃難至北平的流亡中學生有三百餘人，無校可讀者男女共計近百人。（《大公報》（天津），民國二十年十一月七日，第十一版）。大學生方面似較好，連上海的暨南大學亦登報招收東北各大學轉學生。（《申報》，民國二十年十一月二十四日，第六版。）後來成爲上海各大學爲日本侵佔東北進京請願團總指揮的暨南大學學生俞康，即爲東北籍學生。

註三六：此外尚有念一、勵自等中學。

註三七：趙守仁，〈張學良與東北大學〉，《遼寧師範大學學報》，一九八七年第五期，頁八七。

註三八：李宗穎，〈略述東北大學〉，頁七三。

註三九：舒毅敏，〈東北中學簡史〉，《遼寧文史資料》第八輯，頁八六至八七。

註四十：李江春，〈憶東北中學〉，《遼寧文史資料》第十輯（遼寧人民出版社，瀋陽，一九八四），頁一七五。

註四一：舒毅敏，〈東北中學簡史〉，頁九三。

註四二：鄭佩高，〈創校經過又一章〉，《國立東北中山中學金禧紀念集》，頁二八一。

註四三：言金玉，〈我為軍訓教官爭到一顆星〉，《國立東北中山中學金禧紀念集》，頁二〇〇。

註四四：編輯委員會，《國立東北中山中學金禧紀念集》附。

註四五：董文琦，〈中山創校五十週年感言〉，《國立東北中山中學金禧紀念集》，頁十。

註四六：王鐵漢，《東北軍事史略》（傳記文學雜誌社，台北，一九八二），頁八五。

註四七：同前書，頁八七至八八。

註四八：「九一八事變」後，東北軍薪餉補給全賴河北一省稅收，另外二十九軍亦併入東北部隊範圍內補給，故只有將官兵薪水一律減低。當時國軍其他部隊是「上尉支薪五十元，中尉支薪四十元，少尉支薪三十元。而東北部隊則減為上尉四十三元，中尉二十六元，少尉十八元，依此類推，所有官兵薪餉，均比照減低。就這樣地做，也無法按時發薪」。〔王盛濤，〈西安事變善後殉難的王以哲〉，《東北文獻》二卷四期（一九七二），頁四三。〕

註四九：盧廣績，〈九一八事變前後東北人民的抗日救國活動〉，頁二四。

註五十：高存信，〈高崇民同志年譜〉，《遼寧文史資料》第十三輯（遼寧人民出版社，瀋陽，一九八六），頁九十。

註五一：盧廣績，〈回憶閻寶航同志〉，《瀋陽文史資料》第七輯（政協瀋陽文史資料委員會，瀋陽，一九八二），頁三六。

註五二：干國勳，〈關於所謂復興社的眞情實況〉，《傳記文學》三五卷五期（一九六二），頁八五。

註五三：劉健群，《銀河憶往》（傳記文學出版社，台北，一九六六），頁二三四。

註五四：干國勳，〈關於所謂復興社的眞情實況〉，頁八五至八六。

註五五：關國煊，〈杜重遠〉，《傳記文學》三九卷四期（一九八一），頁一四六至一四七。

註五六：聶長林，〈回憶高崇民同志〉，《遼寧文史資料》第十輯，頁九。

註五七：同前註。

註五八：高存信，〈高崇民同志年譜〉，頁九十至九一。

註五九：李維城，〈西安事變片斷回憶〉，《西安事變親歷記》（中國文史出版社，北京，一九八六），頁一七五；盧廣績，〈西安事變親歷記〉，《西安事變親歷記》，頁九四。

註六十：王鐵漢，《王鐵漢先生訪問紀錄》，頁七七。

註六一：高存信，〈高崇民同志年譜〉，頁九一。

註六二：應德田，東北大學第一屆政治系畢業，被送至美國留學，歸國後任北平念一中學（爲流亡東北人士所創辦）校長。民國二十三年，張學良出任豫鄂皖三省剿匪副總司令時，調應德田等東大畢業生，任總部中下級幹部。待「四維學會」瓦解，「復東會」成員各奔東西，應德田等人漸爲張學良倚爲主要政治幹部。

註六三：商同昌，〈我所經歷的二二事件〉，《西安事變親歷記》，頁五〇九。

註六四：高崇民、閻寶航等人常以兄長身份向張學良進言，而王以哲、何柱國等雖係張之部屬，但論年齡則屬平輩；只有「抗日同志會」中的少壯人士，對張學良是絕對信仰，完全服從。

註六五：栗直，《東北抗暴列傳》，頁二〇三。

註六六：同前書，頁二四八。

註六七：田雨時，〈齊世英先生蓋棺論〉，《傳記文學》五一卷四期（一九八七），頁三八至三九。

註六八：栗直，《東北抗暴列傳》，頁二二一至二二二。

註六九：趙毓麟，〈西安事變時CC派在中政校的活動〉，《西安事變親歷記》，頁二九五。

註七十：義勇軍復學的東大學生宋黎、張稚軒、張德厚等，均在參加義勇軍戰事後期方逐漸左傾，及至民國二十二年，義勇軍陸續結束，重新復學後，乃結成小組織，積極活動。（張國維，〈義勇軍中一小兵〉，《東北文獻》六卷三期（一九七六），頁四十至四一。）

註七一：此據當時為中共在東大學生中領導人之一的項乃光告知（一九九〇年二月七日），項先生接受我們訪問時為大陸問題資料中心主任。

註七二：《大公報》（天津）民國二十四年十二月十四日，第三版；李宗穎，〈略述東北大學〉，頁八二。

註七三：趙守仁，〈張學良與東北大學〉，頁八八；徐新生，《一二九運動與民先隊》，國立政治大學東亞研究所碩士論文（一九七五），頁一八五；李雲漢〈西安事變的前因與經過(一)〉，《傳記文學

》三九卷六期（一九八一），頁十五。

註七四：趙守仁，〈評張學良將軍思想演變〉，《遼寧師範大學學報》（社科版），一九八六年第一期，頁八六；孫銘久，〈西安事變前張學良做的幾件事〉，《西安事變親歷記》，頁八五。

註七五：李宗穎，〈略述東北大學〉，頁八二。

註七六：舒毅敏，〈東北中學簡史〉，頁八六。

註七七：同前文，頁八八。

註七八：李江春，〈憶東北中學〉，頁一七七。

註七九：編者，〈職業學生遭發現〉，《國立東北中山中學金禧紀念集》，頁三〇一。

註八十：同前註。

註八一：曹延亭，〈國立東北中山中學究竟控制在誰的手中〉，《遼寧文史資料》第十輯，頁一五三至一五四。

註八二：沈亦雲，《亦雲回憶》下冊（傳記文學雜誌社，台北，一九八〇），頁五三四至五三五。

註八三：劉健群，《銀河憶往》，頁二三二。

註八四：王德溥，〈五十年政治生涯（七）〉，《東北文獻》二卷四期（一九七二），頁二五。

註八五：劉健群，《銀河憶往》，頁二三二。

註八六：傅虹霖，《張學良與西安事變》（時報文化公司，台北，一九八九），頁一二九。

註八七：晏道剛，〈我在西安事變中的經歷〉，《西安事變親歷記》，頁二〇三。

註八八：張玉芬，〈王以哲將軍聯共抗日思想的形成〉，《遼寧師範大學學報》（社科版），一九八七年第二期，頁七四。

註八九：杜連慶、陸軍，〈東北軍史略〉，《遼寧師範大學學報》（社科版），一九八五年第二期，頁八三。

註九十：曹靜岩，〈閻寶航是重慶地下黨祕密聯絡站〉，《長春社會科學戰線》，轉引自《傳記文學》五五卷六期（一九八九），頁三九。

註九一：聶長林，〈回憶高崇民同志〉，頁十二。

註九二：高存信，〈高崇民同志年譜〉，頁九二。

註九三：曹靜岩，〈閻寶航是重慶地下黨祕密聯絡站〉，頁四十。

註九四：同前文，頁四一。

註九五：田雨時，〈西安事變後張學良致于學忠函〉，《傳記文學》四十卷一期（一九八一），頁十八至二十。

註九六：李田林，〈重慶南山東北人物瑣憶〉，《傳記文學》十七卷四期（一九七〇），頁三二。

註九七：田雨時，〈齊世英先生蓋棺論〉，頁三九。

註九八：王匡，〈談于總司令學忠先生生平〉，《東北文獻》十四卷一期（一九八三），頁十。

註　九　九：李世鏡，〈我如何俘獲匪首葉挺——解決「新四軍事件」作戰回顧〉，《東北文獻》十四卷四期（一九八四），頁十五至二二，李世鏡，〈有關俘獲匪首葉挺答客問〉，《東北文獻》十五卷一期（一九八四），頁六至二十。

註一〇〇：陳彥之，〈記東北大學進步學生抵制國民黨接管的鬥爭〉，《遼寧文史資料》第十輯，頁一二一至一二三。

註一〇一：王大任，〈一篇反共救國護校血淚奮鬥史〉，《東北文獻》創刊號（一九七〇），頁五九至六八。

註一〇二：舒毅敏，〈東北中學簡史〉，頁九一。

註一〇三：齊世英，〈中山的創校與遷校〉，《國立東北中山中學金禧紀念集》，頁五。

註一〇四：栗直，《東北抗暴列傳》，頁七八及頁二九九。

註一〇五：例如曾兼代「東北協會天津辦事處」主任的韓清淪，一度曾「擬營一豆漿店以糊口」。（栗直，《東北抗暴列傳》，頁三〇三。）

註一〇六：吳相湘〈熊式輝治軍行政外交〉，《民國百人傳》（傳記文學出版社，台北，一九七一），第四冊，頁一六〇。

註一〇七：《董文琦先生訪問紀錄》，頁二八五。

註一〇八：陳嘉驥，《白山黑水的悲歌》（漢威出版社，台北，一九八六），頁二〇九；田雨時，〈東北接收三年災禍罪言（四）〉，《傳記文學》三六卷三期，頁九九至一〇〇。
註一〇九：田雨時，〈東北接收三年災禍罪言（四）〉，頁一〇〇。
註一一〇：陳嘉驥，《白山黑水的悲歌》，頁一六二。
註一一一：田雨時，〈東北接收三年災禍罪言（四）〉，頁二六。
註一一二：汪文江，〈光復後張學思同志在東北〉，《遼寧文史資料》第十輯，頁四六至四七。
註一一三：沈怡，《沈怡自述》，轉引自《中華民國史事紀要（初稿）》（中央文物供應社，台北，一九八八，）頁七八四。
註一一四：李金洲，〈西安事變親歷記（四）〉，《傳記文學》二十卷三期（一九七二），頁二六。
註一一五：《張式綸先生訪問紀錄》，頁一九九。
註一一六：同前書，頁九九。
註一一七：田雨時，〈東北接收三年災禍罪言（一）〉，頁二三。
註一一八：陳嘉驥，《白山黑水的悲歌》，頁一六一。
註一一九：于衡，〈國軍接收後的長春〉，《傳記文學》二十卷二期（一九七二），頁三一至三二；此外東北籍資深立委包一民、費希平在接受我們訪問中，也都印證了這種派系鬥爭的激烈情形。
註一二〇：日本人之統治雖强橫，但尚重制度管理；而抗戰勝利後的接收工作，則經常全無章法可言，這亦是東北人民對國府接收普遍失望的原因之一。此據抗戰時期留在東北的資深國代韓振學告知。

註一二一：田雨時，〈東北接收三年災禍罪言（三）〉，《傳記文學》三六卷二期，頁八三。
註一二二：田雨時，〈東北接收三年災禍罪言（六）〉頁二三。
註一二三：王鐵漢，《王鐵漢先生訪問紀錄》頁一六四至六七。
註一二四：谷振寰，〈第五十三軍參加東北內戰概述〉，《遼瀋戰役親歷記》（文史資料出版社，北京，一九八五），頁六〇一。
註一二五：田雨時，〈東北接收三年災禍罪言（六）〉，《傳記文學》三六卷五期，頁八八。
註一二六：同前文，頁八五。
註一二七：同前文，頁八六。
註一二八：于衡，〈陳誠、熊式輝走馬換將〉，《傳記文學》二十卷三期（一九七二），頁六七。
註一二九：臧啓芳，〈哲先回憶錄〉，《東北文獻》三卷四期（一九七三），頁五十。
註一三〇：田雨時，〈東北接收三年災禍罪言（六）〉，頁八六。
註一三一：同前文，頁八七。
註一三二：同前註。
註一三三：栗直，《東北抗暴列傳》，頁一八二至一八四。
註一三四：田雨時，〈東北接收三年災禍罪言（六）〉，頁八七。
註一三五：姜濟民、王思浚、李紹峰，〈東北學生「七五慘案」紀實〉，《東北地方史研究》，一九八八年第三期，頁十五。

註一三六：同前文，頁十六；《大公報》（天津）民國三十七年七月六日第三版。

註一三七：焦毓國，〈從「七五」到「八四」〉，《長白三十年》，（長白師範學院校慶特別編輯組，台北，一九七六），頁五五。

註一三八：姜濟民等，〈東北學生「七五慘案」紀實〉，頁十六；另有一說稱長白師院學生共死七名（見焦毓國〈從「七五」到「八四」〉，頁五五）。

註一三九：焦毓國，〈從「七五」到「八四」〉，頁五六。

註一四〇：姜濟民等，〈東北學生「七五慘案」紀實〉，頁十七。

註一四一：王克明，〈「八四」追記〉，《長白三十年》，頁九二。

註一四二：焦毓國，〈從「七五」到「八四」〉，頁六〇。

註一四三：王緒文，〈從南嶽到廣州〉，《長白三十五年》，（國立長白師範學院旅台校友會，台北，一九八一），頁二四七。

註一四四：編輯委員會，〈院史〉，《長白三十年》，頁三三。

註一四五：同前文，頁三六。

註一四六：袁固，〈國民黨立委齊世英被開除了黨籍嗎〉，《自由中國》十二卷一期（一九五五），頁五三；田雨時，〈齊世英先生蓋棺論〉，頁四十；梁肅戎，〈立法院時期的齊世英〉，《齊世英先生訪問紀錄》（中研院近史所，台北，一九九〇），頁三七三。

註一四七：田雨時，〈齊世英先生蓋棺論〉，頁四一。

註一四八：田雨時，〈「東北光復與再淪陷」刊後感〉，《傳記文學》三八卷六期（一九八二），頁一二八。

註一四九：關國煊，〈張學思其人其事〉，《傳記文學》四九卷六期（一九八六），頁三四。

註一五〇：高存信，〈高崇民同志年譜〉，頁一〇五。

註一五一：劉賓雁，《劉賓雁自傳》（時報文化出版企業有限公司，台北，一九八九），頁二〇六。

註一五二：劉心皇，《東北英豪——朱霽青》（近代中國雜誌社，台北，一九八六），頁一。

結論

中國實行帝國制度達兩千年，此期間早已發展出各種統合全國的制度和意識型態，如科舉制度、忠君思想都是很好的例證。清末民初，中國遭到西方文化的空前衝擊，許多傳統的體系綱常爲之解紐。在這制度崩解、價值蛻變的混亂時期，地方意識逐漸興起，這類意識幾乎都與當地歷史傳統和地理環境有密不可分關係，所以都具有相當的獨特性（有時甚至是排他性），在這樣基礎上所形成的省籍派系團體，與全國政治互動時，難免會產生一些爭端和磨擦。國民政府雖主張地方自治，但其涵意是一種中央統制下的區域自治，與地方派系的利益和認知南轅北轍，雙方的對抗也就時而發生。尤其是國府中央在內憂外患牽制下，始終無法持續的强力整頓地方派系；而地方派系爲本身具有的排他性所限，也不能取代中央，遂使得兩者互動關係更爲複雜、微妙，而成爲中國現代史中極値深入探討的主題之一。

山西、廣東、廣西、東北四地區在人文、地理上差異甚巨，其主導的地方派系意識自然也就有別。山西自清末以降，省內已普遍形成一股保守意識，在閻錫山領導下，這種意識逐漸發展至極端，直至慘烈的太原保衛戰才完全告終。廣東自有近代革命始，便是革命重要基地，廣東人士憑著他們的革命經驗和聲望，屢次企圖奪取國民革命的領導權，但限於客觀環境，終事與願違。廣西團體自投入北伐行列起，即欲擺脫其來自邊陲地區地方派系的形象，然始終還是在全國政治舞台上扮演陪襯的角色。東北地大物博，當地人士一向以家鄉爲榮，但「九一八事變」後，卻被迫流離他鄉。豪爽的個性，加上流亡意識的激盪，使他們一再走向極端，數度成爲歷史悲劇的主角。綜觀整個國民政府時期，上述四個地方團體，因違反時代潮流走向，基本上都是在漸趨末路，最後終被共產極權狂潮逐一吞噬。

儘管上述四地方人士在歷史選擇和遭遇上有極顯著的不同，可皆是在同一時代興衰，其中必然也有相當多共通的地方。第一，此四地方團體皆有所謂固定的「地盤」，所以他們擴張固然不易，但也不致輕易崩解，不似馮玉祥「西北軍」團體的驟興驟落。第二，這四個地方派系均有一支武力爲後盾，因爲在那個動亂時代任何政治主張或組織，如無軍事實力支持，必無法貫徹、持久。第三，這些團體都有一或數個資深且具代表性的領導人物，這些領導人實際就是該地區主導地方意識的化身，其團體中的追隨者，透過對他們的認同，滿足自身地方意識的衝動。第四，這四個地區均位於中國的邊陲地帶，因距離中央政府所在地較遠，使他們較易保存實力，而且易於託庇於外國勢力之下，繼續反對中央。第五，這些地方團體重要成員幾乎全是中國國民黨黨員但又都另建地方性的小組織，以强化團體力量和利益。而這些具地方色彩的祕密組織，常與中央的次團體和中共地下組織發生激烈的磨擦。由於上述種種同質性，使得這些地方派系團體經常能採取一致行動，有力的抵制中央的整合企圖。

地方派系的活動，造成國民政府時期內戰一再發生，實屬近代中國之大不幸。若究其責任，中央、地方均難辭其咎。中央方面，對地方派系賴以存在的主導意識之內涵和形成原因毫不措意，只圖以威脅利誘方式，清除或收買地方團體。如此只顧近利快刀斬亂麻的解決方式，非但常釀成流血事件和政治倫理的淪喪，終亦非長治久安之策，一旦地方團體有能力再起，或與中央執政者失和，雙方又立刻成對抗態勢。地方派系方面，往往以團體利益爲優先考慮，人民、國家利益反居其次，如與中央利益衝突，立即反目，親痛仇快，在所不惜。這便是何以山西、廣東、廣西、東北四地區，均有一些異議人士投入中央陣營，與其本省團體相對抗，不過其間所夾雜的私人恩怨和利益攘奪，往往使得國家主義和地方主義的理想晦暗不明。民主政治中，如何在中央集權和地方分權中取得一個均衡點，是一重要課題，希望經由本書對過去地方派系意識所做具時間深度的剖析，能對未來民主制度運作提供些許鑑戒。

徵引書目

第一章部分

甲、專著

山西省地方志編纂委員會編，《山西大事紀（一八四〇—一九八五）》，山西人民出版社，太原，一九八七。

山西省政協文史資料研究會，《閻錫山統治山西史實》，山西人民出版社，太原，一九八一。

寺田隆信，《山西商人的研究》，東洋史研究會，京都，一九七二。

村政處校印，《山西村政彙編》，山西省政府村政處，太原，一九二八。

防衛廳防衛研修所戰史室，《北支の治安戰⑵》，朝雲新聞社，東京，一九七一。

苗培成，《往事紀實》，正中書局，台北，一九七九。

徐永昌，《求己齋回憶錄》，傳記文學出版社，台北，一九八九。

趙正楷，《徐永昌傳》，山西文獻社，台北，一九八九。

閻伯川先生紀念會，《民國閻伯川先生錫山年譜長編初稿》，台灣商務印書館，台北，一九八八。
閻錫山，《閻錫山早年回憶錄》，傳記文學出版社，台北，一九六八。
閻錫山，《感想日記》，國史館藏。
閻錫山，《閻伯川先生要電錄存》，國史館藏。
《太谷縣志》，一九三一年刊本。
《臨晉縣志》，一九二三年刊本。

乙、期刊及論文

王尊光、張青樾，《閻錫山對山西金融的控制與壟斷》，《山西文史資料》，第十六輯，（政協山西文史資料委員會，太原，一九八三。
王定一，〈特警處人事內幕〉，《山西文史資料》，第五十一輯。
牛蔭冠，〈山西犧牲救國同盟會紀略〉，《山西文史資料》，第十五輯。
田櫓，〈訪問參加太原起義的三位老人〉，《山西文史資料》，第二輯。
左埏，〈閻錫山物資資敵情況紀實〉，《山西文史資料》，第九輯。
史法根，〈閻錫山特務機關—太原綏靖公署特種憲警指揮處〉，《山西文史資料》，第五十一輯，政協山西文史資料委員會，太原，一九八七。
朱崇廉，〈閻錫山整編軍隊的騙局〉，《山西文史資料》，第九輯。

任樺、李蓼源，〈趙宗復事略〉，《山西文史資料》，第四十六輯，政協山西文史資料委員會，太原，一九八八。

李冠洋，〈閻錫山反動集團高幹之間的鬥爭內幕〉，《山西文史資料》，第十三輯。

李冠洋，〈中國國民黨山西省黨部簡述〉，《山西文史資料》，第十三輯，政協山西文史資料委員會，太原，一九八三。

李維嶽、樓福生、楊雨霖，〈李生達與閻錫山的矛盾及李生達被暗殺眞相〉，《山西文史資料》，第九輯。

李興杰，〈實業家徐一清與閻錫山〉，《山西文史資料》，第五十八輯。

李蓼源，〈閻幕瑣記〉，《山西文史資料》，第四十七輯，政協山西文史資料研究會，太原，一九八六。

曲子祥，〈我所聽到的閻逃大連的情況〉，《山西文史資料》，第七輯，政協山西文史資料研究會，太原，一九八四。

曲憲南，〈閻錫山官僚資本企業簡介〉，《山西文史資料》，十六輯。

杜任之，〈閻錫山「物產証劵與按勞分配」研討經過〉，《山西文史資料》，第四十九輯，政協山西文史資料委員會，太原，一九八七。

杜任之，〈關於山西抗日戰爭開始前後的幾段回憶〉，《山西文史資料》，第十五輯，政協山西文史資料委員會，太原，一九八三。
杜任之，〈民族革命大學建校概述〉，《山西文史資料》，第五十九輯，政協山西文史資料委員會，太原，一九八八。
宋邵文，〈犧盟會的成立與晉察冀邊區的創建〉，《山西文史資料》，第十五輯。
宋澎，〈回憶同蒲〉，《山西文獻》，第二十五期，一九八四。
姚大海，〈讀閻錫山傳略後之一點說明〉，《山西文獻》，第六期，一九七五。
南桂馨，〈辛亥革命前後的回憶〉，《山西文史資料》，第二輯。
南桂馨，〈一九二〇年以前閻錫山的經濟措施〉，《山西文史資料》，第五輯。
南桂馨、趙承綬、趙丕廉，〈閻錫山在大連時期山西各派的鬥爭〉，《文史資料選輯》，第三輯，政協文史資料研究會，北京，一九八〇。
周維翰，〈山西兵工史料〉，《山西文史資料》，第九輯，政協山西文史資料委員會，太原，一九八三。
侯少白，〈辛亥革命起義紀事〉，《山西文史資料》，第一輯，政協山西文史資料研究會，太原，一九八八。
俞家驥，〈金永控制山西時的政治情況〉，《山西文史資料》，第二輯。
城野宏著，葉昌綱、金桂昌等譯，〈日俘「殘留」山西始末〉，《山西文史資料》，第四十五輯，政協山西文史資料委員會，太原，一九八六。
郝樹侯，〈山西大學史話〉，《山西大學學報》，哲學社會科學版，一九八〇年第二期。
夏鳳，〈閻錫山在廣州〉，《山西文史資料》，第六十輯。
唐永良，〈商震歷史概述〉，《文史資料選輯》，第八輯，政協文史資料研究會，北京，一九八一。
陳曉慧，〈抗戰時期閻錫山與日本「合作」的眞相〉，《國史館館刊》，復刊第九期，一九九〇。
陳淑銖，〈閻錫山「土地村公有制」政策始末〉，《國史館館刊》，復刊第八期，一九九〇。
常士暐，〈榆次車輞常氏家族〉，《山西文史資料》，第五八輯，政協山西文史資料研究會，太原，一九八八。
葉復元，〈辛亥太原起義追記〉，《山西文史資料》，第一輯。
陶伯行，〈閻馮倒蔣之戰給山西人民帶來的災難〉，《山西文史資料》，第七輯。
梁航標，〈閻錫山聯合張馮倒曹吳和聯吳倒馮〉，《山西文史資料》，第十二輯。
郭榮生，〈晉綏軍史稿〉，《山西文獻》，第十期，一九七七。
黃國樑，〈黃國樑自述〉，《山西文史資料》，第三輯，政協山西文史資料研究會，太原，一九八八。
喬希章，〈上黨戰後綜述〉，《山西文史資料》，第三十七輯，政協山西文史資料委員會，太原，一九八五。

智力展，〈閻錫山的特務頭子—梁化之〉，《山西文史資料》，第十輯。
張文昂，〈犧盟會和決死二縱隊成立前後的片斷回憶〉，《山西文史資料》，第十五輯。
楊懷豐，〈關於閻錫山兵農合一暴政的回憶〉，《山西文史資料》，第十四輯，政協山西文史資料委員會，太原，一九八三。
楊懷豐，〈趙戴文家世及生平事跡〉，《山西文史資料》，第三十八輯，政協山西文史資料研究會，太原，一九八五。
楊懷豐，〈閻錫山的民族革命同志會紀述〉，《山西文史資料》，第十一輯。
楚溪春，〈晉軍概況和「鐵軍」、「同志會」的內幕〉，《文史資料選輯》，第一輯，政協文史資料委員會，北京，一九八〇。
趙瑞、張榮汎，〈閻錫山的反動組織概況〉，《山西文史資料》，第十輯。
趙承綬，〈我參預閻錫山勾結日軍的活動情況〉，《山西文史資料》，第十一輯。
趙繼晶，〈我所知道的閻錫山〉，《山西文史資料》，第三十五輯，政協山西文史資料委員會，太原，一九八四。
趙擎寰，〈河東革命記〉，《山西文史資料》，第一輯。
榮鴻臚、李志輿，〈太原解放前山西歷屆軍事學校概況〉，《山西文史資料》，第五輯，政協山西文史資料研究會，太原，一九八八。

樊象離，〈同盟會在山西的活動〉，《山西文史資料》，第一輯，政協山西文史資料研究會，太原，一九八八。
鄭東，〈從晉中戰役到解放太原〉，《山西文史資料》，第十四輯。
閻雲溪，〈閻錫山鄉居紀實及其他〉，《山西文史資料》，第六十輯，政協山西文史資料研究會，太原，一九八八。
劉存善，〈「太原五百完人」調查報告〉，《山西文史資料》，第六十輯。
劉奉濱，〈解放戰爭時期閻軍在太原修築碉堡的回憶〉，《山西文史資料》，第四輯，政協山西文史資料委員會，太原，一九八八。
劉靜山，〈祁縣喬家在包頭的德字號〉，《山西文史資料》，第六輯，政協山西文史資料研究會，太原，一九八五。
鄧哲熙，〈韓、石叛馮和閻、馮聯合反蔣的經過〉，《文史資料選輯》，第一輯，政協文史資料研究會，北京，一九八〇。
鄧勵豪，〈我對中原大戰與犧盟會的看法與補充〉，《傳記文學》，第三一卷第五期，一九七七。
冀貢泉，〈山西大學堂和爭礦運動〉，《山西文史資料》，第二輯，政協山西文史資料研究會，太原，一九八八。
冀貢泉，〈閻錫山與擴大會議〉，《文史資料選輯》，第十六輯，政協文史資料研究會，北京，一九八一。
冀孔瑞，〈介休侯家和「蔚字號」〉，《山西文史資料》，第十一輯，政協山西文史資料研究會，太原，一九八四。
聶昌麟，〈太谷曹家商業資本興衰記〉，《山西文史資料》，第十二輯，政協山西文史資料研究會，太原，一九八三。

第二章部分

甲、專　著

民革中央宣傳部，《陳銘樞紀念文集》，團結出版社，北京，一九八九。
朱子家，《汪政權的開場與收場》，古楓出版社，台北，一九八六。
李宗仁，《李宗仁回憶錄》，台光出版社，台北，年代不詳。
胡漢民，《胡漢民自傳》，傳記文學出版社，台北，一九八二。
孫中山，《國父全集》，中國國民黨黨史會，台北，一九七三。
孫科，《八十述略》，孫哲生博士八秩雙慶籌備委員會，台北，一九七〇。
周佛海，《陳公博、周佛海回憶錄》，躍昇文化事業有限公司，台北，一九八八。
張國燾，《我的回憶》，明報月刊，香港，一九七三。

陳公博，《苦笑錄》，香港大學亞洲研究中心，香港，一九七九。

第四軍紀實編纂委員會，《第四軍紀實》，廣州，一九四八。

鄒魯，《回顧錄》，三民書局，台北，一九七四。

蔡廷鍇，《蔡廷鍇自傳》，龍文出版社，台北，一九八九。

Jeh-Hang Lai, *A Study of a Faltering Democrat: The Life of Sun Fo, 1891-1949*, University of Illinois, Ph. D. dissertation, 1976.

乙、期刊及論文

丁身尊，〈陳炯明年譜〉，《廣東文史資料》，第五十七輯，政協廣東文史資料委員會，廣州，一九八八。

中國國民黨第一次全國代表大會祕書處，〈中國國民黨第一次全國代表大會會議錄〉，《廣東文史資料》，第四十二輯，政協廣東文史資料委員會，廣州，一九八四。

朱子勉、羅宗堂、韓鋒，〈辛亥革命廣州光復前後雜記〉，《廣州文史資料》，第一輯，政協廣州文史資料委員會，廣州，一九六〇。

李潔之、李漢沖，〈蔣介石分化余漢謀粵系部隊史實〉，《廣州文史資料》，第一輯。

李潔之，〈陳誠出賣鄧演達及其他〉，《廣州文史資料》，第五輯，政協文史資料委員會，廣州，一九六二。

李潔之，〈陳濟棠統治廣東眞象〉，《廣東文史資料》，第一輯。
李潔之，〈從蔣、余矛盾說到廣州棄守〉，《廣州文史資料》，第二輯。
李漢沖，〈張發奎策動粵桂聯盟反蔣反共始末〉，《廣東文史資料》，第六輯。
李漢沖，〈福建事變中十九路軍在閩西南活動回憶〉，《廣東文史資料》，第一輯。
李俊龍，〈汪精衛與擴大會議〉，《文史資料選輯》，第十六輯，政協文史資料委員會，北京，一九八一。
李雲漢，〈孫文主義學會與早期反共運動（一九二五～一九二六）〉，《中華學報》，一卷一期，一九七四。
何國濤，〈汪僞巨奸派系之爭〉，《文史資料選輯》，第三十九輯，政協文史資料委員會，北京，一九八〇。
杜偉，〈我所知道的陳誠〉，《文史資料選輯》，第十二輯。
周一志，〈「非常會議」前後〉，《文史資料選輯》，第九輯。
周一志，〈關於再造派〉，《文史資料選輯》，第二輯，政協文史資料委員會，北京，一九八〇。
周一志，〈關於西山會議派的一鱗半爪〉，《文史資料選輯》，第十二輯，政協文史資料委員會，北京，一九八一。
周一志，〈我對許崇智了解的片斷〉，《文史資料選輯》，第十三輯，政協文史資料委員會，北京，一九八一。

周一志，〈孫科、李宗仁競選副總統的形形色色〉，《文史資料選輯》，第三十二輯，政協文史資料委員會，北京，一九八〇。

孟曦，〈關於「非常會議」和「寧粵合作」〉，《文史資料選輯》，第九輯。

邱平，〈「國民政府西南政務委員會」見聞〉，《廣州文史資料》，第十五輯，政協廣州文史資料委員會，廣州，一九六五。

范予遂，〈我所知道的改組派〉，《文史資料選輯》，第四十五輯。

馬文車，〈中山艦事件的內幕〉，《文史資料選輯》，第四十五輯，政協文史資料委員會，北京，一九八〇。

秦鈞、李仲如，〈我參加「歃血盟誓」的回憶〉，《廣州文史資料》，第十五輯。

陳曙鳳，〈汪精衛投日前後側記〉，《廣州文史資料》，第二輯。

陳卓凡，〈我所知道的鄧演達〉，《廣州文史資料》，第二十二輯，政協廣州文史資料委員會，廣州，一九七八。

陳劭先，〈辛亥革命後孫中山在廣東的幾起幾落〉，《文史資料選輯》，第二十四輯，政協文史資料委員會，北京，一九八一。

陳銘樞，〈「寧粵合作」親歷記〉，《文史資料選輯》，第九輯。

梁世驥，〈淮海戰役後蔣粵桂的矛盾及其最後在廣東垮台〉，《廣東文史資料》，第六輯。
梁綺神，〈胡漢民自述湯山被囚始末〉，《廣東文史資料》，第三輯，政協廣東文史資料委員會，廣州，一九六三。
許錫清，〈福建人民政府〉，《廣東文史資料》，第一輯，政協廣東文史資料委員會，廣州，一九六三。
麥禮謙，〈美國的一個華人同鄉社群：祖籍廣東省花縣華人的發展史〉，《第五屆中國海洋發展史研討會會議論文》，中研院社科所，台北，一九九二。
曾弘慈，〈徐名鴻與「福建事變」〉，《廣東文史資料》，第六十三輯，政協廣東文史資料委員會，廣州，一九九〇。
賀貴嚴，〈蔣介石背叛革命後下台又上台〉，《文史資料選輯》，第九輯，政協文史資料委員會，北京，一九八一。
楊紹權，〈日本投降前夕蔣介石與重光葵的一次談判〉，《廣州文史資料》，第六輯，政協廣州文史資料委員會，廣州，一九六二。
劉斐，〈兩廣「六一」事變〉，《文史資料選輯》，第三輯，政協文史資料委員會，北京，一九六〇。
劉叔模，〈一九三一年寧粵合作時期我的內幕活動〉，《文史資料選輯》，第十七輯，政協文史資料委員會，北京，一九八一。

劉永順，〈關於胡漢民在廣州開辦的「政治經濟講習班」〉，《廣州文史資料》，第二十九輯，政協廣州文史資料委員會，廣州，一九八八。

羅翼群，〈廖案感舊錄〉，《廣州文史資料》，第七輯，廣東文史資料委員會，廣州，一九六三。

羅翼群，〈西南反蔣的回憶〉，《廣州文史資料》，第二輯。

羅醒，〈陳濟棠對付蔣介石控制的手法〉，《廣州文史資料》，第十五輯。

龔志鎏，〈舊時代的廣東歷屆軍事學校概況〉，《廣州文史資料》，第三輯，政協廣州文史資料委員會，廣州，一九六一。

第三章部分

甲、專著

岑春煊，《樂齋漫筆》，中國現代史料第四輯，文星書店，台北，一九六二。

李宗仁，《李宗仁回憶錄》，台光印刷出版事業公司，台北，缺年代。

李品仙，《李品仙回憶錄》，中外雜誌社，台北，一九七五。

李培生，《桂系據粵之由來及其經過》，一九二一年出版，文海出版社影印發行。

韋永成，《談往事》，作者自印，台北，年代不詳。

張任民，《回憶錄》，轉引自區渭文等編，《新桂系紀實》上冊，政協廣西文史資料委員會，南寧，一九九〇。

張國燾，《我的回憶》，明報出版社，香港，一九七一。

程思遠《白崇禧傳》，南粵出版社，香港，一九八九。

程思遠《政海秘辛》，南粵出版社，香港，一九八八。

程思遠，《李宗仁先生晚年》，文史資料出版社，北京，一九八〇。

陳存恭，《徐啓明先生訪問紀錄》，中研院近史所，台北，一九八三。

陳壽民，《八十年浮生夢》，文壇社，台北，一九七四。

黃紹竑，《五十回憶》，龍文出版社，台北，一九八九。

賈廷詩等，《白崇禧先生訪問紀錄》，中研院近史所，台北，一九八九。

董顯光，《蔣總統傳》，中國文化學院出版部，台北，一九八〇。

諸直，《廣西留學史》，轉引自《廣西文史資料選輯》第二十七輯，一九八九。

蔣中正著、陳屺懷編輯，《自反錄》，南京，一九三一。

廣西辛亥革命史研究會編，《民國廣西人物傳》，廣西人民出版社，南寧，一九八三。

J. L. Stuart, *Fifty Years in China——the Memoirs of John Leighton Stuart,* Random House, New York, 1952.

Department of State Publication, *The China White Paper August 1949 (United States Relations with China with Special Reference to the Period 1944-1949),* Stanford University Press, Stanford, California, 1967.

D. G. Acheson, *Present at the Creation: My Years in the State Department,* American Library, New York, 1970.

乙、報刊及論文

《申報》，民國十八年三月二十五日，第八版。

《申報》，民國十八年三月二十八日，第六版。

《申報》，民國十八年三月三十一日，第四版。

戈鳴，〈白崇禧圍攻大別山戰役概述〉，《湖北文史資料》第十八輯，新桂系在湖北專輯，一九八七。

余定華，〈徐州會戰見聞憶述〉，《廣西文史資料選輯》第二十二輯，一九八二。

何作柏，〈白崇禧當副參謀總長兼軍訓部長〉，區渭文等編，《新桂系紀實》，中冊，一九九〇。

呂祖杰，〈新桂系舉辦的安徽省政治軍事幹部訓練班〉，《新桂系紀實》，中冊。

李世杰、陳雄，〈新桂系官僚資本的兩個企業機構〉，《廣西文史資料選輯》第一輯，一九八二。

李明章，〈地下黨在三青團廣西支團的活動〉，《廣西文史資料選輯》第十七輯，一九八三。

李建平，〈論「桂林文化城」的地位和作用〉，《廣西大學學報》（哲學社會科學版），一九八二。
李微，〈新桂系和CC在廣西的鬥爭〉，《廣西文史資料選輯》第二輯，一九八二。
李微，〈廣西省參議會議長選舉糾紛的幕前幕後〉，《廣西文史資料選輯》第二輯。
李濟深口述、張克明筆錄，〈李濟深的略歷〉，《廣西文史資料選輯》第十四輯，一九八二。
李駿整理，〈中央軍事政治學校第一分校編組概況〉，《新桂系紀實》，上冊，一九九〇。
周競，〈山東萊蕪戰役桂系第四十六軍被殲經過〉，《廣西文史資料選輯》第七輯，一九八八。
涂允檀，〈胡宗鐸、陶鈞把持武漢政局與新桂系的內部矛盾〉，《廣西文史資料選輯》第六輯，一九八二。
韋瑞霖，〈我所知的第五戰區抗敵青年軍團〉，《新桂系紀實》，中冊。
倪仲濤，〈軍事委員會桂林行營的矛盾〉，《新桂系紀實》，中冊。
凌壓西，〈王贊斌在江西圍攻紅軍〉，《廣西文史資料選輯》第十輯，一九八二。
袁雁沙，〈蔣桂在五戰區政工方面的明爭暗鬥〉，《湖北文史資料》第十八輯。
張文鴻，〈李明瑞倒桂投蔣和倒蔣失敗經過〉，《廣西文史資料選輯》第十三輯，一九八二。
張森，〈麥煥章先生革命簡史〉，《廣西文獻》第八期，一九八〇。
張壽齡，〈憶第五戰區長官部〉，《湖北文史資料》第十八輯。
張豐冑，〈一九四九年國共和談的有關史料〉，《文史資料選輯》第三十二輯，一九八〇。

梁伯鳴，〈悼念王公度、謝蒼生先生〉，《廣西文獻》第十期，一九八〇。
郭堅，〈我和新桂系〉，《安徽文史資料》第二十一輯，一九八四。
陳克非，〈我從鄂西潰退入川至起義的經過〉，《文史資料選輯》第二十三輯，一九八一。
陳良佐，〈新桂系統治安徽初期的片斷回憶〉，《新桂系紀實》，中冊。
陳雄，〈新桂系統治下我所主辦的廣西「禁煙」〉《廣西文史資料選輯》第二輯。
陳學澧，〈廣西省參議會議長選舉糾紛述要〉，《廣西文史資料選輯》第二輯。
陳劭先，〈廣西建設研究會的成立和結束〉，《廣西文史資料選輯》第四輯，一九八二。
陸學藩，〈崑崙關戰役親歷記〉，《廣西文史資料選輯》第七輯。
程思遠，〈談談桂系秘密政治組織〉，《廣西文史資料選輯》第七輯。
黃立志，〈抗日戰爭初期的廣西三青團〉，《廣西文史資料選輯》第十七輯。
黃旭初，〈由動亂到統一的新廣西〉，《廣西文獻》第十三期，一九八一。
黃旭初，〈馬君武博士長桂十月〉，《春秋雜誌》十二卷一期，轉引自《廣西文獻》第十二期，一九八一。
黃宗儒，〈新桂系在鄂北與陳誠的矛盾片斷〉，《湖北文史資料》第十八輯。
黃宗儒，〈裕字各銀號和廣西興業銀行〉，《新桂系紀實》，上冊。
黃崑山，〈廣西省會遷移史話〉，《廣西文獻》第十九期，一九八三。

黃紹竑，〈「四・一二」事變前後我親身經歷的會議〉，《廣西文史資料選輯》第七輯。
黃紹竑，〈一九二八年粵桂戰爭〉，《文史資料選輯》第二輯，一九八〇。
黃紹竑，〈我與蔣介石和桂系的關係〉，《文史資料選輯》第七輯，一九八一。
黃紹竑，〈新桂系的崛起〉，《文史資料選輯》第五十二輯，一九八一。
黃紹竑，〈新桂系與鴉片煙〉，《廣西文史資料選輯》第四輯，一九八二。
黃紹竑，〈舊桂系的興滅〉，《文史資料選輯》第十六輯，一九八一。
葉敏，〈華中「剿總」及華中軍政長官公署見聞〉，《湖北文史資料》第十八輯。
虞世熙，〈我所知道的白崇禧〉，《廣西文史資料選輯》第十七輯，一九八三。
虞世熙，〈新桂系的民團組織〉，《廣西文史資料選輯》第十三輯，一九八二。
虞世熙，〈新桂系與改組派的秘密組織——中國國民黨革命青年團〉，《廣西文史資料選輯》第一輯，一九八二。
路璋，〈我所知道廣西師專的一些情況〉，《廣西文史資料選輯》第十輯，一九八三。
雷殷，〈雷殷與民初內政〉，《口述歷史》第一期，一九八九。
廖競天，〈廣西銀行史料〉，《廣西文史資料選輯》第二輯。
劉斐，〈兩廣「六一」事變〉，《文史資料選輯》第二輯。
蔣永敬，〈蔣中正先生「第一次下野」的原因〉，《傳記文學》五四卷二期，一九八九。

鄧達之，〈白崇禧在國民政府的活動片斷〉，《新桂系紀實》，中冊。
盧蔚乾，〈胡宗鐸、陶鈞在桂系中的起落〉，《文史資料選輯》第五十二輯。
藍香山，〈白崇禧在軍訓部和校閱委員會〉，《新桂系紀實》，中冊。
藍香山，〈抗戰初期第二十一集團軍在滬浙皖戰場〉，《廣西文史資料選輯》第二十二輯。
羅永平，〈李明瑞傳略〉，《廣西師範學院學報》，一九八〇。

第四章部分

甲、專著

王鐵漢，《東北軍事史略》，傳記文學出版社，台北，一九八二。
西清，《黑龍江外記》，藝文印書館，台北，一九六八。
沈亦雲，《亦雲回憶》，傳記文學出版社，台北，一九八〇。
沈雲龍等，《王鐵漢先生訪問紀錄》，中研院近史所，台北一九八五。
沈雲龍等，《齊世英先生訪問紀錄》，中研院近史所，台北，一九九〇。
吳振臣，《寧古塔紀略》，藝文印書館，台北，一九七〇。
東北年鑑編印處，《東北年鑑》，東北文化社年鑑編印處，瀋陽，一九三一。
張玉法等，《董文琦先生訪問紀錄》，中研院近史所，台北，一九八六。

張伯英等，《黑龍江志稿》，一九三二。
徐新生，《一二九運動與民先隊》，國立政治大學東亞所碩士論文，一九七五。
栗直，《東北抗暴列傳》，東北文獻社，台北，一九八八。
陳存恭等，《張式綸先生回憶錄》，中研院近史所，台北，一九八六。
陳嘉驥，《白山黑水的悲歌》，漢威出版社，台北，一九八六。
傅虹霖，《張學良與西安事變》，時報文化公司，台北，一九八九。
楊賓，《柳邊紀略》，藝文印書館，台北，一九六五。
劉心皇，《東北英豪——朱霽青》，近代中國雜誌社，台北，一九八六。
劉賓雁，《劉賓雁自傳》，時報文化出版企業有限公司，台北，一九八九。
劉健群，《銀河憶往》，傳記文學出版社，台北，一九六六。
錢公來，《東北史話》，中央文物供應社，台北，一九五九。
謝國楨，《清初流人開發東北史》，台灣開明書店，台北，一九六九。
Robert H. G. Lee, *The Manchurian Frontier in China History,* Harvard University press, Cambridge, 1970.

乙、報刊及論文

《大公報》（天津），民國二十年九月二十九日，第五版。

《大公報》（天津），民國二十年十月二十五日，第七版。
《大公報》（天津），民國二十年十一月七日，第三版。
《大公報》（天津），民國二十年十一月六日，第七版。
《大公報》（天津），民國二十年十一月七日，第十一版。
《大公報》（天津），民國二十四年十二月十四日，第三版。
《大公報》（天津），民國三十七年七月六日，第三版。
干國勳，〈關於所謂復興社的眞情實況〉，《傳記文學》三五卷五期，一九六二。
于衡，〈國軍接收後的長春〉，《傳記文學》二十卷二期，一九七二。
于衡，〈陳誠、熊式輝走馬換將〉，《傳記文學》二十卷三期，一九七二。
王大任，〈一篇反共救國護校血淚奮鬥史〉，《東北文獻》創刊號，一九七〇。
王匡，〈談于總司令學忠先生生平〉，《東北文獻》十四卷一期，一九八三。
王思浚、姜濟民、李紹峰，〈東北學生「七五慘案」紀實〉，《東北地方史研究》，一九八八年，第三期。
王德溥，〈五十年政治生涯（七）〉，《東北文獻》二卷四期，一九七二。
王盛濤，〈西安事變善後殉難的王以哲〉，《東北文獻》二卷四期，一九七二。
田雨時，〈齊世英先生蓋棺論〉，《傳記文學》五一卷四期，一九八七。

田雨時，〈「東北光復與再淪陷」刊後感〉，《傳記文學》三八卷六期，一九八一。
田雨時，〈齊世英先生蓋棺論〉，《傳記文學》五一卷四期，一九八六。
田雨時，〈東北接收三年災禍罪言（三）〉，《傳記文學》三六卷二期，一九八〇。
田雨時，〈東北接收三年災禍罪言（四）〉，《傳記文學》三六卷三期，一九八〇。
田雨時，〈東北接收三年災禍罪言（六）〉，《傳記文學》三六卷五期，一九八〇。
田雨時，〈西安事變後張學良致于學忠函〉，《傳記文學》四十卷一期，一九八一。
《申報》，上海民國二十年十一月二十四日第六版。
李田林，〈重慶南山東北人物瑣憶〉，《傳記文學》十七卷四期，一九七〇。
李世鏡，〈我如何俘獲匪首葉挺─解決「新四軍事件」作戰回顧〉，《東北文獻》十四卷四期，一九八四。
李世鏡，〈有關俘獲匪首葉挺答客問〉，《東北文獻》十五卷一期，一九八四。
李江春，〈憶東北中學〉，《遼寧文史資料》第十輯，遼寧人民出版社，瀋陽，一九八四。
李宗穎，〈略述東北大學〉，《遼寧文史資料》第八輯，遼寧人民出版社，瀋陽，一九八四。
陳彥之，〈記東北大學進步學生抵制國民黨接管的鬥爭〉，《遼寧文史資料》第十輯。
李金洲，〈西安事變親歷記（四）〉，《傳記文學》二十卷三期，一九七二。
李雲漢，〈西安事變的前因與經過㈠〉，《傳記文學》三九卷六期，一九八一。

沈怡，〈沈怡自述〉，《中華民國史事紀要（初稿）》，中央文物供應社，台北，一九八八。
杜連慶、陸軍，〈東北軍史略〉，《遼寧師範大學學報（社科版）》，一九八五年第二期。
汪文江，〈光復後張學思同志在東北〉，《遼寧文史資料》第十輯。
吳相湘，〈熊式輝治軍行政外交〉，《民國百人傳》第四冊，傳記文學出版社，台北，一九七一。
高存信，〈高崇民同志年譜〉，《遼寧文史資料》第十三輯，遼寧人民出版社，瀋陽，一九八六。
高語和，〈我接掌遼北首縣西安回憶〉，《東北文獻》一卷二期，一九七〇。
栗直，〈東北黨務工作輯要〉，《東北文獻》十七卷一期，一九八六。
袁固，〈國民黨立委齊世英被開除了黨籍嗎〉，《自由中國》十二卷一期，一九五五。
曹延亭，〈國立東北中山中學究竟控制在誰的手中〉，《遼寧文史資料》第十輯。
曹靜岩，〈閻寶航是重慶地下黨祕密聯絡站〉，《長春社會科學戰線》，轉引自《傳記文學》五五卷六期，一九八九。
曹樹鈞，〈回憶並懷念母校創辦人及歷任校長〉，《東北文獻》十三卷四期，一九八三。
張玉芬，〈王以哲將軍聯共抗日思想的形成〉，《遼寧師範大學學報（社科版）》，一九八七年第二期。
張國維，〈義勇軍中一小兵〉，《東北文獻》六卷三期，一九七六。
舒毅敏，〈東北中學簡史〉，《遼寧文史資料》第八輯。

楊合義，〈清代東三省開發的先驅者——流人〉，《東洋史研究》三二卷三號，一九七三。
楊合義，〈清代活躍於東北的漢族商人〉，《食貨月刊》五卷三期，一九七五。
寧恩承，〈東北大學話滄桑（上）〉，《東北文獻》二十卷二期，一九八九。
臧啓芳，〈哲先回憶錄〉，《東北文獻》三卷一期，一九七二。
臧啓芳，〈哲先回憶錄〉，《東北文獻》三卷二期，一九七二。
臧啓芳，〈哲先回憶錄〉，《東北文獻》三卷四期，一九七三。
趙中孚，〈近代東三省移民問題之研究〉，《中央研究院近代史研究所集刊》，四期下冊，一九七四。
趙中孚，〈清末東三省改制的背景〉，《中央研究院近代史研究所集刊》第五期，一九七六。
趙中孚，〈清代東三省的地權關係與封禁政策〉，《中央研究院近代史研究所集刊》第十期，一九八一。
趙中孚，〈清代東三省北部的開發與漢化〉，《中央研究院近代史研究所集刊》第十五期下冊，一九八六。
趙守仁，〈評張學良將軍思想演變〉，《遼寧師範大學學報》（社科版），一九八六年第一期。
趙守仁，〈張學良與東北大學〉，《遼寧師範大學學報》（社科版）一九八七年第五期。
錢公來，〈王永江其人其事〉，《東北文獻》四卷四期，一九七四。

盧廣績，〈九一八事變前後東北人民的抗日救國活動〉，《遼寧文史資料》第七輯，一九八三。
盧廣績，〈回憶閻寶航同志〉，《瀋陽文史資料》第七輯，一九八四。
闞國煊，〈張學思其人其事〉，《傳記文學》四九卷六期，一九八六。
闞國煊，〈杜重遠〉，《傳記文學》三九卷四期，一九八一。
聶長林，〈回憶高崇民同志〉，《遼寧文史資料》第十輯。
蕭一山，〈清代東北之屯墾與移民〉，《學術季刊》六卷三期，一九五八。